AS REVOLTAS MODERNISTAS NA LITERATURA

OTTO MARIA CARPEAUX

COPYRIGHT © FARO EDITORIAL, 2021
Todos os direitos reservados.
Nenhuma parte deste livro pode ser reproduzida sob quaisquer meios existentes sem autorização por escrito do editor.

Diretor editorial **PEDRO ALMEIDA**
Coordenação editorial **CARLA SACRATO**
Preparação **BARBARA PARENTE**
Revisão **THAÍS ENTRIEL E LUCIANE H. GOMIDE**
Capa e diagramação **OSMANE GARCIA FILHO**
Ilustração de capa **PLASTEED | SHUTTERSTOCK**
Imagens internas **PLASTEED, CASSETTE BLEUE | SHUTTERSTOCK E DOMÍNIO PÚBLICO**

Dados Internacionais de Catalogação na Publicação (CIP)
Angélica Ilacqua CRB-8/7057

Carpeaux, Otto Maria
    As revoltas modernistas na literatura / Otto Maria Carpeaux. — São Paulo : Faro Editorial, 2021.
    272 p.

ISBN 978-65-5957-081-2

1. Modernismo (Literatura) I. Título

21-3925   CDD 808.80112

Índice para catálogo sistemático:
1. Modernismo (Literatura)

1ª edição brasileira: 2021
Direitos de edição em língua portuguesa, para o Brasil, adquiridos por FARO EDITORIAL.

Avenida Andrômeda, 885 — Sala 310
Alphaville — Barueri — SP — Brasil
CEP: 06473-000
www.faroeditorial.com.br

SUMÁRIO

    OTTO MARIA CARPEAUX   7
    NOTA PRÉVIA   13

AS REVOLTAS MODERNISTAS   17
A BOÊMIA DE MUNIQUE   21
WEDEKIND E A REVOLTA SEXUAL   22
OS PRÉ-EXPRESSIONISTAS   26
HERMANN HESSE   29
GIDE   32
A BOÊMIA DO MONTMARTRE   36
BERGSON E OS CATÓLICOS   41
NEGROS, CUBISTAS E O "PÈRE UBU"   43
O FUTURISMO ITALIANO   50
STRAVINSKY E O BAILADO RUSSO   55
APOLLINAIRE   57
JACOB, REVERDY, CENDRARS   63
A POESIA NOVA EM FLORENÇA   73
ORFEU EM PORTUGAL: SÁ-CARNEIRO E FERNANDO PESSOA   78
OS IMAGINISTAS; POUND   85
O "MIDDLE WEST" E CHICAGO   90
EXPRESSIONISMO NA ALEMANHA   94
OS JUDEUS DE PRAGA   99
KAFKA   103
REALISMO MÁGICO DOS ITALIANOS   108

PÉGUY **111**

TRAKL **115**

A PRIMEIRA GUERRA MUNDIAL **119**

REVOLUÇÃO NA RÚSSIA **124**

O TEATRO DOS PACIFISTAS **132**

POESIA EXPRESSIONISTA **138**

DADA **144**

O ULTRAÍSMO **148**

O MODERNISMO BRASILEIRO **154**

REVOLTA NA AMÉRICA **156**

REVOLTA NA INGLATERRA: D.H. LAWRENCE **161**

A PSICANÁLISE **165**

JOYCE **169**

PIRANDELLO **174**

O ESPÍRITO DE BLOOMSBURY **179**

SCOTT FITZGERALD E O'NEILL **186**

CONTRA OS BABBITTS **189**

HEMINGWAY **195**

T.S. ELIOT E O "WASTE LAND" **200**

NA RÚSSIA SOVIÉTICA **210**

A FRANÇA ENTRE AS GUERRAS **215**

O SURREALISMO **218**

NOVA POESIA ESPANHOLA **225**

LORCA E ALBERTI **229**

NOTAS **235**

ÍNDICE ONOMÁSTICO **251**

OTTO MARIA CARPEAUX

José Almeida Júnior

Vida e obra

Filho de pai judeu e mãe católica, Otto Karpfen nasceu em 9 de março de 1900 na cidade de Viena. Ingressou na faculdade de direito, por influência do pai, mas abandou o curso. Acabou se formando em física. Em 1925, concluiu o curso de filosofia e letras. Em seguida, tornou-se doutor em matemática, física e química pela Universidade de Viena. Com uma formação eclética, começou a trabalhar como jornalista.

Otto era um crítico do nazismo nos jornais em que trabalhava. Depois da anexação da Áustria pela Alemanha, em 1938, exilou-se em Antuérpia, onde passou a trabalhar nos principais jornais da Bélgica. Com receio da invasão nazista, refugiou-se no Brasil em 1939 com a sua esposa Helena.

No Brasil, passou a usar o nome Otto Maria Carpeaux. Com a ajuda do crítico literário Álvaro Lins, começou a escrever no *Correio da Manhã*. Os primeiros textos foram escritos em francês e posteriormente traduzidos. Logo se familiarizou com a língua portuguesa e entrou no círculo intelectual do Rio de Janeiro.

A convite de San Tiago Dantas, em 1942, foi nomeado diretor da biblioteca da Faculdade Nacional de Filosofia da Universidade do Brasil. No mesmo ano, publicou o seu primeiro livro de ensaios em língua portuguesa: *A cinza do purgatório*. Em 1944, conseguiu se naturalizar brasileiro e assumiu a direção da biblioteca da Fundação Getúlio Vargas.

Depois de escrever um texto crítico a respeito da obra de Romain Rolland, Prêmio Nobel de Literatura de 1915, passou a sofrer ataques de intelectuais como Jorge Amado, Dalcídio Jurandir e Carlos Lacerda. Georges Bernanos chegou a levantar a hipótese de que Carpeaux teria mantido relações com o fascismo. A essa acusação, o crítico austríaco respondeu em texto publicado em *O Jornal*:

> Quanto à firmeza da minha oposição ao fascismo austríaco, como a qualquer outro fascismo, passei por todas as provas, na Áustria, na Bélgica, no próprio Brasil. Afinal, não me mudei para cá como fazendeiro improvisado; cheguei, perseguido e exilado.

Carpeaux, em troca de carta com Carlos Drummond de Andrade, queixou-se da campanha difamatória que ameaçava a sua existência literária. O crítico se sentia ofendido e humilhado. Também agradeceu o apoio do escritor mineiro: "Foram as primeiras e únicas palavras de amizade que recebi."

As rusgas de Carpeaux com Jorge Amado se estenderam até os anos 1950. Como noticiou o jornal *O Globo* de 10 de outubro de 1959, os dois chegaram às vias de fato, após o autor de *Gabriela* cumprimentar todos os presentes em um almoço e ignorar Carpeaux:

> Pugilato no reencontro entre Jorge Amado e Otto Maria Carpeaux
> Os escritores Jorge Amado e Otto Maria Carpeaux, inimigos de 15 anos, foram às vias de fato, ontem, após acalorada discussão, à saída do *Correio da Manhã*, onde haviam participado de um almoço em homenagem ao escritor luso Ferreira de Castro.

Como redator do *Correio da Manhã*, Carpeaux foi um dos responsáveis pelo editorial *Basta!*, de 31 de março de 1964, às vésperas do Golpe Militar. O editorial teve relevante impacto na destituição do presidente João Goulart:

> Basta!
> Até que ponto, o Presidente da República abusará da paciência da Nação? Até que ponto pretende tomar para si, por meio de decretos, leis, a função do poder legislativo? (...)
> O Brasil já sofreu demasiado com o governo atual, agora basta!

No dia 1º de abril de 1964, com os tanques das Forças Armadas ocupando as ruas do Rio de Janeiro, o *Correio da Manhã* publicou mais um duro editorial exigindo a deposição de João Goulart:

> Fora!
> A Nação não mais suporta a permanência do Sr. João Goulart à frente do governo. Chegou ao limite final a capacidade de tolerá-lo por mais tempo. Não resta outra saída ao Sr. João Goulart que não a de entregar o governo ao seu legítimo sucessor. Só há uma coisa a dizer ao Sr. João Goulart: Saia!

Assim como Carlos Heitor Cony, que escrevia para o mesmo jornal, Carpeaux se tornou um crítico da Ditadura Militar logo após o Golpe. Em texto publicado no dia 18 de setembro de 1964 no *Correio da Manhã*, Carpeaux fez um paralelo da situação dos estudantes do Brasil do período e os da Alemanha nazista:

> Quer-se impedir que os estudantes hoje e os intelectuais amanhã assumam o seu papel natural de líderes do povo. O golpe golpeou o povo inteiro. E em seguida foi golpeado e arruinado o próprio País; e os próprios golpistas serão os primeiros a sentir o destino amargo que prepararam.

Os textos de Carpeaux publicados no *Correio da Manhã* entre abril e outubro de 1964 foram inseridos no livro *O Brasil no espelho do mundo*. A leitura dos artigos permite conhecer a reação imediata do crítico ao regime recém-instalado. De outubro de 1964 a junho de 1965, Carpeaux publicou uma série de artigos sobre a América Latina, que seriam reunidos no livro *A batalha da América Latina*.

Em razão das suas posições políticas, Otto Maria Carpeaux respondeu a inquérito policial militar e teve que se afastar do *Correio da Manhã*.

Em 1967, foi acusado de violação à Lei de Segurança Nacional por ter chamado o FMI de "FMI: fome e miséria internacionais".

Depois que deixou o jornal, começou a trabalhar com Antônio Houaiss nas enciclopédias Delta Larousse e Mirador. Também se tornou colaborador da Civilização Brasileira e se aproximou de intelectuais que se opunham aos militares, como Florestan Fernandes e Leandro Konder.

Em 1968, Carpeaux publicou pela editora Civilização Brasileira uma antologia de ensaios chamada *Vinte e cinco anos de literatura*. Dedicou o livro a Carlos Heitor Cony, Antônio Houaiss, Ênio Silveira e Mário da Silva Brito. A nota de abertura dos ensaios demonstra o pessimismo de Carpeaux com o momento político por que o Brasil passava:

> Fiz uma seleção rigorosa: só escolhi trabalhos que, por este ou aquele motivo, ainda hoje possam inspirar interesse ao círculo de amigos da literatura.
> Mas já não me incluo nesse círculo. Considero encerrado o ciclo. Minha cabeça e meu coração estão em outra parte. O que me resta, de capacidade de trabalho, pertence ao Brasil e à luta pela libertação do povo brasileiro.

Ainda que acometido pelo pessimismo, o crítico publicou em 1971 o livro *Hemingway: tempo, vida e obra*. Otto Maria Carpeaux morreu de infarto em 3 de fevereiro de 1978 na cidade do Rio de Janeiro.

As revoltas modernistas

Entre janeiro de 1942 e novembro de 1945, Otto Maria Carpeaux escreveu o seu trabalho mais ambicioso: *História da literatura ocidental*. As mais de quatro mil páginas foram datilografadas por sua esposa Helena. Inicialmente a coleção seria publicada pela Casa do Estudante do Brasil, órgão integrante da estrutura administrativa do Ministério da Educação, mas, por falta de verba, o projeto não foi adiante.

O livrou começou a ser publicado pelas Edições *O Cruzeiro* em 1959. A coleção foi publicada em sete volumes até o ano de 1966. *História da literatura ocidental* se inicia com a literatura grega e romana, passa pela ascensão do cristianismo, Idade Média, Renascença, Barroco, Romantismo, Realismo, Naturalismo, Simbolismo, Modernismo e tendências contemporâneas.

Para entender a Semana de Arte Moderna de 1922, que aconteceu em São Paulo, é necessário conhecer os movimentos modernistas que eclodiram no início do século XX na Europa, nos Estados Unidos e na América Latina. Por isso, a Faro Editorial publica em volume separado *As revoltas modernistas,* de Otto Maria Carpeaux. O texto está inserido no penúltimo capítulo de *História da literatura ocidental.*

Carpeaux reúne no livro um conhecimento enciclopédico a respeito das escolas de vanguarda. Diversos autores citados pelo crítico austríaco são pouco conhecidos no Brasil, alguns sequer tem tradução para o português. Porém, Carpeaux contextualiza historicamente vida e obra dos escritores e os insere nos movimentos modernistas no respectivo país de origem.

A nova literatura, também chamada de modernismo, começa a surgir antes da Primeira Guerra Mundial, entre 1905 e 1910, no círculo da boemia de cidades como Paris, Berlim, Florença e Nova York. Segundo Carpeaux, trata-se de uma literatura relativamente autônoma, pois era independente da realidade social. A própria função do modernismo na história literária consistiria no seu afastamento da realidade.

O texto não se restringe à análise do campo da literatura, abordando as outras artes e como elas se refletem na literatura. Carpeaux estuda os trabalhos de pintores como Pablo Picasso, Munch e Van Gogh. O teatro de vanguarda também está presente na obra.

Carpeaux foi um dos primeiros críticos em língua portuguesa a escrever sobre Franz Kafka. O texto "Franz Kafka e o mundo invisível" foi publicado em 1942 no livro *A cinza do purgatório.* Em *As revoltas modernistas,* o crítico identifica na obra kafkiana elementos do chamado realismo mágico, como resultado da decomposição do realismo-naturalismo por motivos alheios, provenientes do simbolismo ou do próprio modernismo.

Além de Kafka, Carpeaux aborda autores como Hermann Hesse, André Gide, Virginia Woolf, James Joyce, Marinetti e Fernando Pessoa. O leitor terá acesso a um panorama sobre a vida e a obra de escritores que marcaram os movimentos modernistas.

A respeito do modernismo no Brasil, Carpeaux defende que o movimento surgiu em circunstâncias mais desfavoráveis do que em outros países, pois não lhe precedeu nenhum movimento pré-simbolista ou simbolista, mas apenas um parnasianismo acadêmico sem raízes na cultura brasileira. Os modernistas no Brasil estavam diante de duas tarefas diferentes: criar uma poesia e uma arte genuinamente nacionais, e empregar, para tanto, os recursos das vanguardas europeias. Para Carpeaux, o modernismo brasileiro deparou com o problema da língua. A imigração e a colonização exigiam uma nova língua nacional.

As revoltas modernistas fornece uma visão geral do que foram os movimentos artísticos e vanguarda do início século XX, oportunizando ao leitor conhecer os autores e as suas obras. O texto também possibilita a compreensão da Semana de Arte Moderna de 1922 e a contextualização com as escolas de arte moderna da Europa, dos Estados Unidos e da América Latina.

Obras publicadas no Brasil:

A cinza do purgatório (1942);
Origens e fins (1943);
Pequena bibliografia crítica da literatura brasileira (1951);
Respostas e perguntas (1953);
Retratos e leituras (1953);
Presenças (1958);
Uma nova história da música (1958);
História da Literatura Ocidental (1959-1966);
Livros na mesa (1960);
A literatura alemã (1964);
A batalha da América Latina (1965);
O Brasil no espelho do mundo (1965);
Vinte e cinco anos de literatura (1968);
Hemingway: tempo, vida e obra (1971);
Reflexo e realidade: ensaios (1978);
Alceu Amoroso Lima (1978).

JOSÉ ALMEIDA JÚNIOR é escritor e defensor público. Autor de *O Homem que Odiava Machado de Assis*, publicado pela Faro Editorial, e *Última Hora*, romance vencedor do Prêmio Sesc de Literatura e finalista dos Prêmios Jabuti e São Paulo de Literatura.

NOTA PRÉVIA

Otto Maria Carpeaux

O presente volume faz parte de um estudo, de dimensões maiores, sobre a literatura universal, dos tempos antigos até hoje.

Em obras dessa natureza costuma-se tratar, separadamente, as literaturas: a francesa, a inglesa, a russa, a alemã, a italiana, a espanhola etc., omitindo-se, muitas vezes, o estudo das literaturas chamadas "pequenas"; observa-se a ordem cronológica, dividida em grandes épocas, também se estudam separadamente os diversos gêneros literários (poesia, teatro, romance e conto, ensaio etc.). Na presente obra, não se obedeceu a essa rotina. O estudo não se dividiu em épocas cronologicamente separadas. Mas, sem desprezar totalmente a cronologia, estudaram-se os grandes movimentos literários determinados por estilo comum, por situação social comum e pelas correspondentes reações ideológicas. Em consequência disso, as literaturas de todas as nações, inclusive as chamadas "pequenas", foram simultaneamente tratadas, enquanto as obras nas mais diferentes línguas pertencem às mesmas tendências estilísticas e ideológicas; e caíram os muros que nos manuais didáticos costumam separar os gêneros literários.

O presente volume trata da revolução ou revolta chamada modernista, aproximadamente entre 1905 e 1920. Conforme os princípios adotados, não aparecem neste volume os autores enraizados em época anterior à revolta, como: Claudel e Valéry, George, Rilke e Yeats, Blok e Biely, Unamuno, a geração espanhola de 1898, Antonio Machado, Baroja e Juan Ramón Jiménez, Shaw e Conrad; nem os precursores do modernismo, como Thomas Mann, Proust e Svevo, nem o precursor de um mundo novo, como Gorki. Esses autores todos devem ser procurados em volume anterior ao presente.

Em compensação, o presente volume tem um sucessor, sobre Tendências Contemporâneas, em que são estudados os autores posteriores à revolta modernista: Jules Romains e Malraux, Ernst Juenger, Frisch e Dürrenmatt, Krleža e Gombrowicz, Carlos Drummond de Andrade, Miguel Hernández, Auden, Faulkner, Ungaretti e Montale, Eluard, Pablo Neruda e Dylan Thomas, Kavaphis, Camilo José Cela e o moderno romance latino-americano, os autores do realismo socialista e Brecht, os neorrealistas italianos, Broch, Musil e Döblin, Camus e Sartre, Beckett e o nouveau roman francês e um dramaturgo como Peter Weiss. A enorme abundância de matéria explica suficientemente essa divisão do trabalho em vários volumes que podem, porém, separadamente ser estudados.

AS REVOLTAS MODERNISTAS NA LITERATURA

As Revoltas Modernistas

O consenso geral aponta o ano de 1914 como o marco do verdadeiro fim do século XIX. Quanto à literatura, evidentemente não é possível indicar data tão exata. O fato de que estilos, maneira de escrever e pensar do século XIX sobrevivem em plena época entre as duas guerras mundiais não é de grande importância; é o epigonismo sintoma de inércia nos autores e no público. Já importa mais outro fato: a "nova literatura", que em geral se chama "modernismo", já apareceu antes da Primeira Grande Guerra, entre 1905 e 1910. O que não importa absolutamente é um terceiro fato: o público e a crítica conservadora não terem percebido o que aconteceu nas vanguardas boêmias de Paris e Berlim, Florença e Nova York; o fato de só terem tomado conhecimento de literaturas inteiras, e tão importantes, como a inglesa, a espanhola e as escandinavas, só depois de 1918. Trata-se, pois, de um prazo de incubação que vai de entre 1905 e 1910 até 1914 e 1918, tendo a revolução literária coincidido com importantes acontecimentos e modificações na estrutura política e social do mundo. A guerra de 1914–1918 está no centro desses acontecimentos, entre as crises marroquina e balcânica, de um lado, a Revolução Russa e a revolta do fascismo italiano, do outro.

Nada parece mais natural do que a literatura ter reagido àqueles acontecimentos, seja refletindo-os, seja até antecipando-lhes os reflexos psicológicos. Com efeito, um número surpreendentemente grande de poetas e escritores, em todos os países, revelaram, antes de 1914, espírito profético: Péguy e George, Rilke e D'Annunzio, Maurras e Oriani, Blok e Ady. Nota-se, porém, que todos eles, e até os mais jovens entre esses "profetas", como George Hym e Rupert Brooke, escreveram em estilos do passado. Nenhum deles é modernista. E, no momento em que a angústia mais cerrada já pesa sobre a atmosfera, o grande poeta do modernismo, Apolinaire, grita, exprimindo o otimismo dionisíaco de uma geração futura:

> *Je suis ivre d'avoir bu tout l'univers.*

Quanto a 1914, a influência desse ano é realmente grande na literatura. Mas é, assim como a dos acontecimentos posteriores, uma influência muito indireta. Os grandes poetas que o fascismo invocou como testemunhas — Yeats, George, D'Annunzio — são, todos eles, da geração precedente. Por outro lado, a revolução social que começou em 1917, na Rússia, não repercutirá na literatura ocidental antes dos poetas ingleses de 1930 e da última fase do surrealismo francês. A verdadeira "literatura da guerra de 1914" não começará a aparecer antes de 1928, um decênio depois do armistício. O que havia antes, entre 1914 e 1918, em matéria de literatura de guerra, é uma espécie de reflexo condicionado. Isso não se refere apenas à literatura patriótica, que, como sempre, não tem importância. Pois as expressões da indignação e revolta revelam o mesmo imediatismo. Servem-se, aliás, de estilos tradicionais, como em Barbusse e Wilfred Owen. Mas, quando adotam estilo modernista, como os expressionistas revolucionários na Alemanha, então a guerra e a revolução ficam meros assuntos, quase casuais; a ideologia não é absolutamente "moderna", mas é o humanitarismo jacobino do século XIX, que é novo só para os súditos do Kaiser; apenas com acentos de angústia religiosa. O expressionismo não alemão, o escandinavo ou o de O'Neill, na

América, revelaram inclinação semelhante. E, já pouco depois de 1918, a guerra será esquecida. Só os anglo-saxões reagiram a 1918 de maneira diferente: desafiando o puritanismo, descobrem o sexo, iniciando-se viagem de — um crítico malicioso chamou assim a *Ulysses* — "Phallus in Wonderland". O modernismo inteiro, de Apollinaire até Joyce, parece evasionista. A guerra de 1914 deu só uma reação literária imediata, direta, sincera e radical: é o movimento de Dada.

Em certo sentido, esse resultado é perfeitamente justo. Costuma-se tratar Dada como *intermezzo* efêmero, mistificação ridícula, logo abandonado pelos próprios dadaístas. Na verdade, Dada é a forma mais coerente do modernismo da época entre 1905 e 1925; é tão radical porque significa o momento em que o modernismo se encontrou com a realidade.

A realidade era o corpo social dominado pelo imperialismo, com todas as suas consequências. Como pode reagir a essa realidade o modernismo, senão pela negação radical, que é Dada? Existem várias teorias, destinadas a esclarecer o fenômeno do imperialismo;[1] a teoria econômica de Lenin; a teoria política de Spengler; a teoria psicológica de Arthur Salz, que considera todos os motivos alegados pelos imperialistas como meras "racionalizações", pretextos da vontade do poder. Dessas teorias, pode-se extrair alguma coisa para esclarecer o fenômeno do modernismo. A tese econômica implica a destruição, embora não completa, das classes médias; explica-se assim a segregação da classe literária (que faz parte, em 1910, das classes médias); nasce uma nova boêmia, afastada das realidades econômicas; é mais uma vanguarda independente, antitradicionalista, assim como nos começos do romantismo. Do romantismo lembraram-se várias correntes modernistas, sobretudo o surrealismo. Esse neorromantismo enquadra-se na tese do "imperialismo psicológico", de Salz; seu *pendant* no terreno da literatura e arte seria a "mania infantil de onipotência", para falar em termos da psicanálise; a ambição de criar um mundo autônomo, à parte da realidade; e, em relação à realidade, esse mundo autônomo será, fatalmente, uma estrutura romântica.

Essas analogias, que se aplicam tão bem ao modernismo, não se aplicam, infelizmente, só ao modernismo. Se a "mania infantil de onipotência" constitui a raiz psicológica da arte, então é a raiz de toda arte, de todos os estilos; e, realmente, as boêmias e vanguardas acompanham a evolução inteira da literatura desde a Renascença. Para definir a vanguarda modernista falta mais um elemento; e este pode ser fornecido pelo papel que o imperialismo desempenhou depois de 1905 e 1914: rompeu o famoso Equilíbrio europeu, o político, o econômico, o social, e, enfim, o equilíbrio espiritual em que se baseava a literatura de 1900. Concluir daí que a arte modernista foi o resultado do desequilíbrio mental dos modernistas seria um trocadilho de crítica reacionária. Na verdade, aquele desequilíbrio significava a desarmonia entre os órgãos estruturais da sociedade, desordem comparável à que existe entre as atividades econômicas no momento da crise de um sistema social. Falta, então, a possibilidade de ajuste; e os membros continuam a viver em relativa autonomia, como tumores dentro de um corpo doente. O modernismo é, desse modo, uma literatura relativamente autônoma. Sofre com as dores do corpo inteiro e reflete as intervenções cirúrgicas que a guerra e a revolução representam. Mas guarda sempre uma autonomia que nenhum estilo literário, desde a Renascença, possuíra. Daí a impressão, de muitos críticos, de o cubismo ou o modernismo constituírem novidades absolutas, contrárias a todos os cânones que, desde a Renascença, dominaram a pintura e a literatura. A evolução do estilo modernista obedeceu a leis autônomas, independentes da realidade social. A própria função do modernismo na história literária consiste no seu afastamento da realidade: da realidade de 1910 e 1914, que não conseguiu sobreviver.

Por isso, o modernismo nasceu fora da vida literária reconhecida pelo público e pelos poderes estabelecidos; muito mais "fora" do que qualquer movimento literário novo de épocas passadas, a ponto de o público, inclusive a crítica conservadora, durante muitos anos, não lhe perceberem a existência. Nem sequer seria exato afirmar que o modernismo nasceu como literatura de uma boêmia. Nasceu dentro de uma boêmia que, ela mesma, não era modernista.

A Boêmia de Munique

A mais antiga dessas boêmias pré-modernistas foi a boêmia alemã em Munique, cidade de pintores — a relação íntima com a pintura será característica do modernismo literário. O órgão do grupo era a revista político-satírica *Simplicissimus,* fundada em 1896, especializada em ataques mordazes contra o Kaiser, a burocracia prussiana, o clericalismo bávaro, o epigonismo literário. *Simplicissimus* devia popularidade e influências às *charges* espirituosas de Thomas Theodor Heine, pintor notável cujo talento em deformação, vindo antes do tempo, só encontrou aberto o campo da sátira. Colaboraram as melhores forças da nova geração — Thomas Mann, Heinrich Mann, Wedekind, muitos poetas simbolistas da brigada ligeira — sempre com o intuito de irritar os instintos moralistas e patrióticos da burguesia. *Simplicissimus* sofreu inúmeros processos por ter publicado textos e desenhos obscenos, e certos redatores passaram metade da vida na prisão: ofenderam os bons costumes, a pátria e Sua Majestade, o imperador.

Wedekind e a Revolta Sexual

Entre os redatores do *Simplicissimus,* o mais denunciado pela política e o mais condenado pelos tribunais foi Frank Wedekind:[2] defendendo, num poema, um zoólogo acusado do crime de lesa-majestade advertiu a mocidade contra o estudo da zoologia, porque não seria possível pronunciar o nome de qualquer animal sem cometer o crime de lesa-majestade. O próprio Wedekind não se manifestava a não ser zombando de todas as leis divinas e humanas. Na comédia *Der Marquis von Keith* [*O Marques de Keit*], aliás, o panorama mais vivo da boêmia de Munique, o "herói" é um *brasseur d'affaires,* meio palhaço, meio criminoso, que, no fim, em face de uma catástrofe financeira, não se quer suicidar: "A vida é uma montanha-russa...". Na tragédia *Fruehlings Erwachen* [*Despertar da Primavera*] defendeu as relações sexuais entre colegiais de quinze anos, acusando pelo desfecho trágico a imbecilidade dos professores e a incompreensão dos pais. A Alemanha inteira assustou-se das tragédias *Erdgeist (Espírito da Terra)* e *Die Buechse der Pandora* [*A Caixa de Pandora*], história de uma prostituta nata que, em ambiente de jogadores, escroques, rufiões e perversos, arruína famílias inteiras para acabar nas mãos do tarado Jack, o estripador; e essa Lulu, última encarnação da *femme fatale* do romantismo, Wedekind apresentou-a como ideal feminino; o culto do dramaturgo ao "espírito da carne" é mesmo herança romântica. No "tratado" *Mine-Haha*, recomendou a educação das moças para o amor, falando — em 1900 — em banhos e ginástica sem roupa; e em *Totentanz* [*Dança Macabra*], o marquês de Casti-Piani explica à secretária de uma associação contra o vício os méritos da sua profissão: "Ninguém propicia à humanidade tanta alegria e prazer como eu!"; Casti-Piani dedica-se ao tráfico de brancas. Enfim, Wedekind descobriu o vício do moralismo na própria casa, lançando a terrível comédia *Oaha* contra a redação do *Simplicissimus*. Então todo mundo se riu do caso desse dramaturgo sem jeito *e blagueur* satanista, andando de cidade para cidade, cantando nas casas de diversão as suas poesias obscenas: um palhaço disfarçado de Satã.

A carreira estranha de Wedekind parecia justificar essa apreciação desdenhosa. Filho de uma família respeitável de oficiais, altos funcionários e magistrados, entrou na vida como chefe de publicidade de uma fábrica de conservas, viajou pela Europa como secretário de um circo; gostando de inventar aventuras, alegou ter sido acrobata, professor de canto, Sherlock Holmes, Caruso e Casti-Piani. De um homem assim não se podia esperar, no teatro, outra coisa do que a dramatização das "sujeiras" e "porcarias" de Zola, que justamente então começara a assustar os leitores alemães. Com efeito, os assuntos de Wedekind, sobretudo considerando-se o grande papel da sexualidade em seus dramas, são os assuntos do naturalismo; e, como naturalista, foi Wedekind, durante a sua vida, sempre considerado. Só muito depois os expressionistas eram capazes de descobrir a diferença. O estilo de Wedekind em seus dramas parece muito naturalista: é menos a linguagem da vida quotidiana do que a dos jornais, de sublimidade falsificada e vulgaridade involuntária. Não é, como acreditava a crítica conservadora, um péssimo estilo, mas um dos recursos de Wedekind para "desrealizar a realidade", para criar a atmosfera artificial de um gabinete de figuras de cera, habitado por personagens fantásticos, bonecos sem alma humana. Nesse estilo, Wedekind é capaz de exprimir profundas e sinceras emoções poéticas, como nas cenas de amor dos colegiais em *Fruehlings Erwachen* [*Despertar da*

Primavera]. Em Wedekind existe um romântico que esconde com pudor os seus sentimentos. E não pretende ofender o pudor dos outros: defende o seu aparente imoralismo com o zelo de um puritano; está imbuído da sua grande missão de libertar a mulher, última portadora dos instintos, ainda não quebrados, da santa Natureza. Seu humorismo burlesco também lhe serve de arma para purificar a atmosfera deste mundo, que é um inferno porque governado pelos erros, pela estupidez e pelos instintos cegos, não esclarecidos. Só um moralista de tão firmes convicções era capaz de conceber e realizar o que o naturalismo, agnóstico em matéria de moral, nunca conseguira: verdadeiras tragédias, de desfecho fatal, como *Erdgeist* [*Espírito da Terra*] e *Die Buechse der Pandora* [*A Caixa de Pandora*]. Os contemporâneos não perceberam isso porque a técnica dramatúrgica, chamada "inabilíssima", de Wedekind, os perturbava. Este, porém, não pretendia imitar a "vida" nem qualquer modelo literário. Em *Fruehlings Erwachen* [*Despertar da Primavera*], adotara a técnica de cenas rápidas, do "Sturm und Drang". Sua dramaturgia é a de Kleist, a de Georg Buechner, que só então foi redescoberto. Escreveu, de propósito, sem qualquer verossimilhança ou coerência. Não era inábil, mas antinaturalista. Só depois de 1918, já na época do expressionismo, compreendeu-se esse antinaturalismo, que também lembra muito o Strindberg da segunda fase e ao próprio expressionismo. Então, houve uma "moda de Wedekind", que foi durante certo tempo o dramaturgo mais representado na Alemanha; também foi estudado na Escandinávia, na Rússia e nos países anglo-saxônicos; O'Neill o conhecia bem. Os motivos dessa moda não eram, entretanto, puramente literários. O moralismo de Wedekind encontrara-se com o imoralismo do pós-guerra imediato; e quando as suas ousadias se tornaram lugares-comuns, quando todas as moças já foram educadas, assim como *Mine-Haha* aconselhara, o poeta caiu em olvido injusto. Só alguns estudiosos lhe guardaram o interesse, explicando-lhe a dramaturgia "bárbara" com regresso à dramaturgia mais primitiva, ao "mimo" da Antiguidade: resultado que é um desmentido formidável à ânsia de Wedekind de abandonar todas as tradições conhecidas do teatro. "Novo e primitivo" é, porém, uma fórmula do modernismo.

Thomas Mann

Os Pré-Expressionistas

edekind foi um solitário em seu tempo, mesmo dentro da boêmia. Mas foi imitado por muitos, compreendido por alguns e uma vez até ultrapassado. Do grande sucesso de *Fruehlings Erwachen* dá testemunho o *Professor Unrat*, de Heinrich Mann:[3] mais um daqueles professores imbecis e sádicos que maltratam a juventude nos colégios. E surgiu um representante quase genial dessa mocidade, Gustav Sack,[4] a quem os editores sabotaram de tal modo que, ao morrer na grande guerra, o mundo não tomara ainda conhecimento do seu sexualismo exuberante e romântico — os seus romances contêm, em prosa, toda a poesia da qual um Wedekind mais ingênuo, mais bárbaro, teria sido capaz. Enfim, a fase Wedekind foi ultrapassada por Sternheim.[5] Nas suas comédias mordazes, antes farsas altamente sofisticadas, o sexo não desempenha o primeiro papel; mesmo em *Die Hose* [*A Calcinha*], que fez escândalo porque pela primeira vez uma peça do vestuário íntimo feminino deu título a uma encenação dramática, o enredo só gira em torno da reputação social do burguês que é o dono da calcinha. Sternheim, declarando-se admirador de Heine e Wilde, foi, ele mesmo, um burguês alemão, rico, afrancesado, em revolta permanente contra os burgueses alemães, prepotentes, incultos e provincianos. Parece um radical racionalista à maneira de Heinrich Mann. Mas a sua técnica dramatúrgica é antinaturalista como a de Wedekind, deformando de propósito a realidade; e nos contos satírico-fantásticos de *Chronik von des zwanzigsten Jahrhunderts Beginn* [*Crônica do Começo do Século XX*] chega à deformação estilística: modificação arbitrária da sintaxe e da ordem normal das palavras, eliminação sistemática do artigo definido. Relevou-se que Sternheim costumava redigir em alemão normal, elaborando depois a versão "moderna"; e falava-se de mistificação. Não há motivo para denunciar assim um escritor que já em 1915 descobriu o valor de Franz Kafka. A deformação da realidade foi necessidade íntima em Sternheim, um dos pouquíssimos alemães modernos dos quais a vanguarda francesa tomou conhecimento. O romantismo algo sentimental que em Sternheim, assim como em Wedekind, se escondeu atrás de cinismos mordazes, apareceu como lirismo de boêmia em Schickele,[6] alsaciano, escritor de língua alemã e coração francês, enamorado dos *boulevards* de Paris e das margens do Reno, denunciando a espionagem e os negócios duvidosos na Suíça durante a guerra, celebrando a sua Alsácia natal como terra da síntese europeia: um idealista infeliz e desiludido, e, no entanto, ébrio, como os modernistas autênticos, da beleza da vida; expulso da Alemanha pelos nazistas, morreu em Paris, em janeiro de 1940, antes de experimentar a derrocada das suas ilusões.

Hermann Hesse

Hermann Hesse

A maior figura da "boêmia" pré-modernista alemã foi Hermann Hesse,[7] embora os admiradores da sua poesia lírica não quisessem concordar com essa classificação. Hesse é, ou melhor, foi o último poeta romântico da Alemanha. Os seus temas poéticos — a infância esquecida, amores irrealizáveis, a noite, a solidão — e a sua métrica, tradicionalista no sentido da tradição popularizante da poesia lírica alemã, revelam em Hesse um último descendente dos Eichendorff e Moerike, com forte dose de sentimentalismo irônico à maneira de Heine. Não há motivo para desprezar essa poesia, talvez a mais comovida e mais comovente que se escreveu em qualquer língua no século XX; mas é poesia de um adolescente provinciano, poesia anacrônica. Foi essa poesia anacrônica, misturada com o humorismo rústico e saudável da gente suíça, que tanto agradou ao público de 1904 no romance *Peter Camenzind,* expressão, além disso, da saudade insaciável dos alemães pela Itália, o Sul, a distância. O sucesso enorme desse livro restabeleceu materialmente a situação de Hesse, que não fora das mais seguras: filho de família ortodoxa e pietista, destinado a tornar-se missionário protestante na Índia, revoltou-se no colégio contra o pietismo, contra a disciplina das línguas clássicas, contra o utilitarismo da educação alemã. Tomou parte numa revolta de colegiais — uma daquelas revoltas das quais nascerá a associação pré-nazista "Wandervogel" —, evadiu-se para a Suíça, viveu na solidão de adolescente desgraçado a sua própria poesia, restabeleceu-se como o seu "Peter Camenzind" na natureza. O livro tornou-o rico, o casamento com a filha de uma família da burguesia nobre da Suíça completou-lhe a educação para burguês, vivendo agora numa vila suntuosa às margens do lago de Constância. Evadiu-se, porém, outra vez, levando nos arredores do lago uma vida de pescador primitivo. Veio, nas vésperas de 1914, o divórcio inevitável; depois, o colapso de nervos quase até a loucura, a cura psicanalítica, vida nova nos círculos de poetas e pintores vanguardistas da Suíça, contatos com Apollinaire e Picasso, atividades subversivas, em plena guerra, contra o militarismo alemão, simpatia ativa para com o movimento recém-fundado de Dada. Em 1919, aparece um Hesse diferente no romance *Demian,* tão diferente que, para evitar confusões, preferiu publicá-lo sob o pseudônimo de "Sinclair". O Hesse de *Demian* é, no fundo, o mesmo adolescente de 1900; apenas, a religiosidade recalcada é agora fervor místico que se refere a Dostoiévski, o romantismo converteu-se em anarquismo político de acentos humanitários, a revolta do adolescente perpétuo em profecia apocalíptica de *tabula rasa:* para que assuma o poder político e espiritual a nova juventude do mundo. A mocidade expressionista recebeu *Demian* com a mais profunda gratidão, como mensagem de saúde espiritual depois da doença da guerra. Mas o mensageiro continuou doente. Procurou remédios na sabedoria da Índia e da China e, novamente, na psicanálise. E, de repente, veio a explosão inesperada dos instintos ou *Steppenwolf* [*O Lobo das Estepes*], romance da crise neurótica de um homem de cinquenta anos, que coincide com a crise neurótica do mundo entre as duas guerras. Hesse sempre deu exemplos: em *Peter Camenzind,* em *Demian,* em *O Lobo das Estepes*; e, enfim, depois da catástrofe da Segunda Guerra, na maior das suas obras, *Das Glasperlenspiel* [*O Jogo das Pérolas de Vidro*]. É o romance utópico da salvação do Espírito numa "província pedagógica" (o termo é de Goethe), numa ilha em meio do mar da destruição e barbárie; um *pendant* positivo do *Doktor Faustus*, de Thomas Mann, inspirado, como este, pela religião da música. Pois Hesse não tem outra religião. É anticristão decidido; mas não tem nada de nietzschiano; é um humanitário, um coração generoso.

Gide

A obra de Hesse tem algo de romântico e algo de ex ou supratemporal, apesar de tão intimamente ligada aos movimentos políticos e espirituais da época. Quem duvidar, porém, da situação do pós-romântico Hesse dentro da evolução do modernismo, faça o experimento de combinar de novo os elementos da sua vida — fuga da casa paterna, religiosidade recalcada, lirismo e anarquismo dostoievskiano, crises sexuais de um eterno adolescente, crises irresolúveis do individualismo — transportando esses elementos da atmosfera provinciana para a da grande capital e de um mundo mais requintado, substituindo o romantismo pelo simbolismo, e encontrará um leitor apaixonado de Hesse, anotando no 22 de junho de 1930 no seu *Journal*: "... j'avais lu, et avec grand appétit, *Demian* de Hesse...". Esse leitor é André Gide.[8] As analogias são muitas; e para o esclarecimento da posição histórica de Gide, em 1900 e em 1920, talvez sirvam melhor do que as análises mais sutis da sua personalidade e da sua obra aspectos de um indivíduo, que, por definição, escapa a todas as definições. A primeira e mais elucidativa dessas analogias é a fuga da casa paterna. A vida íntima de Gide é fuga perpétua de "enfant prodigue"; perpétua, porque a libertação nunca foi definitiva. O motivo reside menos no poder invencível dos cânones morais da família francesa, que Gide odeia tanto, do que na fraqueza sentimental do individualismo gidiano: foge para voltar; e volta sempre para fugir mais uma vez. É o individualismo impermeável, mas precário, do adolescente; e Gide continuou, durante a vida toda, perpétuo adolescente, porque a anomalia sexual o excluiu da comunidade dos adultos. Como eterno adolescente, Gide continua sempre diante das portas da vida. Guarda a aparente liberdade de escolher seu futuro: eis a base da famosa "disponibilité" gidiana, que não é oportunismo estético, mas indecisão moral. Daí a oscilação permanente entre obras de imoralismo e obras de puritanismo, entre os polos *Immoraliste* e de *La porte étroite*. Daí a oscilação permanente entre acessos de calvinismo, herdado dos antepassados, e a tentação de inverter esse calvinismo; de abandonar a fé em Deus para acreditar, tanto mais firmemente, no Diabo. Por isso, a famosa sinceridade de Gide, seu único critério moral e estético, parece, com frequência, intimamente insincera. O grande revolucionário foi tradicionalista. O defensor dos instintos, inclusive dos instintos perversos, foi puritano. Até sua morte foi, conforme a definição de Robert Mallet, "une mort ambigue". Ambiguidade é a palavra-chave de Gide; mas também é a palavra-chave da Arte, que, por definição, nunca se enquadra em sistema lógico. As aparentes limitações de Gide são indícios de sua verdadeira grandeza: revoltou-se contra a ética tradicional porque era só e unicamente artista, não admitindo outros critérios senão os estéticos. A leitura do *Journal* de Gide mostra um homem que, durante sessenta anos, viveu para a literatura e para a arte. É um esteta.

Mas Hesse não ficou, para falar como Kierkegaard, na "fase estética"; evoluiu para a "fase moral" e a "fase religiosa". Não é um adolescente perpétuo. Sua fuga da casa paterna foi ato decisivo que não precisava repetir. Amadureceu. Sua moral não é estética. Ao contrário: sua estética é inspirada por preocupações morais. Muito menos o preocupa a expressão formal. Daí o aspecto anacrônico e provinciano da sua poesia. Gide, porém, encontra-se desde cedo no centro do vanguardismo literário do mundo. Como adolescente de 1890, será fatalmente simbolista; e, num sentido mais amplo da palavra, sempre continuará simbolista: como esteticista à maneira de Wilde, de 1900; como individualista à maneira de Nietzsche, de 1900; como anarquista místico à maneira de Dostoiévski, de 1920. O poeta simbolista André Walter, ao qual Gide atribuiu as suas primeiras poesias, terá vida tão tenaz como o poeta romântico Hermann Lauscher, ao qual Hesse atribuiu o seu primeiro livro de versos. Seria, no entanto, artifício exagerar a analogia. Dois individualistas nunca se parecem tanto. O alemão provinciano Hesse é mais sentimental, mais triste. O adolescente Gide encontra o mundo aberto. Antecipa, por mais do que um decênio, a ebriedade de quem "a bu tout l'univers": na prosa whitmaniana das *Nourritures terrestres*. A consciência artística de Gide condenará, mais tarde, esse lirismo. A sua obra principal de entre 1900 e 1910, *La porte étroite*, é protótipo do neoclassicismo de um romântico disciplinado. Obra típica da época do Equilíbrio europeu. Na verdade, Gide fugiu do lirismo para não perder, pela exaltação da Vida, a disponibilidade, a liberdade de escolha do individualista. O classicismo, com todos os seus rigores, ofereceu-lhe paradoxalmente liberdade maior. Esse classicismo de Gide só é forma: *é* forma atrás da qual é possível esconder as fugas e voltas e novas fugas e todos os *Prétextes* e *incidents* da vida do espírito em disponibilidade. Por essa forma impecável pagou-se um preço caro. Sempre quando uma geração acreditava encontrar o seu próprio retrato numa obra de Gide, tratava-se de um equívoco. No fundo, as obras de Gide só têm significação e importância para ele mesmo; por fora, são brilhantíssimos exercícios de estilo. E há quem acredite que na obra de ficção do escritor não se encontra nenhuma peça de significação bastante geral e permanente para sobreviver — quer dizer, sobreviver como obra de arte; a importância de Gide como crítico, psicólogo e moralista é, porém, indiscutível. Sua obra-prima permanente seria o *Journal*.

Outra coisa, porém, é a significação histórica; e nesse sentido, como em outros, é extraordinária a importância das *Caves du Vatican*. Desenvolvendo a doutrina da "disponibilité" até chegar à teoria da "gratuité", Gide encontra-se com o mundo irreal do modernismo. As *Caves du Vatican* são uma farsa da época de Apolinaire e Max Jacob. Depois, só faltava a "transformação absurda do mundo pelo ato gratuito da guerra" para libertar Gide do seu isolamento; até então fora escritor para poucas centenas de leitores. Em 1920, Gide é o chefe da mocidade francesa; é o que o autor de *Demian* é, nesse mesmo momento, para a mocidade alemã. Só chegam a ver Whitman, Dostoiévski e Joyce através dos olhos de Gide. Essa sua nova situação deve-se, pelo menos em parte, a certos atrasos na estrutura social da França: só por volta de 1920, a dissolução da família francesa atingiu o grau necessário para dar ressonância às reivindicações daqueles adolescentes; então, todo mundo era adolescente como o eterno adolescente Gide. Desse acordo efêmero nasceu a obra mais ambiciosa de Gide: *Les Faux-Monnayeurs.* Dessa feita, autoanálise e autocrítica do escritor coincidiram com análise e crítica da geração e da época. Apenas, para guardar a liberdade do individualista, a "disponibilité", era preciso manter-se a distância da realidade e dos seus compromissos. O método novelístico, indireto, de Henry James e Conrad ofereceu possibilidade para tanto; mas ao preço de transformar a realidade novelística dos *Faux-Monnayeurs* em mundo de sombras. Gide não saíra do individualismo. A "crise" desse individualismo, refletindo-se na adesão ao comunismo e, logo depois, na apostasia do comunismo, foi da maior importância para os discípulos-adeptos de Gide, abrindo-se diante deles o abismo entre a revolução dos instintos e a revolução social. Para o próprio Gide, apenas foi mais um incidente. Já resolvera, para si, o problema na *École des femmes,* complemento das *Caves du Vatican* e dos *Faux-Monnayeurs* e talvez a mais perfeita das suas obras de ficção. Na *École des femmes,* a "gratuité" e a necessidade social da convivência dos homens identificam-se pelo conceito da Graça: solução digna de um contemporâneo dos jansenistas e jesuítas; de um clássico das letras francesas.

A influência de Gide foi imensa; mas foi antes de ordem moral do que literária. O autor do *Immoraliste* desencadeou uma revolução moral no mundo inteiro. Mas não foi possível imitar o autor de *La porte étroite* e dos *Faux-Monnayeurs.* A mistura caracteristicamente gidiana de imoralismo e classicismo talvez só se encontre em Radiguet:[9] *Le diable ou corps,* o romance "maquiavelicamente" cínico do adultério da mulher de um soldado, em guerra, com um adolescente; e *Le bal du comte d'Orgel, pastiche* diabolicamente hábil do moralismo e do estilo do século XVII. Os que conheciam Radiguet pessoalmente querem garantir-nos que o rapaz foi um gênio. Sem subestimar a estupenda "craftsmanship" desses dois romances escritos por um adolescente, fica uma dúvida: só parecia gênio, talvez, porque, morrendo com vinte anos de idade, não teve tempo para provar que foi apenas um grande talento.

A Boêmia do Montmartre

As mesmas relações superficiais, que ligam Hesse à boêmia pré-expressionista da Alemanha, existem entre Gide e o grupo dos poetas "fantaisistes" do Montmartre. Ao imoralismo corresponde o libertinismo; e ao classicismo, a imitação, de propósito, da Plêiade. A "gratuité", que em Gide é doutrina, nos "fantaisistes" é estilo de viver; por isso, Gide encontrar-se-á com o modernismo doutrinário de Apollinaire e dos seus amigos, o que não acontecerá com nenhum dos "fantaisistes"; mas é entre eles, no seu ambiente, que nascerá o modernismo.

A imitação de Villon e da Plêiade, que já foi mania dos poetas boêmios desde Benville e Fagus, torna-se virtuosismo fabuloso em Muselli,[10] o parnasiano da boêmia de 1910, grande em suas experiências em versos ligeiros. Parnasiano, embora mais comovido e experimentador de novos metros também foi o esquisito Nau,[11] poeta do "Chat Noir", depois marinheiro, realizando as viagens nos sete mares, das quais os parnasianos apenas sonharam nas bibliotecas de ciências geográficas; mas tampouco encontrou a *Ile verte* que ele sabia descrever com cores tropicais —

> ... Je n'ai rien oublié: Rien que le nom de L'Ile!

Nau tinha algo do "douanier" Henri Rousseau, o tímido "primitivo", com o qual se parecia fisicamente. Mas dispunha de artifícios métricos que impressionaram os modernistas. E o seu exotismo não deixou de influenciar o boêmio Carco;[12] neste, o primitivismo, que foi rural à maneira de Jammes ou marítimo à maneira de Nau, é substituído pelo populismo dos *bas-fonds* de Paris, outra fonte de inspiração do modernismo; e o culto de Dostoiévski foi comum de Carco e Gide.

O maior, de longe, desses poetas menores foi Toulet.[13] Como quase todos os "fantaisistes", imitou a poesia anacreôntica da Plêiade, e com virtuosismo assombroso; mas possuía a grande sinceridade de confessar as fontes da sua inspiração, quer dizer: ver Ronsard através de Moréas e dizê-lo. Confissão que o prejudicou muito: fora de um círculo de admiradores apaixonados, Toulet foi geralmente considerado como companheiro poético de Maurras, e as tentativas dos reacionários de lançar o poeta "clássico" contra os modernistas não serviam para invalidar a acusação. A releitura de uma centena das suas pequenas poesias, *Contrerimes*, basta, porém, para revelar que Toulet não é um classicista, e sim, realmente, um clássico. Detestava o romantismo porque eloquente e verboso; mas tampouco gostava das composições pomposas do classicismo. Escreveu quase exclusivamente pequenos *lieds* de forma epigramática; e se o seu espírito autenticamente latino impede qualquer comparação com *o lied* germânico, convém tanto mais lembrar a *Anthologia graeca*. Toulet fez epigramas líricos porque lhe repugnava a efusão; e até aos companheiros noturnos de café boêmio que lhe aplaudiram a maledicência — e quantos modernistas havia entre eles — ele chamava-os severamente à ordem:

> ... Si vous voulez que je vous aime
> Ne riez pas trop haut.

Desse modo, os metros clássicos de Toulet desempenham a função dos períodos clássicos em Gide: esconder a emoção. Toulet, boêmio malicioso e cínico, escondeu uma angústia desesperada:

> *Mourir non plus n'est ombre vaine.*
> *La nuit, quand tu as peur,*
> *N'écoute pas battre ton coeur:*
> *C'est une étrange peine.*

O produto do virtuosismo métrico e do impulso dessa angústia foi uma qualidade de Toulet que os críticos de todos os lados, unanimemente, não sabem nunca elogiar bastante: um domínio quase fantástico da língua, o francês mais puro numa sintaxe complicadíssima, impecável e que, no entanto, parece invenção pessoal e audaciosa. Essa sintaxe poética habilitou o poeta a cantar, à vontade, todas as coisas, poéticas, apoéticas ou antipoéticas, construindo um pequeno universo de *boulevards* e cafés, mil amores fáceis, viagens que eram lembranças de gravuras em revistas ilustradas, prazeres de mesa, régios tirados de anúncios de jornal, excursões indecentes com modelos nus às margens do Sena, e uma coleção imensa dos objetos mais banais da vida, e ao lado desse universo, tão parecido com as naturezas-mortas dos pintores modernistas, em condensação essencial como dos cubistas, Toulet sentiu que —

> *... au sein de l'abime immense*
> *Naissent des feux nouveaux.*

A mistura irônica de coisas sublimes e coisas triviais talvez não seja o traço mais característico de Toulet; mas é o que dará a cor particular à poesia dos seus discípulos. Sem isso, Derème[14] seria apenas um versificador elegante e espirituoso; e com efeito, quando deixou de cantar os

> *Hôtels garnis, chambres meublés,*
> *Escaliers tristes... —*

só ficou o elegíaco convencional. Não chegou a esse ponto — e talvez chegasse, antes, ao modernismo — o boêmio malogrado Pellerin,[15] irônico sentimental em quem alguns críticos amigos gostariam de ver um grande poeta, lembrando a Laforgue; com efeito, *La Romance du Retour*, o poema do soldado que, voltando da guerra, encontra uma Paris diferente e caótica, não é indigna do grande precursor do modernismo, com o qual Pellerin também se parece pela "impureza" da sua poesia, negação da "poésie purê". Marcel Raymond, que dedicou estudo simpático[16] aos "fantaisistes", não convence, descobrindo espírito laforguiano nas trivialidades intencionais de Derème, mas convence quando aponta em Pellerin "une poésie... qui a pris à tâche d'évoquer le désordre des choses et le désordre moral"; e isso já se aproxima do modernismo. Contudo, "la manière des fantaisistes reste traditionnelle en ses étrangetés et ses audaces".

Mas o terreno estava preparado: a boêmia como ambiente em que o modernismo nasceu. Não foi por acaso: só a boêmia, como espécie de organização da vida literária fora da organização da sociedade, podia oferecer o clima para o empreendimento audacioso de alguns pintores e poetas de destruir o mundo existente e criar outro. Com efeito, o modernismo nasceu quase simultaneamente em quatro lugares diferentes — Paris, Florença, Nova York e Berlim — e sempre num ambiente de boêmia. Por consequência, o historiador da literatura contemporânea encontra-se em situação embaraçosa; uma situação como a de Guicciardini que na *Storia d'Italia* tem que contar a história de muitos pequenos Estados ao mesmo tempo — e, diz Ranke, "... assim como Ariosto no *Orlando Furioso*, o historiador está obrigado a interromper em determinado ponto a narração para retomar mais tarde o fio, conforme as imposições da cronologia, mas não com a mesma liberdade como o poeta". Em todo caso, a prioridade cabe a Paris.

O modernismo nasceu em Paris; mas, além disso, não será possível dizer muito para defini-lo. Ninguém o confundirá com o chamado "modernismo" hispano-americano (e depois espanhol), que foi a forma ibérica do simbolismo e grande obstáculo à entrada do "verdadeiro" modernismo na Espanha e nas Américas; nem com o modernismo brasileiro de 1922, que, sendo uma das alas nacionais do "grande" modernismo, contudo tem mais outras raízes, francesas e italianas. Mas será lícito lembrar o modernismo católico de Loisy, Tyrrell e Buonaiuti que pelos mesmos anos, entre 1905 e 1910, produziu um terremoto na Igreja; tinha também Paris como capital; lançou-se contra a mais antiga tradição organizada do nosso mundo, assim como o modernismo literário pretendia acabar com todas as tradições; e defendeu, enfim, teorias anti-intelectualistas sobre a fé que iam ao encontro do anti-intelectualismo dos pintores e poetas modernistas. Até o mestre dos teólogos de Saint-Sulpice e dos boêmios de Montmartre era o mesmo: Bergson.

Bergson e os Católicos

Entre 1900 e 1910, a influência de Bergson[17] era tão grande como a de nenhum outro filósofo francês, anteriormente; era uma influência total, abrangendo todos os setores do pensamento e da vida. Além de uma escola de filósofos espiritualistas, prontos para combater o materialismo, sentaram-se aos seus pés os físicos e matemáticos, assustados pelo ceticismo crescente quanto às leis matemáticas da natureza newtoniana; os biólogos, procurando libertar-se do determinismo darwiniano; os psicólogos, procurando uma base biológica da sua ciência algo vaga; os tradicionalistas, desejosos de restabelecer a primazia do "espírito" na sociedade; os sindicalistas, desejosos de insuflar um "élan vital" ao movimento marxista; os teólogos católicos, em busca de uma nova apologia; e os modernistas heréticos, colhendo elementos para destruir a apologia antiga. As damas mais elegantes de Paris encheram as aulas do professor eloquente do Collège de France, sentando-se ao lado de Sorel e Péguy. Os pintores e poetas de Montmartre não frequentavam essas reuniões filosófico-mundanas. Bergson nem precisava influenciá-los diretamente. Mais do que um grande pensador e grande poeta em prosa, foi Bergson a encarnação de um *trend* poderoso da época: advertindo contra a insuficiência da lógica, que só é capaz de interpretar o lado mecânico do Universo, e contra a fé ilimitada nos sentidos, que nos iludem quanto à superfície das coisas; e inspirando nova confiança nas forças criadoras da alma humana, capaz de construir um Universo autônomo. Bergson agradava igualmente aos conservadores e aos revolucionários, porque encarnava o otimismo eufórico da época do Equilíbrio e, ao mesmo tempo, as esperanças de uma Renascença futura desse mundo imperfeito.

Negros, Cubistas e o "Père Ubu"

O bergsonismo aplicava-se muito bem à pintura. Desde Jacques-Louis David, através de Ingres, Géricault, Delacroix, Corot, a escola de Barbizon, Courbet, a história da pintura francesa do século XIX constituiu um processo permanente contra os valores plásticos em favor dos elementos atmosféricos: o impressionismo, menos aliás o de Manet e Degas do que o de Monet e Renoir, significava a vitória do senso óptico sobre o senso tático. A natureza foi representada assim como impressionava os olhos; e esse empirismo pictórico correspondia ao racionalismo desconfiado, agnóstico, da segunda metade do século XIX. Uma pintura bergsoniana teria que confiar mais na intuição do que nos sentidos para criar um mundo pictórico que, apesar de contradizer as "fables convenues" da lógica racionalista, representaria a verdadeira substância da realidade, a construção do Universo. Nesse sentido, Cézanne já era um pintor bergsoniano *avant la lettre*. As tendências construtivistas acentuaram-se em pintores como Matisse, Vlaminck, Derain, cujos quadros no salão de outono de 1905 pareciam tão terríveis ao público e aos críticos que o apelido de "Fauves" convinha para caracterizá-los. Os "Fauves" não eram feras, e sim parisienses requintados. Mas os primitivos autênticos, lá na África, estes ainda possuíam o segredo de fazer obras de arte sem intervenção de lógicas duvidosas e convenções de *atelier*. Já se admirava muito, em Paris, o poder emocional que os negros sabiam comunicar às suas esculturas de técnica primitiva. E a arte mais primitiva e a arte mais moderna se encontraram quando um irmão do poeta Max Jacob trouxe da África Ocidental um quadro de um pintor negro em que os elementos da realidade eram arbitrariamente desarticulados e, depois, reunidos de maneira nova para simbolizar o "verdadeiro sentido" do objeto. Esse processo, muito frequente na arte dos primitivos, encontra-se na Europa civilizada em certas fases da arte medieval que deu maior ênfase ao sentido dos objetos do que à sua aparência. Desde a Renascença, o realismo triunfara tão completamente que nunca mais se viu tal coisa, senão em certas deformações nos quadros do Greco; mas este fora considerado louco. A redescoberta e reabilitação do Greco por Manuel Bartolomé de Cossío datam de 1908; tal descoberta foi explorada não pelos modernistas, mas por Barrès; a coincidência das datas permanece, no entanto, significativa.

Os pintores que pretenderam introduzir a técnica de decompor a realidade em estruturas geométricas e reconstruir com esses elementos um novo mundo pictórico — os "cubistas" Pablo Picasso, Georges Braque, Juan Gris — reuniram-se numa espécie de habitação coletiva, o "Bateau-lavoir" na Rue Ravignan, no Montmartre. Relações de amizade entre poetas e pintores constituem uma velha tradição parisiense. Desde que Picasso e Apollinaire se encontraram pela primeira vez, em 1905, numa taverna da Rue d'Amsterdam, a aliança estava concluída. Guillaume Apollinaire, Max Jacob, André Salmon, Pierre Reverdy integraram o estado-maior literário do cubismo. Mais tarde, chegaram representantes da vanguarda musical — enfim, o "Bateau-lavoir" e a sua dependência culinária, o restaurante "Le Lapin Agile", constituíram um mundo à parte, esquecido pela sociedade e, de sua parte, esquecendo-se dela —

> *Qui donc saura nous faire oublier telle ou telle partie du monde*
> *Où est le Christophe Colomb à qui on devra l'oubli d'un continente...*

— o Colombo do continente cubista era o autor desses versos: Apollinaire.

Ao espírito filosófico de Apollinaire, o cubismo deve argumentos profundos, dos quais os pintores nem sonharam; e ao espírito mistificador de Apollinaire, o cubismo deve confusões que enfim o destruíram. No princípio, encontrava-se a pretensão de decompor a realidade — a realidade aparente — da lógica, dos sentidos, do mundo oficial, para chegar à verdadeira realidade: "per realia ad realiora". Retomando um conselho casual de Cézanne, os cubistas descobriram essa realidade verdadeira nos cubos, cilindros e outros corpos e figuras geométricas dos quais todo objeto se compõe. Pode-se estabelecer uma distinção entre os cubistas propriamente franceses e os numerosos espanhóis, Picasso em primeira linha, que iniciaram o movimento. O espírito geométrico dos franceses sentiu-se muito à vontade na decomposição da realidade em estruturas geométricas e na reconstrução conforme as leis da matemática, mais lógicas do que as contingências da realidade. Os espanhóis, porém, não são assim tão geométricos; têm o espírito místico, reconheceram nas leis matemáticas da composição reflexos da harmonia das esferas ou outras proporções ocultas do Universo, reencontradas pela introspecção intuitiva no microcosmo da alma. O cubismo começara realçando os valores plásticos — reagindo contra a dissolução desses valores pelo impressionismo — e acabou acentuando as proporções musicais, a poesia órfica atrás dos objetos. Por mais que tenha influído nisso o misticismo inato dos espanhóis, a responsabilidade principal cabe a Apollinaire. Do ponto de vista da poesia, trata-se de uma reaproximação com o simbolismo; e Apollinaire, como poeta, era ex-simbolista. Mas não foi nem o simbolismo esteticista nem o simbolismo decadentista que presidiu aos pródromos do modernismo, inaugurando com otimismo dionisíaco uma nova era. O modernismo nada tem a ver com Verlaine e, naqueles anos, muito pouco com Mallarmé; e certas influências de Verhaeren chegaram-lhe só através do futurismo. Mas o modernismo descende diretamente de Rimbaud,[18] cuja poesia foi, por volta de 1910, reinterpretada e revalorizada. Até então, Rimbaud fora o *enfant terrible* do simbolismo, o autor genial e infelizmente malogrado de alguns sonetos geniais, sobretudo das "Voyelles", que pareciam o código das sinestesias poético-pictórico-musicais do simbolismo. Agora, aquele soneto foi interpretado à luz das *Correspondances*, de Baudelaire, como código das relações sintáticas entre os elementos do Universo, como doutrina órfica de harmonias secretas. A famosa "alquimia das palavras" perdeu o aspecto de um supremo artifício linguístico; foi considerada, agora, como processo cubista de decomposição e recomposição da língua. Rimbaud parecia novo Orfeo, chamando as feras (os "fauves") dos instintos subterrâneos e subconscientes contra a falsidade da literatura civilizada; embarcando-se no "Bateau ivre" para procurar outro Colombo, aquele novo continente dos modernistas. O fato mais misterioso da sua vida, o abandono súbito e definitivo da literatura, já não parecia o fim, e sim o princípio da sua verdadeira atitude literária; e a sua fuga para a África, continente tão caro aos admiradores modernistas da arte negra, considerava-se como sinal de revolta contra a literatura, contra todas as tradições, contra a civilização inteira: com palavras, muito citadas então, de Gide, nas *Nourritures terrestres*: "Table rase. J'ai tout balayé. C'en est fait. Je me dresse nu sur la terre vierge, derière le ciel à repeupler". E a imagem desse primitivismo criador confundiu-se com a natureza virgem nos quadros do pintor primitivo Henri Rousseau, e o gesto destrutivo e imperioso de Rimbaud com a careta subversiva e cínica do Père Ubu, de Jarry.

O grande papel de Jarry na fase inicial do modernismo é uma curiosidade da história literária. Quanto mais se sabe a respeito desse mistificador, cuja obra-prima é uma farsa de mau gosto, tanto menos se compreende aquele papel, que é, no entanto, incontestável. Contudo, é uma obra de mais ou menos alto humorismo: a figura do Père Ubu, do pedagogo sujo, cínico e sádico, em que se encarnam todos os vícios da civilização moribunda e, ao mesmo tempo, os desejos de subversão e destruição de uma geração impaciente — é um símbolo farsista, mas cheio de emoção e sentido. Encarna-se nesse símbolo um movimento inteiro daqueles dias: a revolta geral da juventude contra a família e os pais, a escola e os professores. Lembra-se de *Fruehlings Erwachen* [*Despertar da Primavera*], de Wedekind, e a fuga de Hesse, o ódio de Gide contra as famílias e as amargas recordações escolares de Kipling, em *Stalky & Co.*, os casos paralelos de Pérez de Ayala, em *A.M.D.G.*, e Joyce, no *Portrait of the Artist as Young*

Man. A revolta da mocidade contra a escola serve de símbolo para aludir à revolta das novas gerações contra a civilização tradicional. A figura do professor repelente e sádico personifica o inimigo. O professor criminoso Peredonov, no *Pequeno Demônio*, de Sollogub, é o próprio demônio, empestando a atmosfera com a "peredonovchtchina", doença da época. A importância dessa figura cresce quando não se trata dum malandro "sans phrase", mas dum personagem ambíguo, no qual os vícios da velha geração se encontram com os desejos destrutivos da nova. Esse sentimento ambíguo exprimiu-se por aqueles anos num escritor que muito dificilmente se enquadra no panorama da literatura italiana, e muito menos no panorama da literatura universal: Panzini.[19] Pessimista amargo que se vinga do mundo com um humorismo jocoso, Panzini caberia melhor na literatura inglesa do século XVIII, entre Smollet e Sterne, se não fosse o seu estilo clássico — da melhor prosa italiana do século XX. E essa prosa de escritor erudito torna impossível, por outro lado, defini-lo como um dos últimos representantes da grande tradição popular na literatura italiana, defendendo os ideais baixos e meio materialistas do "popolu minuto", da pequena gente pacífica, modesta e alegre, contra a grandiloquência tradicional do classicismo erudito italiano, de Dante até Carducci. Já antes da guerra, quando só parte da literatura de Panzini estava publicada, o jovem crítico malogrado Renato Serra penetrou, com antecipação genial, no segredo de Panzini, definindo-o como um carducciano perdido na Itália moderna, utilitarista. Com efeito, Panzini era carducciano, filólogo erudito, figura deslocada num país que se industrializava; no *Viaggio d'un povero letterato*, o escritor exprimiu a sua admiração chapliniana, antes o seu susto, atenuado pelo humorismo cético, em face do mundo transformado. Serra definira-o como professor de um colégio de província, insatisfeito com a sua existência estreita e puritana, mas incapaz de viver no mundo amplo e livre, onde os seus conhecimentos do grego e da sintaxe latina eram inúteis. Por isso, Panzini zombará, às vezes, da Antiguidade, que é uma "fable convenue" e uma caricatura (*Santippe*), e, na maior parte das vezes, do mundo moderno que não vale a pena ser comparado com os ideais, infelizmente ou felizmente, já obsoletos. Panzini seria um sádico escolar terrível, vingando os seus complexos recalcados, contra alunos mais felizes do que ele, se não fosse um "Bonhomme" tipicamente italiano, muito bom sujeito, humorista jocoso e rindo-se das próprias desgraças. A bonomia não o impede, porém, de ser um satírico subversivo. Panzini encarna a oposição contra o d'annunzianismo eloquente, erótico e heroico, pseudoerótico e pseudo-heroico. Ao verbalismo romântico opõe a sua prosa clara, econômica, clássica. Ao erotismo enfático opõe a voluptuosidade mal recalcada e cínica de um misógino inveterado. Aos gestos de heroísmo imperialista opõe os ideais de uma mesa farta e barata e de uma vida pacífica — não gosta de "vivere pericolosamente". Tudo o que não está de acordo com esse materialismo seria mero lugar-comum, "fiabe della virtù", sagradas por uma tradição mentirosa que se refere àqueles gregos e romanos, fanfarrões ridículos — mas aqueles gregos e romanos eram, na verdade, gente muito sabida, e quem os conhece como os conhece o filólogo Panzini, sabe rir do nosso mundo moderno que vai acabar em breve, com toda a sua tradição clássica e inútil. Dono de vasta erudição clássica, como Apollinaire, e inimigo das tradições clássicas escolares, como Apollinaire, inimigo da civilização e "fantaisiste" subversivo, o estilista clássico Panzini é um verdadeiro professor de modernismo. Se não fosse bonachão, não seria, talvez, um Paredonov, mas antes um "Professor Unrat", como no romance de Heinrich Mann, um inimigo sádico da juventude, caindo com a maior facilidade nos vícios e perversões que a sua hipocrisia burguesa detestava: um "Ubu roi" italiano.

Assim foi o *Ubu Roi*, a farsa fantástica de Jarry,[20] versão pretensiosa de uma burla escolar, fazendo escândalo enorme quando representada em 1896; quando a peça se abriu com a palavra que nunca antes se ouvira num palco francês: "Merde!". Jarry, grecista erudito e boêmio desvairado, mistificador e louco, chegou a encarnar o personagem que ele criara. Transformou-se em Ubu. Viveu o símbolo. A sua obra apenas é uma curiosidade, embora curiosidade de primeira ordem, da história literária. A existência e o sucesso da peça pareciam significar a perversão de todas as ordens estabelecidas de seriedade de um mundo que só merecia ser mistificado. E Jarry mistificou-o até o último momento, elaborando a ciência "patafísica" do Dr. Faustroll, que devia explorar os abismos do subsconciente; é mais uma antecipação, a do surrealismo. Mistificou até a última hora, convertendo-se ao catolicismo; e mesmo nisso o seguirão, com sinceridade maior, muitos modernistas e outros depois, até Ionesco. Para entrar na história do modernismo, a obra de Jarry não é um pórtico elegante; mas não se entrava de outra maneira.

Henri Bergson

O Futurismo Italiano

O espírito de mistificação, tão forte em Apollinaire, Max Jacob e outros modernistas, constituía mais uma muralha entre a vanguarda e a literatura oficialmente reconhecida, que por sua vez não tomou conhecimento da Rue Ravignan. E é preciso acrescentar: se o movimento modernista acabasse em 1910, a história literária tampouco tomaria conhecimento dele; tão insignificante foi, até então, o resultado. Muita gente não sabia nem sequer da existência daquela vanguarda. A grande publicidade veio por meio de uma espécie de invasão estrangeira, a irrupção em Paris de outro movimento, não idêntico, embora paralelo: o futurismo.[21] Este também estava ligado às artes plásticas; assistiram ao seu nascimento os pintores Umberto Bocioni e Gino Severini. Paris, a capital internacional da pintura, atraiu-os fatalmente; e a eles associou-se um escritor italiano malogrado, que acreditava obter repercussão maior escrevendo em francês: Marinetti. Em 20 de fevereiro de 1909, publicou no *Figaro* o primeiro manifesto futurista, cujo tom arrogante e violento produziu efeito sensacional. Outros manifestos seguiram; e Marinetti, enfim vitorioso no estrangeiro, iniciou em 1910 uma campanha de conferências para conquistar a Itália, campanha que o levaria para mais longe do que ele mesmo podia imaginar então, até a "conquista" da Europa e América inteiras, quer dizer, dos países de línguas neolatinas (mas não só destes) e das respectivas vanguardas também. O futurismo era, no entanto, um movimento especificamente italiano: partiu do nacionalismo — Papini aliou-se ao futurismo —, que procurava uma "missão" atual da nação italiana; talvez não seja acaso que aquele manifesto tenha sido lançado em 1909, ano em que morreu o meio hegeliano Oriani, o inventor da "missão" italiana no Mediterrâneo. A Itália não podia continuar a desempenhar o papel humilhante de porteiro de museu e garçom de hotel de turismo internacional. Por isso, Marinetti achou um automóvel Fiat mais belo do que a Nike de Samotrake, e propôs fazer saltar pelos ares vários monumentos de Florença e Veneza. Esse antipassadismo furioso julgava-se antirromântico; o "luar" também estava entre as coisas condenadas pelos futuristas. Mas na exaltação pseudomística das forças criadoras do homem moderno escondeu-se um romantismo inconfundível, de modo que antigos "crepuscolari" como Lucini e Govoni podiam muito bem aderir ao futurismo. Mudaram menos de estilo do que de mentalidade; tornaram-se ativistas e otimistas, aliados do anarcossindicalismo revolucionário na Itália. Esse otimismo aproximava os futuristas muito da vanguarda parisiense, mas tinha fundamento diferente: em vez de se confiar ao "bateau ivre" dos instintos e da Natureza, os futuristas celebraram a técnica como força espiritual capaz de dominar os instintos. Essa combinação de romantismo e tecnicismo garantiu ao futurismo de Marinetti a repercussão internacional: correspondia à psicologia da nova classe média, desejosa de romantizar a sua situação pouco edificante de auxiliar-técnico do grande capitalismo; e esse romantismo invadirá a política, transformando os futuristas em fascistas. Pois a campanha dos comícios futuristas, que começou em 1910 no Teatro Lírico, em Milão, continuando em Nápoles, Turim, Palermo e Ferrara, conquistando a mocidade toda, levou diretamente à campanha, em 1915, pro-intervenção da Itália na Primeira Guerra Mundial, contra a vontade do parlamento italiano; e entre os chefes desse intervencionismo esteve o socialista-futurista Mussolini.

Marinetti[22] prejudicava a si mesmo pelas atitudes de palhaço e, depois, pela arrogância fascista. Ele, que pretendeu transformar em homens modernos os "porteiros de museu, cantores e dançadores" italianos, era mesmo o tipo do palhaço italiano, divertindo os estrangeiros. O talento de Marinetti era mínimo; e as suas poesias de "parole in libertà" são mais livres do que propriamente poesia. Em compensação, a sua prosa é poética, e um observador tão cético como Francesco Flora notou com razão o lirismo intenso dos seus manifestos. Talvez Marinetti tivesse sido poeta apreciável em modestos "poèmes en prose", naqueles "frammenti" que constituíam desde os "scapigliati" e "crepuscolari" uma tradição da literatura italiana. Lucini,[23] o último "scapigliato" sobrevivente, aderiu com entusiasmo ao futurismo; e o "crepuscolare" Govoni[24] deveu ao futurismo a renovação da sua poesia, o otimismo radiante, o culto da luz —

> ... i cenci del mendico sono un manto d'oro,
> maschere d'oro portano i malati,
> quando tu splendi, o sole.
> O sole, incoronazione del mondo!

Os futuristas mais conspícuos, porém, não eram propriamente futuristas. Soffici[25] deveu ao futurismo a sua posição de liderança; mas só isso. Sem o futurismo, o antigo redator da *Voce*, literato muito afrancesado, dizendo-se discípulo de Baudelaire e Nietzsche, teria continuado como agente da literatura internacional na Itália, talvez só mudando de modelos, fazendo a publicidade do modernismo francês em Florença. Na verdade, só imitou superficialmente alguns truques dos parisienses. O futurismo permitiu-lhe ser italiano, vestir de brilhante estilo toscano os pensamentos pouco originais do seu *Giornale di Bordo;* no romance picaresco *Lemmonio Boreo* antecipou literalmente atitudes fascistas. Quando rompeu com os futuristas, esse D'Ors italiano já tinha posição bastante forte para declarar-se classicista sem perder a "modernità". Empregou seu talento de propagandista para defender o classicismo autóctone e primitivo dos camponeses toscanos, iniciando o movimento "rústico" ("strapaese") contra a "falsa civilização das cidades". É um esplêndido talento de estilista, em segunda mão; sente-se a perda das belas elegias que esse "fantaisiste" podia escrever e não escreveu. Elegíaco e "fantaisiste" também foi

Marinetti

Folgore,[26] que tem muito de um Pellerin italiano; continuou fiel ao futurismo, cantando os automóveis e as luzes da cidade; mas é o menos italiano de todos, um vanguardista parisiense em tradução romana.

Os aspectos internacionais do futurismo facilitaram-lhe a repercussão internacional; e esta era muito grande, e até durável. Ainda no começo dos anos de 1920 nascem novos movimentos futuristas: o ultraísmo na Espanha, vários grupos na América Latina. Imediatamente depois da guerra, é futurista o poeta flamengo Paul van Ostayen. Mas, sobretudo antes ou durante a guerra, surgiram muitos grupos futuristas, entre os quais se destaca o da revista *Orfeu* em Portugal. Mas todos eles também conhecem e imitam o modernismo parisiense, de modo que não é possível traçar fronteiras nítidas. Só um desses futurismos estrangeiros influenciou, por sua vez, o modernismo de Paris: o futurismo russo.[27] Dão como iniciador ou até precursor o poeta Igor Severianin; grandíssimo poeta, conforme alguns; sem talento algum, conforme outros. Mas o autêntico futurismo russo é uma mistura de Marinetti com Apollinaire, o "cubismo-futurismo", lançado em Moscou, em 1912, por um manifesto com o belo título "Golpeai na Cara o Gosto do Público". Os responsáveis pela violência eram antes os adeptos menores, Alexei Kriutchenik, David Burliuk. O chefe do cubismo-futurismo, Khlebnikov,[28] era homem calmo, mais um estudioso da poesia do que um poeta. Críticos ocidentais tinham a impressão de "poesia semântica", o que conviria melhor a um mallarmeano do que a um futurista. Mas é certo que Klebnikov pretendia criar um novo vocabulário e uma nova sintaxe. O papel que no modernismo francês desempenhava a pintura, cabia no futurismo russo à música. Em Stravinsky devia ter pensado o maior dos futuristas russos, Maiakovski,[29] quando a Revolução lhe deu a oportunidade de "soltar as palavras" e criar uma "poesia bárbara". E foi o futurismo musical de Stravinsky que invadiu Paris, conferindo o impulso mais forte à vontade modernista de recriar um mundo bárbaro, primitivo, novo.

Stravinsky e o Bailado Russo

O "carro de triunfo" Stravinsky em Paris não podia ser mais elegante, mais mundano e mais artisticamente requintado do que foi. Entrou com os bailados russos que Serge Diaghilev organizara.[30] Em 1909, ano do manifesto de Marinetti, os russos apareceram em Paris. Impressionaram os estetas requintados pelo exotismo colorido do seu folclore: vieram de Moscou, da época do simbolismo nacionalista, do tempo em que Remisov descobriu Lesskov. Mas os russos dispunham mais de um outro folclore, e diferente. Em 1912, representaram *Petruchka* de Stravinsky, e, em 1913, seu *Sacre du Printemps*. O palco francês tremeu sob essas exibições de uma barbaria estranha. Tinha-se a impressão como de uma ameaça terrível. E os modernistas reconheceram na música "futurista" de Stravinsky a realização dos seus próprios ideais de abolição de todas as tradições e da própria gramática, volta ao estado primitivo, embarque no "bateau ivre" para um futuro, "cuja aurora ainda não amanhecera".

Por esses anos de triunfos internacionais dos futurismos italiano e russo, o modernismo francês saiu enfim da sua reclusão voluntária em Montmartre. Mais ou menos em 1912, Apollinaire e os seus amigos mudaram-se para o bairro mais intelectual e mais cosmopolita de Montparnasse, estabelecendo o quartel-general do modernismo no café Les deux magots. As relações com os pintores tornaram-se menos estreitas; o modernismo perdeu o aspecto de um anexo literário do cubismo. A fundação, em 1912, da revista *Les Soirées de Paris*, com Apollinaire como secretário, foi a Declaração de Independência do modernismo, cuja história literária só então começou.[31]

Apollinaire

Apollinaire[32] é o maior poeta modernista, um dos maiores poetas de todos os tempos. Ainda passaram cinquenta anos desde que a gripe espanhola levou o *trintagenário*, já gravemente ferido nas trincheiras; e já a sua personalidade estranha de filho de uma aventureira polonesa e de um aristocrata napolitano; ou, diziam outros, de um alto prelado da Cúria Romana, está envolvida nas névoas da lenda. Ainda vivem os que eram amigos desse poeta de mesa de café boêmio, escrevendo em cima da perna poesias farsistas "pour épater le bourgeois"; e era um erudito de vastos conhecimentos dispersos, frequentador assíduo da Bibliothèque Nationale, sobretudo do "Enfer", onde havia os raros livros pornográficos de séculos passados. Realmente deve-se uma edição crítica de Aretino ao católico apostólico romano Apollinaire, a quem Montmartre não significava apenas "montanha da boêmia", mas também "montanha da Basílica do Sagrado Coração":

> *Le sang de votre Sacré-Couer m'a inondé à*
> *Montmartre.*

Apollinaire, patriota místico da França que não era a sua pátria, e pela qual foi mortalmente ferido no campo de batalha — tudo na vida de Apollinaire parece simbólico, até a bala alemã que lhe perfurou a cabeça, até a gripe que o levou poucos dias antes do armistício. Personalidade estranha e pitoresca, de mil facetas, múltipla como a sua poesia:

> *Langues de feu où sont-elles mes pentecôtes*
> *Pour mes pensées de tous pays de tous les temps.*

Apollinaire veio do simbolismo; aos poetas simbolistas dedicou uma das suas primeiras publicações; e ficou ligado, até o fim, ao *Mercure de France*. Em certos grandes momentos, o simbolismo de Apollinaire é o de Rimbaud: a viagem de "Bateau ivre" levou à "Zone". Nos momentos íntimos, é antes o simbolismo musical de Verlaine, que Apollinaire imitou diretamente no ciclo *A la Santé*, escrito na prisão. E atrás de Verlaine aparece Heine, em muitas poesias de recordações de viagem na Renânia; e atrás de Heine aparece Laforgue, a ironia dolorosa da vida quotidiana nas ruas de Paris. Apenas, Apollinaire não leu Schopenhauer nem Hartmann. É um otimista radiante, guloso como um personagem de Rabelais, tendo engolido o passado "de tous pays de tous les temps", engolindo o futuro, "ivre d'avoir bu tout l'univers". No seu coração viveu a poesia alemã das margens do Reno e — com amor especial — tudo o que é italiano, e, quase com frenesi, "tout Paris". Apollinaire é o poeta de todos os aspectos da grande cidade, cujo cosmopolitismo lhe é simbolizado na boêmia. Mas esse "Pantaisiste" dos cafés boêmios também é o "fantaisiste" dos bairros populares aos quais erigiu o monumento de "Zone", dolorosa fantasia laforguiana com traços inconfundíveis de poesia unanimista. Como expressão puramente lírica, talvez seja maior "La chanson du mal-aimé", confissão de uma alma perdida no tumulto da grande cidade, "embora sabendo o que cantaram as sereias". Mas "Zone" é superior como um dos grandes momentos na história da poesia moderna, comparável ao "Cimetière marin", "Duineser Elegien", "Sailing to Byzantium", "Waste Land" e os "Doze", de Blok. É o primeiro grande poema em que

Guillaume Apollinaire

se declara guerra ao passado ("J'ai eu le courage de regarder en arrière les cadavres de mes jours"); é o primeiro em que se rompe, deliberadamente, com o "equilíbrio" ("Incertitude, ô mes délices"); é o primeiro poema em que os aspectos mais triviais e até mais feios da vida moderna são elevados à dignidade da poesia, como vistos pela primeira vez. "Zone" é o primeiro poema, desde os tempos dos românticos, em que o subjetivismo cede a uma concepção objetiva, dir-se-ia especial, da realidade — por isso o poeta fala na segunda pessoa do singular, como se o mundo alheio o apostrofasse através de sua poesia.

Contudo, "Zone" não é, como já achou um crítico, "o poema da alienação". Pois, levando mesmo em conta uma forte dose de mistificação, não se pode duvidar do catolicismo desse estranho revolucionário poético. E assim como nos "Doze", de Blok, o Cristo aparece na frente dos soldados bolchevistas, assim aparece no subúrbio parisiense de Apollinaire uma visão inesperada. Depois de ter declarado guerra a tudo o que foi —

> A la fin tu es las de ce monde ancien... —

o poeta continua:

> Seul en Europe tu n'es pas antique ô Christianisme
> L'Européen le plus moderne c'est vous Pape Pie X.

É o modo de Apollinaire ver o mundo "sub specie aeternitatis". É o absoluto perante o qual o mundo das contingências se decompõe em pedaços. Tudo perde a forma, a própria língua se desfaz; e assim como a Kierkegaard só ficou o salto "paradoxo" para atingir a fé, assim pretende Apollinaire chegar à realidade superior da poesia através de paradoxos antissintáticos:

> Perdre
> Mais perdre vraiment
> Pour laiser place à la trouvaille.

Gramática, sintaxe, pontuação desaparecem para "laisser place à la trouvaille" das "paroles en liberté", o termo é de Marinetti; mas Apollinaire não é futurista; é, sim, cubista: pretende reconstituir o mundo dos elementos primitivos. E para tanto lhe serviram, enfim, os artifícios tipográficos dos *Calligrammes*. Mas foi só uma fase de "poesia cubista". A alquimia verbal de Apollinaire —

> *O Paris*
> *Du rouge au vert tout le jaune se meurt*
> *Paris Vancouver Hyères Maintenon New York et*
> *les Antilles*
> *La fenêtre s'ouvre comme une Orange*
> *Le beau fruit de la lumière... —*

por mais pictórica que pareça, é antes um experimento musical, mallarmeano, do ex-simbolista. A destruição da sintaxe e a abolição dos sinais de pontuação pretendem eliminar toda possibilidade de poesia lógica, não musical. A verdadeira "poesia pura" será absurda, sem intervenção da lógica mecanista. Poesia bergsoniana, poesia de sonho, mas de sonho profético:

> *Il ya là des feux nouveaux des couleurs jamais vues*
> *Mille phantasmes impondérables*
> *Auxquels il faut donner de la réalité.*

Max Jacob e André Salmon condenavam Apollinaire, o maior poeta francês de todos os tempos. Outros críticos discordaram fortemente. Ao artifício dos *Calligrammes* preferem o volume anterior, *Alcools*. Apollinaire seria só um grande poeta menor, um "Villon secondaire"; mas Villon, este é realmente o maior poeta francês de todos os tempos. Poesia "maior" ou "menor", a distinção é de gêneros e não de valores. Sobretudo quando Apollinaire falava a língua de Villon, aliás sem fazer *pastiche* à maneira dos "fantaisistes", então tinha o verdadeiro espírito profético, profetizando talvez não o futuro do mundo, mas o da própria poesia:

> *Sous le pont Mirabeau coule la Seine*
> *Vienne la nuit sonne l'heure*
> *Les jours s'en vont je demeure.*

Do valor absoluto da poesia de Apollinaire é preciso distinguir a função histórica. O espírito de mistificação — que foi coisa muito séria em Apollinaire — não admitia outra realidade que não a da ilusão. Mas isso é romantismo; e Apollinaire é, principalmente, um grande romântico. Desde Nerval não se ouviram em língua francesa versos como —

> *Les souvenirs sont cors de chasse*
> *Dont meurt le bruit parmi le vent.*

Apollinaire, o ex-simbolista, extraiu do simbolismo agonizante os elementos de um romantismo autêntico; e estes reaparecerão no surrealismo, do qual ele foi o precursor imediato.

> *Voici le temps de la magie...*
> *Profondeurs de la conscience*
> *On vous explorera demain*
> *Et qui sait quels êtres vivants*
> *Seront tirés de ces abimes*
> *Avec des univers entiers.*

O Apollinaire das antologias do futuro será o romântico. Mas o Apollinaire da história literária é o experimentador que opôs

> *A ceux qui furent la perfection de l'ordre*
> *Nous qui quêtons partout l'aventure.*

No *Mercure de France*, órgão da poesia antiga, saiu no dia 1º de dezembro de 1918, poucos dias depois do armistício e depois da morte do poeta, o seu manifesto "L'Esprit neuveau et les poètes", manifesto da nova ordem poética numa nova desordem das coisas. As expressões desse manifesto têm força profética: predizem o surrealismo. Já não têm nada com a primeira fase do modernismo, que acabara entre 1914 e 1916.

Jacob, Reverdy, Cendrars

Essa fase acabou assim como começara: com uma conversão, a de Max Jacob.[33] Um observador superficial considerá-lo-ia uma espécie de caricatura de Apollinaire: este fora mistificador e católico mediterrâneo; Jacob, palhaço e católico místico. Cabe, porém, a Jacob a prioridade: foi ele o primeiro escritor amigo de Picasso, que se converteu ao cubismo. Dois anos depois, o judeu, após ter procurado, em vão, a verdade em todos os ocultismos, batizou-se católico, exibindo um fervor místico que fez, entre os seus amigos, prosélitos e escândalo. Jacob era uma personalidade extraordinária, esquisita e irresistível: a sua influência sobre os amigos foi grande. De longe, só se viam os saltos de mistificador engenhoso, imitando ou parodiando os "poèmes en prose" de Rimbaud. Deu a impressão de um palhaço esperto. Na verdade, Jacob é um *pendant* autêntico de Rimbaud; assim como Rimbaud fugiu da literatura para a vida, fugiu Jacob da vida para a literatura e, enfim, para o convento. Rimbaud era trágico; Jacob era humorista por desespero trágico. Seu grande talento poético ficara durante anos estéril, até ele mesmo se considerar fracassado. O cubismo ofereceu-lhe, enfim, a oportunidade de abolir os conceitos literários em vigor para fazer alto humorismo. Muitas vezes, dá a impressão dum excelente "fantaisiste"; mas não acontece isso. Não era capaz de imitar formas tradicionais, como as villonescas, senão para parodiá-las. Mas quando encontrara o ponto firme do catolicismo, então teve as mãos livres para acabar com o resto, tornando-se dadaísta: um moderníssimo "jongleur de Notre-Dame". Jacob é, contra todas as aparências, o mais coerente dos modernistas, tão coerente que percorreu todos os caminhos até o fim: o mendigo às portas das igrejas teve, no campo de concentração, um fim trágico.

Jacob deixou impressão viva de uma personalidade singular. O terceiro dos iniciadores do modernismo poético, Reverdy,[34] é como se nunca tivesse vivido: "Le monde s'efface" é, conforme um crítico americano, a sua palavra-chave, e ele mesmo fez tudo para "s'effacer". É um grande poeta, dir-se-ia grandíssimo se a simplicidade singular de Reverdy não excluísse toda a ênfase. Ao público ficou, porém, quase inacessível; e as próprias vanguardas esqueceram-no. Muitos só conhecem o poema extraordinário "Son de cloche" porque Marcel Raymond o citou:

> *Tout s'est éteint*
> *Le vet passe en chantant*
> *Et les arbres frissonnent*
> *Les animaux sont morts*
> *Les étoiles ont cessé de briller*
> La terre ne tourne plus
> *Une tête s'est inclinée*
> Les chaveux balayant la nuit
> *Le dernier clocher resté debout*
> Sonne minuit.

A poesia despida dessa paisagem de lua parece reflexo imediato dos tempos de guerra: "Son de cloche" é de 1917. Mas a poesia toda de Reverdy é assim:

Max Jacob

> *Dans l'obscurité complète*
> *le temps mauvais*
> *Les larmes tièdes.*

O processo poético é o do modernismo: palavras soltas, sem coerência sintática; formas cubistas constituindo um mundo de imaginação intuitiva; já se falou em "lanterna mágica do cubismo" que ilumina o mundo espiritual atrás da realidade dos objetos mortos. A intuição de Reverdy não produziu a ebriedade dum Apollinaire nem o êxtase dum Jacob. Versos como —

> *Je tremblais*
> *Au fond de la chambre le mur était noir*
> *Et il tremblait aussi*
> *Comment avais-je pu franchir le seuil de cette porte*
> *On pourrait crier*
> *Personne n'entend*
> *On pourrait pleurer*
> *Personne ne comprend... —*

lembram antes a angústia dos dramas de Maeterlinck, o decadentismo belga. Mas os característicos formais são diferentes. Nenhuma música verbal; só o silêncio de um mundo plástico, de estátuas quebradas, de torsos, como num quadro de De Chirico. O objetivo dessa poesia é "la ré--materialisation de l'univers", "une opération qui donne à la Matière sa figuration en y incorporant la sensibilité du poète". Os ritmos são, às vezes, os do unanimismo, a incoerência das imagens é típica de Jacob; o verso irregular, evitando cuidadosamente o *enjambement*, exclui sobretudo coerência das impressões sensoriais. O mundo de Reverdy não é o da primeira grande guerra nem de qualquer outro tempo ou espaço terrestre; o poeta "est perdu dans l'univers — ie se heurte contre les viles — contre lui-même". A uma "poésie nue" de naturezas-mortas corresponde um mundo irreal, de sonhos e pesadelos, só fantasticamente vivificado por imagens de sabor animista: "Les mille doigts du vent frappent à la fenê-tre". Um poeta que não é deste mundo. A passagem de Reverdy pela realidade dos outros era rápida, embora dolorosa: os anos de boêmia e pobreza no "Bateau-lavoir", onde ele compreendeu o cubismo sem ser

Pierre Reverdy

compreendido por ninguém. Desde então, Reverdy não cessou de penetrar na atmosfera cada vez menos densa dos mundos sonhados — "per realia ad realiora" — chegando a uma pureza rara:

> Les mots se sont perdus tout le long du chemin
> Il n'y a plus rien à dire
> Le vent est arrivé
> Le monde se retire
> L'autre côté.

Eis a afasia. A poesia acabou. Reverdy é o continuador autêntico de Rimbaud, que renunciou à poesia; mas fica "l'autre côté". Reverdy não deu importância alguma aos elogios que os surrealistas prestaram em 1924 ao seu volume *Épaves du ciel*. Passara pela negação absoluta. Dada, para chegar a uma mística silenciosa, um êxtase de silêncio, mais autêntico do que o silêncio místico dos decadentistas belgas. Em 1926, retirou-se para o convento beneditino de Solesmes. Para citar um verso seu: "Et la nuit garde son secret". Mas hoje, Reverdy é novamente reconhecido como um grande mestre, embora em grande distância.

Os outros modernistas da primeira hora não são propriamente modernistas; antes são poetas que vieram de países poéticos diferentes, do populismo, do unanimismo, do futurismo, passando pelo fogo purificador do modernismo — nem sempre com êxito. Como poeta puro saiu Léon-Paul Fargue.[35] Antigo simbolista — pertence evidentemente à geração anterior — do qual as antologias reproduzem com obstinação a menos característica das suas poesias, "Aeternae Memoriae Patris", profundamente emotiva; mas Fargue não é um poeta emotivo, ou, antes, não quer sê-lo. Adotara as riquezas verbais do simbolismo sem muito sucesso; um crítico malicioso já disse que Fargue, parisiense típico, é econômico demais para gastar tantas palavras preciosas. Como eco do simbolismo decadentista aparecem ainda versos de tristeza indefinida:

> Le pays
> A trois lignes... (Ce n'est rien?)
> Il est triste...

Mas a emoção já desapareceu nas reticências; e o que fica é um desenho cubista, poucas linhas a bico de pena, aludindo mais à realidade do que representando-a. Nesse estilo, Fargue permite-se só uma emoção, e da qual ninguém participa: a das coisas triviais, das *Banalités*. Não foi, decerto, ele quem descobriu essa região na qual banalidade e mistério se entrelaçam. Mas um verso como

> *L'ombre de mes mains qui glisse sur les choses*

distingue-se do intimismo simbolista pela forma deliberadamente simples — Fargue é homem do povo parisiense; é o populista entre os modernistas. A sua veia populista deve o sucesso de *D'après Paris*, o cântico da grande cidade e da humilde massa humana que a povoa. Mil "luzes da cidade" não bastam, porém, para acalmar a melancolia recalcada. Fargue "aime à descendre dans la ville à l'heure où le ciel ferme à l'horizon"; então —

> *Le ciel n'a plus son ble léger*
> *Et comme rassuré.*
> *Il se fait plus profond, se dore*
> *Et prend le soir avec inquiétude.*

Et D'après Paris culmina numa oração:

> *O vie, dans ce moment qui passe*
> *et que nous voudrions pour toujours ressaisir,*
> *Cesse de dérober le secret de nos jours...*

Embora não pertencendo aos quadros do modernismo ortodoxo, Fargue define-se pelo modernismo: poesia pura e, no entanto, romântica. Em Fargue percebem-se influências unanimistas. E do unanimismo da Abbaye de Créteil veio Jouve;[36] o seu primeiro título, *Présences*, lembra a Reverdy e Fargue; e sua forma poética será sempre elíptica, às vezes hermética e também enfática. As suas preocupações são diferentes. Adotou a nova técnica por desesperar, durante a guerra, dos ideais unanimistas. É, nos *Tragiques* — título que lembra de propósito a D'Aubigné, o orador de uma Europa ensanguentada, mutilada e traída:

> *Il n'y a pas de victoire*
> *Il n'y a que sombre défaite.*

É poeta humanitário, distinguindo-se, porém, de Romains e Duhamel pela veia mística que o levou a transfigurações poéticas de Ruysbrooeck. O "monde plus juste" dos unanimistas confunde-se-lhe com o "monde plus vrai" dos místicos e de Blake, cuja obsessão apocalíptica informa as poesias políticas de Jouve. Influenciados por Blake também são os romances de Jouve, místico-eróticos. Germânico é sem profundo interesse pela música: Mozart, Alban Berg. Nenhum outro poeta francês parece-se tanto com o expressionismo alemão de 1920. Populismo de Fargue e unanimismo de Jouve parecem encontrar-se, reunidos, em Salmon,[37] modernista da primeira hora, do "Bateau-lavoir", amigo íntimo de Picasso, Apollinaire e Jacob. Jornalista "dinâmico", parisiense que irradiava simpatia, poeta e escritor de grande facilidade, deu a impressão de surpreendente riqueza poética; o gosto das viagens e do exotismo aumentou-lhe o volume da produção e a excessividade. Salmon foi o primeiro modernista que saiu da vanguarda, reconhecido geralmente como poeta, quando os outros ainda eram considerados loucos ou mistificadores. A terceira edição da antologia de Van Bever e Léautaud abriu-lhe as portas, ao lado de Apollinaire, embora ainda excluindo Jacob, Reverdy, Fargue e Jouve. Salmon deve o sucesso mais aos assuntos do que à forma poética: é populista parisiense e unanimista internacional. Saudou a revolução russa e os sofrimentos benéficos do povo russo. Certos versos de *Prikaz* —

> *Seigneur, ayez pitié*
> *Des hommes de la terre russe... —*

tornaram-se famosos. Salmon não era realmente comunista, assim como não era realmente modernista. Rejeitou a poesia de propaganda; rejeitou Dada e o surrealismo. Mas era, com toda a sua facilidade e as suas oscilações, homem e poeta sério, que não pode ser comparado ao gênio de volubilidade de um Cocteau,[38] outro modernista da primeira fase — graças à precocidade — que tomou depois atitudes diferentes. As próprias traições entre os modernistas eram devidas, na maior parte das vezes, à intervenção do futurismo; e quem não chegou a tanto, encontrou pelo menos na temática futurista o meio de sucesso mais fácil. Assim o modernista-futurista Cendrars,[39] poeta e narrador altamente dinâmico, contando em palavras muito soltas, em poesias anedóticas e exaltadas suas experiências na América e na Rússia, os milagres da técnica, sua vida aventurosa entre banqueiros anglo-saxônicos e gângsteres de Chicago, heróis da floresta virgem e da Revolução Russa, não esquecendo a cozinha chinesa e as prostitutas pretas: poesia para entusiasmar a gente mais surda à poesia; acrescentam-se os efeitos da autopublicidade, e que são, porém, como se sabe, efêmeros. Cendrars viveu sua poesia; e essa poesia vivida é melhor que sua poesia escrita. Em vão, seus admiradores reivindicam para ele a prioridade cronológica de ter feito antes o que Apollinaire e os surrealistas teriam feito só depois. Pois estes fizeram história. Cendrars foi futurista de um futuro que já passou.

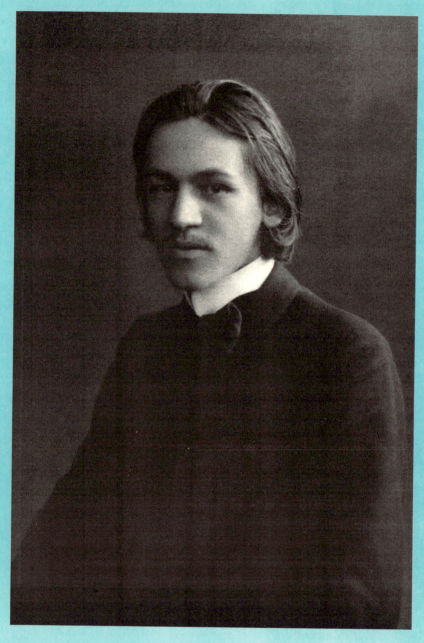
Blaise Cendrars

A Poesia Nova em Florença

A fusão entre modernismo e futurismo deu resultados melhores entre os italianos. A Itália literária de 1910 era, em grande parte, uma província da literatura francesa, a ponto de vários vanguardistas italianos viverem no Montparnasse cosmopolita. Marinetti era, naquela época, escritor em língua francesa; e Soffici representava, por assim dizer, a França na redação da *Voce*, centro florentino da Itália já "reeuropeizada". Soffici fora o primeiro vanguardista à maneira francesa entre os italianos; mas a sua veia classicista já então lhe prejudicava a "libertà delle parole". O poeta representativo do modernismo da *Voce* foi Palazzeschi.[40] Aderiu ao futurismo, deu a um volume seu o título *L'Incendiario*, a uma poesia "Oro Doro Odoro Dodora"; e conseguiu fama florentina, parisiense e quase europeia com os versos onomatopaicos da *Fontana malata*:

> *Crof, clop, cloch,*
> *cloffete,*
> *cloppete,*
> *clocchete,*
> *chchch...*

Carduccianos e d'annunzianos estavam assustados; se não fosse o fim —

> *Il poeta si diverte*
> *pazzamente,*
> *smisuratamente!,*

seria lícito achar esse divertimento um tanto infantil; e o próprio Palazzeschi concordaria. Obedecendo a conselhos de Apollinaire, pretendeu fazer voltar a poesia às fontes eternas da sensibilidade poética, à infância, na qual, como se sabe, todos nós somos poetas. Teoria algo perigosa num país e época em que o classicista Pascoli cultivava a "poesia del fanciullo". Tanto mais era preciso acentuar a ironia romântica, laforguiana: a "Fontana malata" agoniza porque

> *Palazzeschi, cravamo ter*
> *noi due e l'amica ironia.*

Mas veículo melhor da ironia é a prosa. Envelhecendo, Palazzeschi abandonou a poesia "incendiária" para escrever dois romances humorísticos e, ao mesmo tempo, panoramas fiéis da Itália que se foi: *Le sorelle Materassi* e *I fratelli luccoli:* suas verdadeiras obras-primas.

O modernismo italiano é, pois, uma mistura de futurismo e "crepuscolarismo" parodiado e nem sempre só parodiado — Lucini influiu muito — e deste último lado vieram as figuras mais interessantes, antes de tudo o grande poeta — este realmente um grande poeta — Umberto Saba.[41] Apresentou-se num poema estranho, autobiografia em quinze sonetos de feição impecável e de uma sinceridade que nunca antes se conhecera nesse metro nobre. Saba é filho de Trieste, aos confins orientais da civilização italiana, cidade de italianos e alemães, judeus e eslavos. O próprio Saba é semijudeu, participando da melancolia da sua raça desgraçada. Na cara de um animal, o poeta se reconhece —

> *In una capra dal viso semita*
> *sentiva querelarsi ogni altro male,*
> *ogni altra vita.*

Saba é um "crepuscolare" triestino-judeu. Por isso, acredita, os poetas e críticos da *Voce* não prestaram atenção a ele, quando se demorou, na mocidade, em Florença. Voltou a Trieste, tornando-se livreiro,

> *... Antiquario*
> *sono, un custode di nobili morti,*

— retirando-se para os dois grandes amores da sua vida:

> *Trieste é la città, la donna à Lina,*
> *per cui scrissi il mio libro di più ordita*
> *sincerità...;*

e cidade, mulher e livro lhe inspiraram os capítulos "Trieste e una donna" e "La Serena Disperazione" do seu *Canzoniere*. É um livro de poesia regionalista, da cidade de Italo Svevo, um mundo que já acabou.

> *C'è a Trieste una via dove mi specchio...,*

assim começa a poesia "Tre vie": a rua dos operários cheia de vida exótica; a rua do hospital e da dor universal; e a rua do cemitério judaico, a rua própria do poeta Umberto Saba; ele se sente bem no "Caffè Tergeste", o bar barato dos comerciantes italianos e marujos d'além mar; ele se sente como o operário eslavo, trabalhando o campo que pertence a outro, e o espetáculo de um velho suado, preparando colheitas futuras, inspira-lhe o grito antigo: "Felice il non nato!"; e em face do mar esplêndido que circunda a sua cidade sente dolorosamente o próprio "Confine":

> *... la mia pena secreta, il mio dolore*
> *d'uomo giunto a un confine...*

Saba é, dentro da forma clássica, poeta de expressão ambígua: o próprio "Confine" tem mais que um sentido, significando a forma que o poeta adotou, o soneto rigoroso e a língua italiana puríssima e tradicionalíssima, e significando ao mesmo tempo a prisão do poeta em seu "eu", mais profundo do que o abismo marítimo ao pé da montanha em cima da sua cidade, abismo que ele perscrutava com uma paciência e sutilidade, própria da cidade de Svevo e do país de Freud. Um crítico francês chamou a Saba "le seul poète européen digne d'être le contemporain de Proust e Joyce". Tradicionalista pela forma, é Saba modernista pela "ardita sincerità" — o primeiro grande poeta modernista da Itália.

A poesia "clássica" de Saba foi um dos primeiros sinais de resistência contra o futurismo. Outro sinal de resistência: a poesia simples e profundamente humana de Rebora.[42] Mas foram figuras isoladas que não podiam contra a corrente. Saba retirou-se para Trieste, de onde voltou, com todas as honras devidas a um grande poeta, só depois da Segunda Guerra Mundial. Rebora retirou-se para o convento; só recentemente sua atitude e sua poesia encontraram compreensão. A resistência conseguiu, porém, organizar-se, em 1919, em torno da revista romana *La Ronda*. Contra o futurismo e contra o europeísmo afrancesado da *Voce*, proclamou-se a necessidade de voltar ao classicismo nacional; sobretudo a Leopardi.

O primeiro grande poeta de *La Ronda* foi Cardarelli,[43] aproximando-se do ideal de um "clássico moderno". Mas superou-o logo seu amigo Ungaretti;[44] e Cardarelli dedicou-se, depois, quase exclusivamente, à prosa: uma prosa altamente artística que fez escola. O mestre desse novo estilo é o crítico e cronista Cecchi,[45] o maior prosador da literatura italiana moderna, artista que sabe reunir, de maneira inédita, o realismo mais preciso da expressão e uma atmosfera fantástica, mágica em torno da palavra. Inspiração para tanto só é possível manter por pouco tempo. Cecchi só escreveu peças curtas, crônicas, impressões, fragmentos. Iniciou, na Itália, a era do "frammentismo". Todo mundo escreveu, durante vinte anos, "fammenti". Às vezes, de alto valor, como as impressões marítimas de Comisso.[46] Foi a época morta do romance na Itália. O único romancista e contista desse tempo é Bontempelli,[47] "fantaisiste" de alta classe, de gênio inventivo inesgotável e de completa irresponsabilidade; suas afinidades com seu contemporâneo Kafka são só aparentes.

Enquanto isso, continuavam outros a exploração poética das regiões então recém-descobertas pela "psicologia de profundidade". Assim Camillo Sbarbaro,[48] autor de versos rápidos e incisivos, de um pessimismo niilista, desse pessimismo pelo qual os modernistas italianos se distinguem do futurista exuberante. Influência decisiva exerceu o singularíssimo Dino Campana,[49] o "poeta órfico" de poemas em prosa à maneira de Rimbaud; dotado do realismo exato de um míope e de clarividência profética. Cantou

> *... le strade*
> *Strette oscure e misteriose...;*

poeta da noite ("E la notte mi par bela...") e de auroras utópicas ("Un cielo nuovo, un cielo puro") e de enigmáticas convulsões íntimas. Sua influência será sensível em todos os poetas herméticos, inclusive em Montale. Campana passou os últimos quatorze anos de sua vida no manicômio Castel Pulci. Enlouquecera no estrangeiro, talvez na França, talvez na hora na qual se suicidou o poeta português Sá-Carneiro com o qual se parece bastante.

Orfeu em Portugal: Sá-Carneiro e Fernando Pessoa

O chamado "futurismo" português não foi arbitrariamente lembrado; é, fora da Itália, o mais antigo dos movimentos modernistas inspirados pela vanguarda francesa; e está com ela em relações análogas como o modernismo italiano. Aquela situação cronológica dos portugueses explica-se, pelo menos em parte, pela ausência de um verdadeiro simbolismo em Portugal; pois Eugênio de Castro trouxe da França só uma técnica poética e a sensibilidade decadentista. Não foi mais "moderna" a poesia de pioneiro de Teixeira de Pascoaes;[50] poeta verboso, de musicalidade vaga e ideologia mais vaga, fundador do "saudosismo" nacionalista, está ele mais perto do pré-simbolismo português do que de qualquer poesia moderna. Mas as liberdades métricas e o sentimentalismo turbulento de Teixeira de Pascoaes contribuíram para fortalecer a resistência à literatura oficial dos Júlio Dantas etc. A oposição começou cedo; nada mais natural do que a adoção de fórmulas futuristas, violentamente destrutivas, pela vanguarda, cujos ideais eram, no fundo, os do simbolismo autêntico. E dessa confusão surgiu o modernismo português.[51]

Dois simbolistas, Luís de Montalvor e o brasileiro Ronald de Carvalho, fundaram, em 1915, a revista *Orpheu* editada pelo futurista Antônio Ferro; entre os colaboradores estavam o futurista José de *Almada Negreiros*, o "órfico" Ângelo de Lima que acabou, como Dino Campana, no manicômio, e dois poetas de formação esteticista, mas de ambições que já antecipam o surrealismo: Sá-Carneiro e Fernando Pessoa. Esses dois editaram o segundo e último número de *Orpheu*; Sá-Carneiro foi-se para Paris, e Pessoa aliou-se a Almada Negreiros para editar a revista *Portugal Futurista*; quer dizer, a influência de Marinetti vencera sobre os começos de um modernismo à maneira francesa, e isso contribuiu para isolar o infeliz Sá-Carneiro. Deve-se, no entanto, a este a obra poética, reduzida em tamanho, pela qual permanecerá a memória do futurismo português.

Sá-Carneiro[52] é o mais estranho de todos os poetas portugueses; escrevendo em outra língua, mais difundida, os fatos exteriores, a loucura incontestável e o suicídio já teriam sido suficientes para chamar a atenção do mundo. Infelizmente ainda não existe uma exaustiva análise crítica da sua obra que esclareça a teimosia de manter a métrica tradicional para exprimir sentimentos "modernos" e mais que modernos; seria preciso analisar pacientemente as influências externas a que reagiu, entre o esteticismo de Wilde (João Gaspar Simões também fala de poesia pré-rafaelita) e o modernismo de Apollinaire, ao qual deve a coragem de mistificar os outros e a si mesmo. Por enquanto, possuímos magnífica análise psicológica do poeta por Simões. Sá-Carneiro cresceu na atmosfera do esteticismo decadentista: Wilde, Maeterlinck, D'Annunzio, Eugênio de Castro. Mas nem seu ambiente mesquinho nem sua personalidade abúlica correspondiam ao ideal da Beleza. Sá-Carneiro distinguiu-se daqueles estetas pela sinceridade absoluta de reconhecer isso, e pela insinceridade deliberada de iludir a si mesmo e aos outros pela criação de uma outra personalidade e outra vida, suas, imaginárias, pelo método de mistificação que aprendera em Apollinaire e Jacob. E a consequência foi a dissociação patológica da sua personalidade, a perda do "eu".

> Eu não sou eu nem sou o outro,
> Sou qualquer coisa de intermédio;
> Pilar da ponte de tédio
> Que vai de mim para o Outro.

Internando-se nesse jogo perigoso, Sá-Carneiro descobriu na própria alma um mundo desconhecido de imagens e angústias —

> *Ânsia revolta de mistérios e olor,*
> *Sombra, vertigem, ascensão — Altura! —*

para voltar logo, desesperado, à realidade da sua condição de simples alma —

> *No lavabo dum Café,*
> *Como um anel esquecido.*

Sá-Carneiro tinha intervalos lúcidos nos quais era capaz de descrever exatamente as suas experiências:

> *Perdi-me dentro de mim*
> *Porque eu era labirinto...*
> *Perdi a morte e a vida,*
> *E, louco, não enlouqueço...*
> *A hora foge, vivida;*
> *Eu sigo-a, mas permaneço...*

Sá-Carneiro suicidou-se em 1916, em Paris. Durante muitos anos a sua poesia ficou sem consequências. Não era possível omitir a fase do simbolismo autêntico, por isso o próprio Sá-Carneiro mantivera a métrica tradicional. Em 1916, ano do suicídio do poeta louco, o simbolista Montalvor fundou a revista *Centauro*, na qual começou a divulgar as poesias simbolistas de Camilo Peçanha[53] até então ignorado na sua reclusão em Macau. Encontrara-se a forma da poesia futura de Fernando Pessoa.

Grande e decisiva parte da obra poética de Fernando Pessoa[54] é anterior a 1927, ano em que esse sobrevivente de *Orfeu*, amigo de Sá-Carneiro e discípulo de Camilo Peçanha fundou, com João Caspar Simões, José Régio e outros, a revista *Presença*. Foi mais um movimento efêmero. Mas nunca poderá ser esquecido. Pois Fernando Pessoa não foi só um grande poeta: foi um dos poetas mais singulares de todos os tempos. Só muito depois de sua morte, sua riquíssima produção poética, espalhada em revistas efêmeras, foi reunida e editada. Ele mesmo, revelando e ocultando ao

Fernando Pessoa

mesmo tempo as facetas contraditórias da sua personalidade, só publicou o volume *Mensagem*, em que o poeta moderníssimo e cético irônico celebra a mística fé sebastianista do povo português. Livro que recebeu a honra duvidosa de um prêmio de propaganda nacionalista, e que constitui, por isso, escândalo para alguns admiradores do poeta. Explicando, alegam que ele sempre foi mistificador: perito em contabilidade e astrólogo apaixonado, cético sutilmente subversivo e ocultista suspeito. Pessoa chegou a publicar grande parte das suas poesias sob pseudônimos, ou antes — como preferiu afirmar — heterônimos, quer dizer, atribuindo-as a outras pessoas da sua invenção gratuita, inventando-lhes biografias completas: Alberto Caeiro, o autor do *Guardador de Rebanhos*, de inspiração repentina e torrencial; Ricardo Reis, poeta classicista, algo semelhante a Landor; Álvaro de Campos, autor de odes whitmanianas. A poesia do próprio Fernando Pessoa, quer dizer, aquela pela qual assumiu a responsabilidade, assinando-as com o verdadeiro nome, não revela nada de extravagante ou hermético. Trata-se de poesia sentimental, conforme as mais antigas tradições portuguesas, embora na linguagem simbolista de Camilo Peçanha —

> *Pobre velha música*
> *Não sei porque agrada...;*

tradicionalismo que culmina ideologicamente em *Mensagem*, livro ainda não devidamente apreciado, de inédita riqueza metafórica. A sinceridade desse tradicionalismo seria duvidosa se o subversivo "Alberto Caeiro" não fosse realmente "outra pessoa" — Fernando Pessoa conseguiu a realização de "Outro", tarefa que quebrou o espírito de Sá-Carneiro. O "Outro" do humanista "Ricardo Reis" é o futurista whitmaniano "Álvaro de Campos", autor de *Vem, Noite Antiquíssima...* e da grande *Ode Marítima*. Onde está, então, o "verdadeiro" Fernando Pessoa?

> *Sou um guardador de rebanhos.*
> *O rebanho é os meus pensamentos...*

Dos resultados contraditórios de sua introspecção psicológica fugiu para o sonho intencional —

> *Tudo é ilusão,*
> *Sonhar é sabê-lo... —*

para um conceito intemporal do tempo, no qual passado e futuro se confundem:

> *E eu era feliz? Não sei:*
> *Fui-o outrora agora.*

Tradicionalista e satanista, cético e ocultista, Fernando Pessoa cristalizou em personificações suas possibilidades, sua "disponibilité". "Dramatizou--se", dividindo-se em personagens. O processo lembra os pseudônimos aos quais Kierkegaard atribuiu a autoria dos seus livros. Mas Fernando Pessoa está longe da fé absoluta e do romantismo hoffmanniano do pensador dinamarquês. Antes convém lembrar as máscaras daquele outro grande poeta--ocultista que foi Yeats; porque vale a pena lembrar as raízes simbolistas da arte de Fernando Pessoa. Com efeito, é ele o verdadeiro grande simbolista português. Tem afinidade tipicamente simbolista com a música. Até sua teoria do "poeta que é fingidor" e da poesia com arte de "cantar emoções que se não tem" lembra o músico que parece, ao ouvinte, afogar-se em emoções, enquanto na verdade conta exatamente os compassos. A poesia de Fernando Pessoa tem mesmo a qualidade intemporal da música:

> *Dizem?*
> *Esquecem.*
> *Não dizem?*
> *Dissessem.*
> *Fazem?*
> *Fatal.*
> *Não fazem?*
> *Igual.*
> *Por que esperar?*
> *Tudo é sonhar.*

O mundo ainda não tomou conhecimento dessa arte. Mas Fernando Pessoa pode esperar.

Guy-Charles Cros

Os Imaginistas; Pound

Em Paris, tampouco se tomou, em 1916, conhecimento do suicídio de Sá-Carneiro; fora um dos muitos jovens estrangeiros — portugueses, espanhóis, alemães, italianos, americanos — que a vanguarda literária atraíra. Montparnasse era um ambiente muito cosmopolita. Havia lá muitos jovens americanos — um Greenwich Village em visita a Paris — reunidos em torno do poeta francês Guy-Charles Cros,[55] "fantaisiste" que os próprios franceses pouco conheciam; mas para os americanos, as suas liberdades métricas, as poesias sobre assuntos triviais, as licenciosidades eróticas em *Les Fêtes quotidiennes* eram revelações. Em Cros, o jovem John Gould Fletcher acreditava ter descoberto a essência do simbolismo, de uma maneira como a poesia de língua inglesa nunca a conhecera. Depois chegou outro americano, Pound, de erudição fabulosa, conhecedor da poesia de todos os tempos e continentes, abrindo os olhos ao patrício: a poesia simbolista era útil para o estudo da técnica, mas já não podia ser modelo: o mundo novo, técnico, precisava de uma poesia nova, rápida, incisiva — talvez bastasse uma imagem só para fazer um poema, mas uma imagem que tocasse em cheio a sensibilidade. Imagens soltas, em vez das palavras soltas do futurismo. Existia poesia assim entre os japoneses, o haicai — esse tempo também é o de Lafcádio Hearn, das exposições japonesas em Paris, todo mundo se entusiasmava pelo Extremo Oriente. As bases teoréticas dessa nova poesia, forneceu-as o inglês T.E. Hulme,[56] estudioso de Bergson; mais uma vez, encontra-se Bergson nos princípios de um modernismo poético. A inspiração de uma imagem, a escolha intuitiva de uma metáfora, significava para Hulme um caso de contato imediato entre a inteligência criadora e a natureza, uma expressão do *élan vital*. Em 1912, publicou Hulme, como apêndice do volume *Ripostes,* de Pound, os seus "Complete Works", quer dizer, um pequeno número de poemas curtíssimos, "imagistas". O título caracteriza bem a atitude agressiva, típica das vanguardas. Os dissidentes da poesia "georgiana" saudaram a inovação com agrado, entre eles Ford Madox Ford,[57] grande escritor que não foi devidamente apreciado. Fora amigo de Conrad, colaborando em dois romances dele; introduzira o verso livre na poesia inglesa, sem encontrar ressonância; os seus poemas de guerra, originais e impressionantes, publicaram-se em 1918, quando ainda não havia suficiente distância do assunto para apreciar-lhes a qualidade poética. O mesmo destino teve os romances de Ford. Seu mestre fora George Moore, cuja influência se percebe nesse perfeito romance-poema que é *The Good Soldier*: ambientes aristocráticos, conflitos eróticos e religiosos. Mas Ford não foi cético. Foi cristão, embora em sentido livre, e defendeu o velho ideal inglês do *gentleman* cristão, embora em estilo algo excêntrico (ele mesmo disse das suas obras: "unsystematically told"). Os quatro romances que se passam durante a Primeira Guerra Mundial não são "romances de guerra". São obras de inesperadamente profundo *insight psicológico*. São hoje, depois de longo esquecimento, obras das mais discutidas pela crítica anglo-americana, e de inegável influência sobre a geração de 1945 dos romancistas americanos.

Mas há quarenta anos não foi com sinceridade igual reconhecida a influência de Ford Madox Ford sobre Pound, que reuniu em seu torno certo número de adeptos da nova maneira de poetizar, editando em 1914 uma antologia do grupo: *Des Imagists. An Anthology.* O título, meio francês, sublinhou a origem exótica da escola, do Imagism.[58] Os imagistas detestavam a eloquência sonora da poesia tennysoniana e as inclinações narrativas dos "georgians". Uma imagem só, desenvolvida com o mínimo possível de palavras, devia representar o aspecto essencial, ou, antes, a substância de um objeto, de uma paisagem, de um sentimento; as poesias imagistas lembram as naturezas-mortas do cubismo. A métrica tradicional já não teria sentido; o ritmo musical bastava para reger o verso livre. Os imagistas admiravam Paul Fort. Imitavam o haicai japonês. E, como alunos de universidades inglesas, lembravam-se da poesia epigramática da *Anthologia Graeca*. Pode-se considerar como melhor poesia entre os primeiros "imagists" a da americana Hilda Doolittle,[59] residindo desde 1911 na Inglaterra, que assinava H.D. Devemos a essa poetisa excelentes traduções de poesias gregas.

Teoria e poesia do Imagism parecem-nos, hoje, pouca coisa. A sua importância histórica foi, antes, destrutiva: aboliu as tradições poéticas do século XIX em vários países para onde o modernismo parisiense não chegou cedo. Surgiram "imagisms" em toda parte. Os versos livres do *Phantasus,* do alemão Arno Holtz,[60] são "imagistas" *avant la lettre.* Em 1919, o "grupo imagista" dos poetas russos Jessenin, Alexei Kusikov e Anatoli Mariengof pretendia, por meios idênticos, abolir a poesia "burguesa". A poesia escandinava, sempre conservadora, foi revolucionada, em 1924, pelo volume póstumo da malograda poetisa sueca Edith Soedergran,[61] pequenas poesias imagistas, imitadas deliberadamente da *Anthologia Graeca*, mas de certo fervor místico que lembra a vizinhança do expressionismo alemão. Na América Latina, a imitação do haicai pelo poeta mexicano Tablada[62] contribuiu para quebrar o predomínio do verbalismo "modernista" da escola de Darío; o haicai tornou-se popular entre os hispano-americanos, e poetas engenhosos, como o equatoriano Carrera Andrade,[63] sabiam adaptá-lo à nova sensibilidade poética.

Pound foi, sem dúvida, um dos grandes promotores da poesia moderna. Mas, na sua própria vida, o Imagism não passou de um *intermezzo.* Já no mesmo ano de 1914, quando editara *Des Imagistes*, fundou com o inglês Wyndham Lewis a revista *Blast,* órgão do "Vorticism", destinado a substituir o futurismo por outro antinaturalismo, considerando-se a imagem poética agora como fonte de inspirações intuitivas. E seguiram-se muitos outros ismos na vida de Pound,[64] até o fascismo. O primeiro aspecto da sua obra é desconcertante pela riqueza. Pound é, embora autodidata, um *scholar* eruditíssimo; conhece todas as línguas, sabe poetizar em várias delas, incorporou à língua inglesa inúmeros metros, neologismos, quase que criou uma nova língua ou recriou a velha. T.S. Eliot e todos os poetas novos da Inglaterra e América devem-lhe sugestões decisivas, os seus volumes de crítica e teoria poética constituem verdadeiros tesouros de lições valiosas. Não é possível enumerar os poemas belos, impressionantes ou interessantes de Pound, mas também não é preciso isso porque, na sua grande maioria, não são seus. São adaptações virtuosíssimas de Litaipo e Tagore, Catulo e Propércio, dos trovadores provençais e de Dante, Villon e Ronsard, Rimbaud e Mallarme etc., etc. É um mestre da tradução muito livre e um mestre do *pastiche*. Dos ingleses, ele gosta ou gostava de Browning; assim como este, sabe-se desdobrar em numerosas almas alheias. O próprio Pound é um cidadão de Idaho, um dos Estados menos populosos e mais atrasados dos Estados Unidos; sua arte e sua erudição são inspiradas por um esnobismo monstruoso de todas as civilizações, ocidentais e orientais, antigas e modernas. Pound: um indivíduo que não era capaz de manter a sua integridade senão fantasiando-se de todas as máscaras possíveis, das quais o fascismo foi a última ou a penúltima. Pois, denunciado por traição a serviço de Mussolini pelas autoridades norte-americanas, preferiram, a condenar o poeta, encarcerá-lo impiedosamente no manicômio St. Elizabeth's, em Washington. A última máscara é a do mártir.

Pound é um problema; ou, antes, uma coleção de problemas. Um dos mais difíceis é a relação entre a poesia e a política. Pois não é possível abstrair, simplesmente, da ideologia para gostar dos versos. A arte de Pound seria impossível sem o seu aristocratismo, que no mundo de hoje precisaria da violência, isto é, de métodos fascistas, para manter-se em cima. Mas considerações de ordem política não devem inspirar a valorização da poesia. *Os Cantos*, essa imensa obra épico-lírico-didática, na qual Pound trabalha há quase trinta anos, são sem dúvida um dos monumentos literários da nossa época. Mas resistirá esse monumento ao tempo? Os admiradores mais apaixonados compararam os *Cantos* à *Divina Comédia*. Os críticos mais severos citam inúmeros trechos do prosaísmo mais trivial, de mistificação evidente, até de absurdo sem remédio. Esquecem de citar esta ou aquela das grandes belezas líricas da obra, sobretudo as descrições de paisagens em autêntico estilo clássico (o fim do *Canto II:* "Olive grey in the near...", e muitos outros), ao lado de bricabraque insuportável. A obra é de um gênio malogrado; um fracasso grandioso.

Ezra Pound

O "Middle West" e Chicago

Em 1914, Pound ainda não era o autor de *Os Cantos*. Era o chefe dos imagistas, mas um chefe volúvel em quem não se podia confiar. Abandonou logo seus discípulos. Estes aceitaram a ajuda de Amy Lowell,[65] parente do famoso bostoniano James Russel Lowell; rica dama americana, já além da mocidade e cheia de entusiasmo pela poesia. Amy Lowell editou, entre 1915 e 1917, mais três antologias, *Some Imagist Poets*. Entre os colaboradores, dois terão futuro muito fora do imagismo: D.H. Lawrence e T.S. Eliot. Os outros não cumpriram as promessas: nem o inglês Richard Aldington, que escreverá um bom romance de guerra, nem o americano John Gould Fletcher, imagista da primeira hora, poeta de segunda mão que a entusiasmada Amy Lowell proclamara como "o maior poeta americano". A própria Amy Lowell é como uma edição reduzida de Pound: talento apenas receptivo na poesia; sem penetração na atividade crítica; quando se tratava dos seus protegidos, errava sempre. Em compensação, não mistificou ninguém. O que ela fez em favor de inúmeros jovens poetas e em favor do interesse pela poesia nos Estados Unidos não se esquecerá, embora já fosse meio esquecida a sua poesia, de valor efêmero. O seu lugar foi ocupado, depois, por Harriet Monroe que fundara em 1912, na rude Chicago, a revista *Poetry, a Magazine of Verse*, a revista poética mais importante em língua inglesa na época e ainda muito depois.

Desde então, Chicago é o centro do modernismo nos Estados Unidos; e em Chicago saiu, em 1915, o livro que revolucionou a poesia americana: *Spoon River Anthology*, de Edgar Lee Masters.[66] O poeta era filho autêntico do Middle West, natural de Kansas; exerceu a profissão de advogado em Chicago. Mas sempre pensou na aldeia de onde saíra, na gente pobre, quebrada pela tirania moral do puritanismo e a explosão dos especuladores. Sempre pensou em erigir-lhes um monumento; mas o estilo tennysoniano-pré-rafaelita da poesia americana de então não convinha a camponeses americanos. A leitura da *Anthologia Graeca* — Masters era homem culto, e certamente conhecia também a poesia de Housman — libertou-o do romantismo convencional; tornou-o capaz de ver e descrever a realidade, assim como Crabbe opôs os seus poemas sinceramente realistas da vida rural inglesa de 1800 aos idílios românticos de Gray e Goldsmith. O Gray-Goldsmith de Masters era Whitman, o sonho otimista da democracia americana; Masters opôs-lhe a poesia da realidade americana, poesia cinzenta, pessimista e por isso muito menos verbosa do que a de Whitman. Masters não profetizou; epilogou. Escreveu os epitáfios de um cemitério de aldeia americana, biografia epigramaticamente resumida de tantas vidas frustradas entre algumas que acabaram em falsos triunfos. A obra de Masters é uma assombrosa procissão fúnebre —

> *Where are Ella, Kate, Mag, Lizzie and Edithe,*
> *The tender heart, the simple soul, the loud, the*
> *proud, the happy one? —*
>
> *All, all are sleeping on the hill...*
> *They brought them dead sons from the war,*
> *And daughters whon life had crushed,*
> *And their children fatherless, crying —*
> *All, all are sleeping, sleeping, sleeping on the hill.*

Masters está hoje quase esquecido. Não gostam do seu pessimismo; e por isso não o acham bastante "moderno". E é verdade que Masters revela preocupações que a poesia modernista ignora. Todos os outros, por mais que falem da vida moderna, só é a literatura que lhes importa, a revolução literária. O homem de Chicago é mais prático. Pretende destruir mentiras e explicar verdades —

> ... to uphold the singers and tellers of stories
> Who keep the vision of a nation
> Upon the clear realities of life.

Masters ainda não é completamente "moderno": pelo didaticismo e pelo gosto da poesia narrativa, que são típicos de toda poesia rural. Num outro sentido, Masters pertence ao movimento agrarista, jeffersoniano. Depois, a poesia tem de mudar-se, como o romance, para a cidade. Sandburg[67] foi o poeta de Chicago. Como operário que passou por todas as profissões, inclusive dos *bas-fonds*, Sandburg tornou-se socialista, acusando os milionários de Chicago pela miséria das massas, insultando os missionários hipócritas dos quais o seu amigo Vachel Lindsay zombara, reconhecendo sintomas da revolução futura no inquietante desenvolvimento urbanístico da cidade —

> ... Shovelling,
> Wrecking,
> Planning,
> Building, breaking, rebuilding...

Como poeta, foi modernista, nitidamente; inspirou-o o Imagism —

> The fog comes
> on little cat feet.
> It sits looking
> over harbor and city
> on silent haunches
> and then moves on.;

toda métrica está abolida, versos livres alternam-se com trechos em prosa ritmada. Só assim a sua emoção tem liberdade efusiva, patética, mas não enfática. Não é realista, como Masters, e sim naturalista; e, assim como Dreiser, não é capaz de recusar a admiração ao monstro.

> *Hog Butcher of the World,*
> *Tool Maker, Stacker of Wheat,*
> *Player with Railroads and the Nation's Freight*
> *Handler;*
>
> *Stormy, husky, brawling,*
> *City of the Bing Shoulders.*

Sandburg parecia revelar a possibilidade de um modernismo socialmente revolucionário, não desejando a industrialização, como o futurismo italiano, mas tirando as conclusões violentas de uma industrialização violenta. Mas só parecia. Em boa hora arrependeu-se. O modernismo foi mesmo uma revolução poética. Aquelas conclusões só foram tiradas pelo modernismo alemão: o expressionismo.

Expressionismo na Alemanha

O expressionismo alemão[68] tornou-se conhecido no mundo depois de 1918, quando os seus adeptos agiram como propagandistas da revolução republicana e socialista na Alemanha. Na verdade, o expressionismo é de 1910, contemporâneo e equivalente germânico do modernismo francês; mas também é verdade que a sua feição era, do início, revolucionária, embora se combinassem, de maneira confusa, revolução literária, revolução político-social e revolução religiosa. O movimento dará frutos dos mais divergentes: expressionismo poético, que é, aliás, perfeitamente compatível com niilismo e reação política (Benn); expressionismo proletário e socialista (Leonhard Frank); expressionismo metafísico-religioso (Kafka). Não se podiam prever, então, essas consequências. Os primeiros expressionistas eram deliberadamente confusos: gostavam de envolver-se, literalmente, em "noite", a palavra-chave e a mais citada da época. Nunca houve movimento literário mais noturno do que este, que vencera com seu profeta pictórico o sombrio norueguês Edvard Munch. Uma noite perpétua, só interrompida por raios apocalípticos que anunciaram profeticamente — em 1910 e 1911 — o fim do mundo de então. Os poetas também falavam como que por meio de raios: de maneira abrupta, inarticulada. Falava-se em "literatura de gritos". Entre os escritores de fama já estabelecida, vários apoiaram esse movimento dos jovens; Heinrich Mann, que antecipara a oposição política; Wedekind, que antecipara a revolução sexual; Sternheim, que antecipara a destruição da sintaxe; enfim, os representantes da boêmia, no sentido amplo da palavra. Duas revistas, fundadas em 1910 em Berlim, inauguraram o movimento: Heinrich Mann estava mais perto de *Die Aktion*, revista da revolução literária e política; Sternheim, mais perto do *Sturm*, revista de revolução literária e artística.

A revista *Die Aktion*, isto é, *A Ação*, foi fundada em 1910 por Franz Pfemfert, sindicalista revolucionário, um dos mais destemidos lutadores contra o militarismo prussiano; a sua ação política terá, entre 1914 e 1918, grande importância. Quanto à literatura, não tinha preconceitos: acolheu tudo o que não era epígono. Fez muita propaganda em favor do triestino Daeubler,[69] que já não era dos mais jovens, autor de uma enorme epopeia filosófica *Das Nordlicht* [*Aurora Boreal*], de muitas belas poesias que celebram o Sul, a Itália e a Grécia, e de sonetos impecavelmente parnasianos na forma, mas tratando os assuntos mais triviais da vida quotidiana, sempre com emoção exuberante. Além disso, em *Die Aktion* também saíram desenhos de Picasso, acompanhados de poesias de Wolfenstein,[70] tradutor de Rimbaud, o único poeta alemão dessa época que se parece com os vanguardistas franceses. Dedicou-se um culto discreto à memória de George Heym,[71] que morrera por acidente aos 25 anos de idade: o volume póstumo basta para demonstrar que teria sido um dos maiores poetas do século XX. Em forma classicista, influenciada por Baudelaire e George, depôs das suas visões noturnas e apocalípticas que giravam sempre em torno da grande cidade, dos horrores subterrâneos de Berlim: mendigos e prostitutas, loucos e assassinos, a morgue e o manicômio, tudo representado em imagens de exatidão absoluta, sugestivas até causar náusea, às vezes personificadas em figuras de tamanho mítico, demônios da cidade maldita. Em 1911, esse "visionário do caos" profetizou, de maneira assombrosa, "o despertar da Guerra que dormira muito". Quando Heym, pouco depois, morreu, o poeta já estava perfeito, completo. Outros poetas da *Die Aktion* terão grande futuro: o anárquico Benn, o whitmaniano Werfel. Notável é a forte representação dos alsacianos, meio afrancesados, como Schickele e o seu patrício Stadler,[72] que morrerá nos primeiros dias da guerra: poeta de assustadora força de expressão em versículos whitmanianos de ritmo como precipitado, soltando gritos dionisíacos da volúpia de amar e de morrer, profetizando em mais do que uma poesia o seu fim em combate turbulento. E a paródia das visões de Heym e Stadler, inseriu-a nas páginas da *Die Aktion* o satírico Jakob Hoddis,[72-A] predizendo em versos burlescos o fim apocalíptico do mundo burguês. Seu próprio fim será apocalíptico: assassinado num manicômio pelos nazistas.

Hoddis colaborou também na revista *Der Sturm [A Tempestade]*, que o crítico de arte e poeta experimental Hewarth Walden fundara naquele mesmo ano de 1910. Nela também aparecem poesias humanitárias em metros tradicionais, como as de Paul Zech,[73] poeta-operário que descreveu as usinas e portos, depois o horror da guerra, com esperança de revolução socialista e renovação religiosa, mas sempre em versos impecáveis, na maior parte das vezes em sonetos; declarou-se discípulo de George. Os outros poetas de *Der Sturm,* Heynicke, Lothar Schreyer, o próprio Walden, escreveram versos livres sem consideração da sintaxe e da gramática; eram futuristas, mais ou menos como eram então o pintor austríaco Kokoschka e o pintor russo Kandinsky que ilustravam os cadernos. O grande poeta da revista, porém, era August Stramm,[74] mais velho do que os outros, solitário que chegou como autodidata a conceber uma poesia originalíssima, composta só de palavras justapostas sem ligação gramatical; poesia "concentrada", de gritos soltos, gritos de furor erótico, depois gritos de angústia mortal no combate (Stramm morreu na guerra), poesia de interjeições inarticuladas, de gestos significativos. Stramm foi o único poeta alemão dessa época que os franceses conheceram logo e apreciaram; na Alemanha, zombou-se do "poeta louco". Decerto, a sua poesia inimitável não foi um caminho para todos; mas tudo revela a seriedade religiosa da sua arte.

Com efeito, o revolucionário Walden teve a coragem de falar em religião. Assim como os cubistas pretenderam descobrir harmonias órficas nas proporções dos cubos e figuras geométricas, assim os poetas de *Der Sturm* pretenderam destruir a estrutura lógica da língua, esse "véu mentiroso" que encobre a verdade das coisas para exprimir em gritos profundos a substância do Universo. A revolução que os poetas de *Die Aktion* entenderam como acontecimento político foi para os de *Der Sturm* uma renovação religiosa da humanidade.

Há no expressionismo alemão um elemento de religiosidade germânica, assim como se revelara nas obras dos pintores preferidos do movimento: Munch e Van Gogh. Dir-se-ia religiosidade gótica. Mas a Alemanha setentrional e oriental não é puramente alemã; há forte mistura de sangue eslavo. Encontram-se o misticismo gótico e o misticismo russo na figura singular de Ernst Barlach:[75] dramaturgo, escultor, gravador; e é difícil dizer em qual desses setores da arte foi ele maior. Suas esculturas em madeira representam mendigos e videntes, homens que o medo e o pânico paralisaram, e mulheres que choram os filhos mortos; é como se o vento gelado da estepe russa os tivesse feito parar, esperando a morte num Universo vazio, do qual Deus desviou a face. Essas figuras de madeira também são os personagens das peças dramáticas de Barlach: peças que se passam em indefinidos tempos bíblicos, ou então em ambiente moderno e trivial, até ordinário, mas interiormente iluminado pela pobreza material e espiritual que é a condição da Graça. E esta virá. Pois nas peças, Deus está presente, embora sempre escondido em quem ninguém o adivinharia: num mendigo surdo-mudo, num parente desconhecido que voltou da América; talvez num hoteleiro ruidosamente humorístico. É a arte mais estranha do teatro moderno: profundamente poética e, no entanto, de forte efeito no palco.

Daquela religiosidade gótica também há algo, embora bastante diluído, em Kolbenheyer:[76] os heróis dos seus notáveis romances históricos são homens góticos; os místicos Paracelso e Boehme; e, em *Amor Dei*, o judeu Spinoza, místico ateu. Mais tarde, quando Kolbenheyer se tornara nazista apaixonado, aquele romance lhe parecia, provavelmente, um "erro". Mas não foi "erro" em 1908, quando *Amor Dei* se publicou. Sempre foi forte na Alemanha do século XIX e do princípio do século XX a influência dos judeus; e nem todos eles foram, como acreditará o simplismo odioso dos nazistas, conspiradores revolucionários ou financistas tirânicos. Justamente no primeiro decênio do século nota-se forte movimento religioso entre os judeus alemães; e acrescenta-se a influência, no mesmo sentido, do judeu francês Bergson. Espírito religioso foi o infeliz Weininger,[77] cujo livro *Geschlecht und Charakter* [*Sexo e Caráter*] é uma das grandes influências da época; inspirado em Wafner e Ibsen e em ideias ascéticas e por um antissemitismo suicida, Weininger acabou mesmo suicidando-se. Ideias de renovação religiosa, até, inspiraram os escritos de crítica social de Walter Rathenau,[78] dono do poderoso truste de eletricidade AEG e pensador budista nas horas livres, predizendo o fim da economia capitalista e acabando assassinado pelos conspiradores nazistas.

Os Judeus de Praga

Mas todos eles eram, no fundo, livres-pensadores, apenas inquietados pela angústia religiosa. Houve, porém, algumas verdadeiras conversões: entre aqueles sionistas que pensavam em soluções espirituais, apolíticas, do problema judeu; sionistas em oposição contra o sionismo político de Herzl. Impressionou-os a religiosidade viva dos judeus da Polônia e da Ucrânia, adeptos da seita mística dos "Chassidim". Esses judeus da Europa oriental possuem uma literatura em iídiche, dialeto alemão arcaico, escrito em letras hebraicas. E um escritor dessa literatura singular começou então a ser notado na Europa: Peretz.[79] Um pobre intelectual que tinha, como autodidata, conquistado o domínio do estilo simbolista que empregou naquela língua rude para evocar fantasmas. Era um necromante e um mágico que transformou o ambiente mesquinho, imundo e permanentemente ameaçado do gueto em país de fadas, de visões místicas e acontecimentos triviais, mas de significação transcendental. A leitura dos contos e dramas de Peretz influenciou profundamente o líder daqueles sionistas apolíticos, Martin Buber.[80] Em traduções e versões livres familiarizou os judeus da Europa central com aquele mundo místico que ignoravam. Construiu, depois, um sistema filosófico-religioso em que o homem é chamado por Deus para terminar, pela ação ética, a obra inacabada da Criação. O "caminho certo" do homem depende, pois, do fato de ele ouvir a palavra divina. Ficando surdo, o homem está sozinho no Universo, perdido. Sua vida espiritual tem como fundamento o encontro com o grande Outro, o "Tu" do "eu" humano: Deus.

Buber encontrou seus primeiros adeptos num ambiente especialmente próprio para meditações religiosas. A cidade de Praga, com seu passado gótico e barroco e sua maioria de população tcheca, é um ponto de encontro entre religiosidade medieval e misticismo eslavo. As velhas ruas e misteriosos prédios abandonados parecem lugares em que são capazes de revelar-se forças divinas e poderes diabólicos. Assim viu Praga o romancista Meyrinck,[81] ocultista convencido e satírico mordaz: em parte, explorava um ambiente fantástico e lendas mais fantásticas, como a do *Golem*, que atraíram irresistivelmente o público; em parte, acreditava realmente nos fantasmas que evocara. Seus romances são uma confusão inextricável de sensacionalismo barato, bricabraque ocultista e força rara de sugestão poética.

Nesse ambiente de Praga, entre os judeus alemães da cidade, surgiu Franz Werfel,[82] adepto da filosofia religiosa do "Tu" em versos whitmanianos, misticismo judaico com forte tendência catolizante e uma inclinação irresistível para misturar ideais humanitários e sucesso de livraria. Werfel é hoje conhecido principalmente pelos seus romances. Mas em 1910 era Werfel a grande, a maior esperança da poesia expressionista. Realmente, sua importância na história da literatura reside principalmente nos seus primeiros volumes de versos: *Der Weltfreund* [*O Amigo do Mundo*], *Wir sind* [*Somos*], *Einander* [*Cada um Para o Outro*], *Gerichtstag* [*Dia do Juízo*]. É admirável o talento poético com que Werfel parte de motivos insignificantes, recordações da infância ou da adolescência, acontecimentos triviais da vida quotidiana para insuflar-lhes um sentido transcendental: poético e religioso. Depois, por volta de 1918, veio a fase das grandes odes humanitárias e das peças pacifistas, inclusive uma versão livre de Eurípides [*Die Troerinnen*]. Os sucessos teatrais desviaram-no da poesia lírica, que abandonou, enfim, quase totalmente. A sua fase final foi a dos romances; sempre interessantes e cheios de ideias, sempre construídos com notável habilidade e sempre de olho para a grande tiragem. Foi, apesar das qualidades de obras como *Barbara* e *Die vierzig Tage des Musa Dagh* [*Os Quarenta Dias de Musa Dagh*], um caso perfeito de "trahison d'un clerc". Werfel redimiu-se, em seus últimos anos, pela sincera tendência catolizante. Mas não chegou até o fim desse caminho.

A conversão foi, naturalmente, mais fácil para os católicos natos, apenas desviados por influências alheias. Sorge,[83] gênio precoce que desapareceu na guerra, fora nietzschiano exaltado. Depois de convertido, escreveu o drama *Der Bettler* [*O Mendigo*], sob forte influência da última dramaturgia de Strindberg: cenas abruptas em que tudo é simbólico e em que a tendência espiritual é tudo. A primeira peça do teatro expressionista alemão.

Franz Kafka

Kafka

essa mentalidade religiosa e naquele ambiente dos círculos judaicos de Praga surgiu aquele que é de tal maneira a maior figura do expressionismo alemão — se é que podemos chamá-lo de expressionista — que sua repercussão se tornará mais tarde universal: Kafka.

Franz Kafka[84] era quase totalmente desconhecido no momento da sua morte, e suas obras editadas postumamente por seu amigo Brod, contra a expressa vontade testamentária do autor, ficariam sem ressonância. Mas Kafka ressuscitou vinte anos depois, exercendo desde então influência incomensurável na literatura universal. O mundo não percebe nele os traços característicos do que foi seu ambiente literário: do expressionismo alemão, que está hoje injustamente meio esquecido. Pode Kafka ser chamado de expressionista? Só o justificariam as suas relações pessoais com alguns membros daquele movimento, seu vivo interesse pelas questões religiosas e, sobretudo, o caráter aparentemente alógico da sua arte. Desmente-o seu estilo claro, conciso, realístico, formado nas leituras de Goethe, Kleist e Flaubert. Com realismo insubornável, descreve Kafka o ambiente da sua cidade de Praga — palácios desabitados, ruas misteriosas e casas mais misteriosas ainda —, o ambiente de Meyrinck e dos romances "góticos" dele, cheios de terrores fantásticos. Nesse sentido, o "metarrealismo" de Kafka é o de um típico expressionista alemão de 1901. Mas Kafka não pode ser considerado como escritor alemão (porque não se considerava alemão), nem como tcheco (porque não escrevia em tcheco), nem como austríaco (porque são poucos seus contatos com a tradição austríaca), nem como judeu (porque não era crente e judeu praticante nem nacionalista sionista). Só resta defini-lo como escritor de Praga, pertencendo ao grupo que também produziu Rilke, Brod, Werfel, Meyrink etc.[84-A] É, evidentemente, um "caso". Requer interpretação. Aliás, houve muitas, e até em demasia. A interpretação psicanalítica só pode pretender elucidar a personalidade do escritor; não contribui para reconhecer a significação da obra. Essa significação fica diminuída até a mesquinhez na interpretação "social", que explica os dois grandes romances como símbolos da luta do indivíduo contra a justiça de classe e a injustiça das autoridades. Insuficiente é a interpretação "judaica", que explica as obras como inspiradas em resíduos de esquecida mística hebraica; Martin Buber não quis concordar com essa interpretação; e deve saber melhor que Max Brod. Quando muito, Kafka é um judeu "herético", que fica às portas da doutrina cristã, incapaz de entrar. Seu estudo permanente dos escritos de Pascal e Kierkegaard confirma essa tese: Kafka vai além do judaísmo, admitindo os dogmas do pecado original e da Graça; mas, incapaz de verificá-los por experiência íntima, inverte-os, criando um Universo dominado por forças demoníacas que criam o pecado e negam a Graça. Assim, no romance *Das Schloss* [*O Castelo*], nega-se arbitrariamente ao agrimensor K. a permissão de fixar-se na aldeia; as próprias autoridades do "castelo" fomentam toda a espécie de imoralidades e são, no entanto, munidas das atribuições da divindade. No romance *Der Process* [*O Processo*], o bancário K. é perseguido por tribunais misteriosos por motivo de uma culpa que ele ignora e que só pode agravar-se pelas tentativas de defender-se contra a acusação; pois o desfecho é, em qualquer caso, a condenação à morte — à qual todas as criaturas são condenadas. Essa interpretação "teológica" encontra forte apoio na leitura dos numerosos aforismos e fragmentos de Kafka. É característico, aliás, o feitio fragmentário de toda a sua obra. Talvez porque o próprio assunto dessa obra, o "inefável", não permita expressão completa. Ou então, porque as obras não foram editadas de maneira satisfatória; as tentativas de Uyteersprot de modificar a ordem dos capítulos de *O Processo* reduziram muito o aparente hermetismo do romance, revelando melhor as intenções de Kafka, tendo superado a "fase estética" (segundo a terminologia de Kierkegaard), não pretendia criar "literatura"; teria mandado Brod destruir os originais por fundado receio de que o mundo os pudesse interpretar como literatura.

Kafka apresenta possibilidades de comportamento humano e estruturas possíveis de vida num mundo que parece misterioso e absurdo porque a estrutura desse mundo é, por sua vez, hostil à realização de uma vida estruturada; o "inefável" é símbolo de um "irrealizável", da integridade moral da personalidade humana. A Lei não pode ser cumprida: somos fatalmente culpados e fatalmente condenados. Aquele mundo demoníaco é nosso mundo, o mundo das ruas e casas misteriosas da Praga "gótica" de todas as cidades, regido por uma lógica estranha de motivos e dos acontecimentos; lógica que parece absurda por fora, mas que é, por dentro, de uma coerência absoluta que nos assusta como a inevitabilidade do destino humano. Eis o assunto das "parábolas" de Kafka. Seus romances, também, são grandes parábolas. É, em toda a literatura universal, um dos maiores criadores de símbolos. Contra a vontade, criou aquilo, extremamente raro, que Hugo descobriu na poesia de Baudelaire: "un nouveau frisson". É o "frisson" da nossa época.

Kafka foi, em vida, uma figura solitária. Não o parece ter compreendido bem seu amigo íntimo Brod,[85] em cuja vasta bibliografia, dedicada sobretudo a assuntos judaicos, só o romance autobiográfico *Das Zauberreich der Liebe* [*O Reino Encantado do Amor*] e o romance histórico *Tycho Brahes Weg zu Gott* [*O Caminho de Tycho Brahes Para Deus*] têm algo de kafkiano; no resto, Brod está muito mais perto do seu amigo e patrício Werfel. Companheiro verdadeiro de Kafka foi o suíço Robert Walser;[86] seus romances também são aparentemente realistas, escondendo, atrás de um estilo que lembra Gottfried Keller, ideias "gerais": em *Der Gehilfe* [*Auxiliar*], a decadência moral da época; em *Jakob von Gunten*, a educação para uma moralidade profundamente religiosa — mas "as salas internas em que o aluno só deve penetrar quando perfeitamente formado, para ver o último mistério, essas salas são vazias". Todos os longos anos em que Kafka esteve esquecido, passou Walser no manicômio. O outro "contemporâneo", mais remoto, de Kafka é Bruno Schulz,[86-A] judeu polonês, vítima do nazismo, cujas novelas fantástico-alegóricas só uns decênios depois começaram a prender a atenção do mundo.

Apesar de tudo, e sem sabê-lo, enquadrava-se Kafka num movimento que fez parte da "revolta dos modernismos"; mas não foi expressionismo, e sim o chamado "realismo mágico": resultado da decomposição do realismo-naturalismo por motivos alheios, provenientes do simbolismo ou já do próprio modernismo. É como se os autores quisessem retratar a realidade e lhes saísse coisa diferente. Nos expressionistas e na vizinhança deles também age, nesse sentido, o misticismo de origem eslava, difundido pela divulgação cada vez maior das obras de Dostoiévski.

Região alemã, meio eslava, é a Silésia, a terra dos místicos Bochme e Scheffler. Silesiano é Stehr,[87] naturalista cujos personagens falam o dialeto da região, como os de Hauptmann; mas a mentalidade é diferente. Numa das suas primeiras obras, *Drei Naechte* [*Três Noites*], o personagem principal é um professor primário, livre-pensador, perseguido pelo clero; mas esse livre-pensador antes parece um místico herético. São evidentes as influências de Przybyszewski, da vizinhança polonesa, e de Dostoiévski. Stehr é místico. Define a análise psicológica, no romance, como "o ofício de desnudar almas até elas vomitarem suas dores". Descreve com certo sadismo os sofrimentos da carne, porque o corpo humilhado já revela os estigmas dos corpos transfigurados dos anjos. O romance *Nathanael Maechler* chega a ter força como de clamor de profeta do Velho Testamento: em meio da Silésia eleva-se a montanha bíblica de Garizim, a montanha da maldição e da salvação futura.

A decomposição "fantástica" do naturalismo também é manifesta no romancista tcheco Capek-Chod,[88] que não convém confundir com os irmãos Karel e Josef Capek, muito mais conhecidos no estrangeiro. Nas obras de Capek-Chod, a força desagregadora do seu naturalismo é o senso do grotesco, inspirado por certa angústia pânica, como em Barlach, mas sem segundos-pensamentos religiosos. Capek-Chod é materialista; mas já não é naturalista. Chamavam-no de "Balzac tcheco" ou, melhor, de

"Zola tcheco", porque foi o romancista da Praga moderna, descrevendo em *A Turbina* a decadência material e moral de uma família da grande burguesia. Mas não é um estudo sociológico; é uma caricatura grotesca e monumental, como as de Daumier. Capek-Chod conhecia intimamente e descreveu assim também os *bas-fonds* da cidade: no romance dostoievs-kiano *Kaspar Lén*, o mundo dos criminosos; em *Antonin Vondrejc*, o da boêmia. Talvez sua obra-prima seja *Jindra, Pai e Filho*, profundamente sentida e de cruel penetração psicológica.

Realismo Mágico dos Italianos

O "realismo mágico" encontrou terreno propício na Itália, onde a "prosa d'arte" dos "frammentisti" já revelou todos os traços característicos daquele estilo. Realista mágico quis ser Bontempelli. Realista mágico foi, realmente, Federigo Tozzi[89] cuja morte prematura de tísico impediu de tornar-se um grande romancista europeu. A sua posição inicial também é naturalista: um pobre proletário em meio dos tesouros artísticos de sua cidade natal, Siena. Mas não se tornou um Rodenbach de "Sienne-la-Morte"; o ambiente da cidade histórica tem, no romance, contornos firmes, no entanto, fantásticos. Os críticos italianos lembraram o regionalismo duro, "clássico", de Vergas; também o pessimismo do regionalista Hardy. O romance italiano não tem tradição histórica, de modo que comparações com estrangeiros parecem oferecer melhores bases de interpretação. Até em Proust pensava-se a propósito das "recordações em profundidade" de um romance autobiográfico de Tozzi, *Con gli occhi chiusi*. O sienense não conhecia Hardy nem Proust. A sua obra-prima *Tre croci*, história torturante de uma consciência culposa no ambiente da Siena moderna e no estilo clássico de um contemporâneo de Dante e Giotto, também é menos dostoievskiana no sentido da obra influenciada do que no sentido de uma obra nascida de angústias dostoievskianas; em todo caso, uma obra inconfundível, de emoção profunda e clareza cristalina e mágica.

Tozzi pertence a um grupo estranho de autores italianos da época imediatamente antes da guerra, pessimistas angustiados que pressentem de maneira vaga qualquer coisa misteriosa, um acontecimento apocalíptico. A três entre eles, Serra, Boine e Michelstaedter, o crítico Camillo Pellizzi deu o apelido "spiriti della vigilia" ["espíritos da véspera"]; expressão também certa com respeito a alguns outros contemporâneos de mentalidade diferente: Alain-Fournier e Péguy, Heym, Trakl e Weininger. A presença de tantos italianos entre esses "spiriti della vigilia" devia estar em relação com particularidade da evolução italiana: industrialização atrasada e súbita, descrédito dos valores espirituais tradicionais, presságios de uma rebarbarização em futuro próximo. Nesse sentido, até a desilusão humorística do velho professor Panzini é um sintoma de "vigilia"; e foi, talvez, por isso que tão bem o compreendeu o jovem professor Renato Serra,[90] humanista de formação carducciana, amigo embora não adepto de Croce; crítico relacionado com os redatores da *Voce*. Era um esteta de sensibilidade requintada; mas os instintos sugeriram-lhe gosto diferente; admirava o "plein air" dos remadores de Maupassant e os "Tommies" de Kipling; e no *Esame di coscienza di un letterato*, escrito no início da guerra, decidiu-se pela "vida", contra a literatura; Serra morreu em 1915, na batalha pelo Monte Podgora. Os outros dois "spiriti della vigília" eram menos brilhantes e mais sombrios. Boine,[91] amigo dos modernistas inquietos Sbarbaro e Campana, era um perturbado pelo "modernismo" católico, tirando conclusões religiosas do idealismo de Croce. Elaborou algo como uma nova estética "existencialista" que lhe inspirou, em *Plausi e Botte*, juízos implacáveis sobre a literatura italiana contemporânea; e não era menos severo para consigo mesmo, como revela a poesia dos *Frantumi* — em Boine perdeu-se um grande poeta. O "não menos severo para consigo mesmo" tornou-se, enfim, realidade terrível em Michelstaedter,[92] jovem judeu italiano da região então austríaca de Gorizia, perto da cidade de Svevo e Saba; com precocidade excessiva, elaborou uma filosofia "antiexistencialista", que vê o sentido da vida na morte; e tendo terminado sua tese *Persuasione*, escrita com lógica rigorosa e poesia patética, confirmou-a, suicidando-se; foi um irmão, no espírito, de Weininger. Também Tozzi pertence, embora de longe, ao grupo dos "spiriti della vigilia", assim como o napolitano Francesco Gaeta,[93] poeta erótico que escondeu emoção mística atrás de formas classicistas e que acabou, como tantos outros, no suicídio. Enfim Slataper,[94] triestino, um patrício de Svevo e Saba, mas de origem eslava, irredentista cheio de fervor pela libertação da sua cidade então austríaca. No seu notável romance *Il mio Carso,* ouvem-se zunir os ventos frios que devastam os montes calvos da região; mas, em Slataper, são ventos quentes de erotismo e patriotismo; Slataper fugiu em 1914 para alistar-se no exército italiano; morreu naquele mesmo Monte Podgora que devorou uma geração de jovens intelectuais. Desses "spiriti della vigília" italianos seria interessante aproximar os franceses, menos filosóficos e mais emocionais, é verdade, mas fundamentalmente da mesma estirpe. Ernest Psichari,[95] neto de Renan, convertendo-se ao catolicismo; oficial do exército colonial, celebrando o sacrifício que é essência do serviço militar; define-se como discípulo de Péguy ou como irmão espiritual de Sorge; morreu em batalha, na Bélgica, no primeiro mês da guerra. A Slataper, enfim, compara-se, embora não estilisticamente, o *Grand Meaulnes* de Alain-Fournier,[96] o maravilhoso romance da adolescência sonhadora, de evasões fantásticas que não levaram, porém, ao paraíso da infância, e sim à Torte no campo de batalha. Parece símbolo o fato de que Alain-Fournier não "morreu", conforme a linguagem dos boletins militares, e sim "desapareceu"; desapareceu para o país onde não há morte e onde a vida é um romance de aventuras em juventude perpétua: o país da poesia. O romance de Alain-Fournier talvez tenha menos valor do que afirmam seus admiradores apaixonados; mas é a figura do poeta que importa.

Péguy

A grande personalidade entre os "spiriti della vigilia" é Péguy;[97] a ambiguidade das suas posições ideológicas e a, dir-se-ia, "falta de acabamento" de sua poesia revelam bem as limitações da sua geração, pedindo um caminho de ascensão mística à política e de diretrizes políticas à mística. Seria esta, exatamente, a atitude de Péguy, se houvesse nele qualquer coisa de exato. A falsidade dos *slogans políticos* da era Combes levou o antigo "dreyfusard" a abandonar o socialismo reformista; em vez de acompanhar a marcha de tantos outros revolucionários, do marxismo através do sindicalismo à direita, foi logo para a direita, porque a sua inteligência retilínea de filho de camponeses franceses lhe dizia: a inteligência não sobreviverá sem o poder, e o único poder seguro na democracia flutuante é o exército. Péguy teria sido maurrassiano, se tivesse formação e mentalidade positivista; em vez disso, foi um místico nato, tão místico que não era capaz de entrar na igreja do tomismo intelectualista e da política clerical.

Ficou às portas; contam que ele, rezando na igreja, sempre saiu antes de começar a missa. O catolicismo de Péguy fazia parte do que ele entendia ser a substância da França; o seu neonacionalismo espiritualista lhe mandou juntar as duas reivindicações: "Il faut que France, il faut que Chrétienté se continue" — com o verbo no singular, unindo indissoluvelmente as duas modalidades visíveis do deus encarnado de Péguy. Mais uma vez, este se encontra em vizinhança perigosa de outro neonacionalismo, não de Maurras, mas de Barrés:

> Car le surnaturel est lui-même charnel
> Et l'arbre de la grâce est raciné profond
> Et plonge dans le sol et cherche jusqu' au fond
> Et l'arbre de la race est lui-même éternel.

Péguy precisava dessa interpretação singular do dogma da encarnação; para evitar o vitalismo bergsoniano, esse católico de formação laicista ("le normalien catholique") caiu no materialismo racista. Eis a origem da lenda que os homens da "Action Française" e alguns católicos direitistas teceram em torno da sua memória. A lenda não deixa de conter um grão de verdade. Incapaz de compreender motivos que eram baixos demais para entrar na sua alta consciência moral, Péguy não compreendeu a época do imperialismo econômico. Condenou enfaticamente, como um pequeno-burguês, o dinheiro e o otimismo fácil dos que os possuíam e dos que os combateram. Foi um homem trágico, "spiriti della vigilia", de advertências apocalípticas, precursor ideal do pseudofascismo francês, ao qual legou uma porção de *slogans* e o culto de Joana d'Arc. Apesar de tudo isso, ele mesmo nunca teria dado esse passo. O seu catolicismo social não era hipócrita; antes, era mais social do que católico. Distinguindo-se nitidamente dos "neocatólicos" esteticistas, recusou refugiar-se na liturgia; na *Présentation de la Beauce à Notre-Dame de Chartres* importa-lhe menos a catedral do que a Beauce, a paisagem francesa. Como francês típico, era fundamentalmente individualista, não conformista; e no não conformismo reside a sua grandeza moral. Individualista e não conformista também por outro motivo: era poeta, um dos poetas mais singulares de todos os tempos. Não há nada na literatura universal que se compare bem aos seus "Mystères", composições enormes sem

Romain Rolland

estrutura organizada, mais barrocas do que medievais. Na verdade, Péguy não encontrou definitivamente um estilo. Não se podem ler os seus versos mais famosos —

> *Deux mille ans de labour ont fait de cette terre*
> *Un réservoir sans fin pour les âges nouveaux... —*

e tantas outras celebrações da terra e do trabalho franceses, sem pensar em Whitman e no Unanimisme; apenas, a deusa Democracia é substituída por Notre-Dame de Chartres ou Notre-Dame de Paris, o barulho dos comícios populares pelos coros da noite de Natal nas catedrais da França, e o instinto coletivo da humanidade pela *Grande Pitié des églises de France*. Ideológica e poeticamente, o "normalien catholique" Péguy está entre a "république universelle", da ênfase de Hugo, e as "províncias católicas da França", da música de Barrès. A música própria do poeta Péguy distingue-se por aquelas repetições intermináveis que foram interpretadas de maneiras tão diferentes. Talvez não fosse o zelo do apóstolo que as ditasse, e sim a ambiguidade íntima, marcando passo sem capacidade de avançar. Não se comparam aquelas repetições às da liturgia, e sim às de certos hinos litúrgicos medievais, cantados na alta madrugada, com impaciência angustiosa, esperando a aurora; Péguy não se teria zangado com a comparação, esse "spirito della vigília", esperando uma aurora, que veio no verão de 1914: "... les épis murs et les blés moissonnés" — outra aurora, e não a esperada.

Trakl

O poeta completo, maduro, entre os "spiriti della vigilia" também morreu no início da guerra; Trakl[98] tinha só 27 anos de idade, quando sucumbiu aos entorpecentes e ao desespero. O jovem poeta austríaco não era vienense; era de Salzburgo, a cidade de Mozart, e na sua poesia misturam-se de maneira irresistível as vozes celestes de uma música de longe e o cheiro fresco dos prados em torno da cidade, das montanhas quase suíças. Trakl passara pela escola do simbolismo vienense: aprendeu a ouvir "os golpes noturnos das asas da alma". Mas é poeta hermético. Suas palavras-chave são características: "noite", "silêncio", "azul", "decomposição"; carregadas de sentido, como imagens de Góngora, e de angústia, como os últimos fragmentos de Hoelderlin. A alma é "uma coisa alheia nesta terra". Sempre canta Trakl *o frisson* da "tristeza sob estrelas outonais":

... Schauernd unter herbstlichen Sternen
Neigt sich jaehrlich tiefer das Haupt —

Mas não é romântico. Alusões angustiadas à "loucura das grandes cidades" revelam a vizinhança da poesia de Heym. "... De metais duros forja-se uma cabeça redentora." Trakl também é um "spiriti della vigilia". Se bem que, embalado em seus sonhos de adolescente, já pressentiu a redenção pelas forças da Natureza, em versos que respiram a perfeição absoluta:

Gewaltig endet so das Jahr
Mit goldnem Wein und Frucht der Gaerten...

"Vinho de ouro e frutas dos jardins": a paisagem de Salzburgo. Mas a cidade de Mozart já se transfigurou, como tudo na poesia de Trakl, em símbolo transcendental. Trakl estava perfeito antes de, no último ano da sua curta vida, transfigurar em versos hoelderlinianos os horrores da guerra. Em seu último poema, *Grodek*, legando a "gerações ainda não natas" a lembrança de sofrimento já superados, Trakl apenas sintetizou o sentido de toda sua poesia. Afirmam alguns que em Trakl morreu o maior poeta de língua alemã do século, ao lado de Rilke; nos últimos tempos a crítica inglesa e a francesa começaram a ocupar-se intensamente do poeta austríaco, confirmando aquela tese, mais do que Rilke avançou Trakl até "as fronteiras do inefável", atravessando-as sem "perder a fala". E, sem qualquer alusão religiosa, a poesia mais profundamente religiosa do século.

Trakl lembra irresistivelmente a Hoelderlin; e não é mera influência; é um caso de analogia perfeita. O poeta realizou as ambições e angústias de uma "renascença de Hoelderlin" que surgira naqueles anos, embora Trakl mal soubesse daquele movimento. Discípulos de George, como Gundolf e Bertram, e místicos judeus, com Buber e Landauer, redescobriram Hoelderlin, que aos críticos do século XIX se afigurara "pobre poeta adolescente"; revelaram nele o grande poeta do classicismo dionisíaco, precursor de Nietzsche, ao lado de Goethe apolíneo. O jovem erudito Nobert von Hellingrath dedicou os últimos anos da sua curta vida — ele também morreu na guerra — à primeira edição crítica de Hoelderlin, esse "spiriti della vigilia" antes da loucura. Dizem que com um verso de Hoelderlin nos lábios — "... a alma procura o caminho mais rápido para voltar ao Universo" —, os estudantes voluntários alemães morreram na batalha de Langemarck; ignorando para que morreram. Assim acabou, no Monte Podgora e nas planícies de Flandres, uma geração sacrificada.

Mais de um poeta profetizara a catástrofe; e esse fato não constitui mera curiosidade; pois entre eles não se encontra nenhum modernista propriamente dito. Encontram-se profecias apocalípticas, mais ou menos explícitas, já em D'Annunzio e George, Blok e Ady, até no *Stundenbuch* de Rilke; todos eles poetas simbolistas e pós-simbolistas. Na maior parte das vezes, essas profecias são heranças do decadentismo, expressões do desespero em face de uma civilização mecanizada, antipoética. Mais explícitas e muito mais interessantes são as profecias da geração nova, de poetas que morreram imediatamente antes da guerra ou na própria guerra. O fato da frequência descomunal dessas "profecias" não será bem explicável; talvez a crítica possa lembrar outro fato semelhante: as últimas obras de poetas e artistas que morreram jovens revelam as mesmas características com as últimas obras de poetas e artistas que morreram muito velhos, como se houvesse naqueles um pressentimento da morte.[99] À luz dessa tese, é preciso insistir no sentido sinistro da palavra "vigília". Heym, o baudelairiano, com as suas visões terrificantes de demônios sangrentos que se lançam dos tetos dos edifícios altos para matar os transeuntes na rua, já morreu em 1912. Stadler, em poesia de 1913, celebra a explosão dionisíaca dos instintos de luta em batalhas imaginárias, o que foi o sentimento de milhões de europeus no agosto de 1914. Péguy, em versos célebres —

> *Heureux ceux qui sont morts dans une juste guerre!*
> *Heureux les épis murs et les blés moissonnés!* —

profetizou a própria morte, mas também as esperanças humanitárias que durante a guerra se agarraram à esperança da vitória. Enfim, Trakl, já estigmatizado pela morte, escreveu aquele poema, *Grodek* —

> *... Die heise Flamme des Geistes naehrt heute*
> *eins gewaltiger Schmerz die ungeborenen Enkel* —

em cujos versos herméticos e metálicos se condensa, em 1915, o desespero da desilusão dos vencidos e dos vencedores. Todos esses poetas, embora da geração jovem, escreveram em metros tradicionais; nenhum deles é propriamente modernista. Apesar das "profecias", não é possível encará-los como precursores; são antes os últimos de uma época que acaba.

A Primeira Guerra Mundial

A Primeira Guerra Mundial, de 1914 a 1918, exerceu influência profunda sobre a literatura; mas a "literatura de guerra", no sentido de uma expressão nova de uma experiência nova, não surgiu antes de 1928 ou 1929; quer dizer, quando novas catástrofes de espécie diferente, econômico-sociais, ensinaram nova compreensão daquele grande acontecimento militar, já meio esquecido durante anos de euforia. Entre 1914 e 1918, a guerra aparece na literatura só como assunto, provocando entusiasmo, indiferença, desespero, revolta, mas sem produzir, na literatura, soluções novas. Costuma-se dizer que 1914 foi o verdadeiro fim do século XIX; pelo menos com respeito à história literária, é certo; enquanto não se prefere indicar o ano de 1918.

O maior efeito imediato da guerra sobre a literatura foi a perda espantosa de talentos promissores. Morreram nos campos de batalha ou nos hospitais os franceses Péguy, Ernest Psichari, Alain-Fournier, Jean-Marc Bernard, Apollinaire; os ingleses Rupert Brooke, Edward Thomas,

Wilfred Owen, Isaac Rosenberg, Julian Grenfell, o autor de *Into Battle*, e o canadense John Mac Crae, cujo poema *In Flanders Fields* não se esquece; os alemães e austríacos Stadler, Trakl, Flex, Sorge, Sack, Stramm e Engelke; os italianos Serra e Slataper. Naqueles anos, ninguém sabia da importância dessas perdas. Dominavam a opinião os velhos, enchendo-se de patriotismo oficial, às vezes de entusiasmo fingido. Os *Poèmes de France*, de Paul Fort, *Le vol de la Marseillaise*, de Rostand, os *Poèmes de Guerre*, de Claudel, os livros propagandísticos de Barrès e D'Annunzio, os poemas patrióticos de Dehmel não figuram entre as obras-primas dos seus autores. Mas muitos jovens tampouco eram melhores. O poeta alemão Heinrich Lersch, aliás um proletário, criou o verso infeliz —

Deutschland mus leben, und wenn wir sterben muessen

["A Alemanha precisa viver, seja pelo preço de nossa morte"] — que se tornará, vinte anos mais tarde, grito de batalha do nacional-socialismo; o prussiano Walter Flex conquistou popularidade pelo patriotismo sereno dos seus versos e contos, serenidade que não esconde a falta absoluta de talento; Rupert Brooke deve à morte, na Grécia, a perfeição humana que não conseguiu na poesia, e John Freeman achou, em 1914, que

Happy is England now...

Recuperou-se, enfim, o bom senso: primeiro naquele país em que os intelectuais se tinham empenhado com paixão para forçar sua entrada na guerra: na Itália. Os italianos podiam ser nacionalistas; mas não eram belicosos, sangrentos; e na trincheira o aspecto das coisas era diferente do que nas redações dos jornais. O último dos "spiriti della vigilia", Piero Jahier,[100] vivendo em comunidade democrática com os "Alpini", começou a colecionar os cantos simples que esses soldados inventaram; depois, descreveu episódios heroicos e menos heroicos, emocionantes não pela ênfase patética, mas, ao contrário, pela simplicidade cinzenta. Os livros de Jahier, escritos no estilo coloquial e "frammentistas" de um descendente dos "crepuscolari", constituem um monumento da indiferença da alma popular em plena guerra. Em última análise, essa guerra parecia absurda; e absurdas serão as suas consequências. Assim as descreverá o eminente crítico literário Borgese,[101] no romance *Rubé*: um intelectual pequeno-burguês, que tremeu de medo na trincheira, começou depois a gostar da vida moralmente menos disciplinada dos militares; desmobilizado em 1918, já era incapaz de reincorporar-se na vida civil; morreu num motim de rua, luta política para a qual não o levou nenhuma convicção ideológica. É o absurdo perfeito; e presságio das atitudes do fascismo. O *pendant* humorístico, genialmente humorístico, é o "soldado Svejk", de Hasek:[102] o soldado tcheco, o anti-herói, forçado a servir no exército austríaco contra os irmãos eslavos, ilude os oficiais, fingindo-se idiota; e como idiota pode dizer, com a cara mais ingênua, verdades subversivíssimas, enquanto pagando a franqueza pela humilhação sem vergonha. É a epopeia picaresca da guerra.

Enfim, venceram a indignação e a revolta aberta, da qual o grande documento é *Le Feu*, de Barbusse.[103] Em geral, essa obra emocionante costuma ser interpretada à luz das convicções ideológicas, comunistas, que Barbusse adotou mais tarde; mas é, evidentemente, um anacronismo. O ponto de partida da interpretação só pode ser o estilo do qual Barbusse se serviu: o mesmo estilo em que escreveu seu primeiro grande romance, *L'Enfer*, e que também adotou em *Le Feu*: o naturalismo. Barbusse é, com efeito, um dos últimos discípulos de Zola, e um dos mais fiéis. Mas o seu naturalismo não é exatamente o do mestre; passou pela fase do populismo; em *L'Enfer* sente-se a vizinhança de Charles-Louis Phillippe. Menos conhecido é o fato de Barbusse ter começado como o poeta algo decadentista do volume *Pleureuses*. O unanimismo tampouco deixou de influenciá-lo, sobretudo o unanimismo humanitário de Duhamel, o que ainda se revelou em *Clarté*, no romance desse título e no homônimo movimento pacifista do pós-guerra imediato; só depois veio a fase comunista. Barbusse sempre revelou mais emoção do que a doutrina naturalista permitia, emoção diferente da ênfase hugoniana de Zola: a sua também é patética, mas sombria. Em *Le Feu*, essa emoção explodiu; é uma grande obra lírica; e é significativo o fato de que o único grande romance de guerra, que foi escrito durante a própria guerra, é um romance lírico.

O lirismo constitui a força e a limitação das poucas grandes obras escritas durante a guerra; quase só poesia lírica em formas tradicionais, apesar da mentalidade de revolta. Jean-Marc Bernard[104] formara-se em tradições poéticas francesas; fora "fantaisiste" e poeta anacreôntico em *Sub Tegmine Fagi*, antes de a trincheira lhe arrancar o grito de *De Profundis*:

> "*Éclairez-nous dans ce marasme,*
> *Réconfortez-nous, et chassez*
> *L'angoisse des coeurs harassés;*
> *Ah! rendez-nous l'enthousiasme!*"

Na alegria e no desespero, Bernard lembra os seus companheiros de geração do outro lado do Canal da Mancha, os poetas "georgianos"; estes, porém, tinham que abandonar as suas tradições, procurando outras, para exprimir as experiências inesperadas. Assim o jovem Isaac Rosenberg,[105] que morreu em Flandres nos últimos dias da guerra; seu realismo poético, já não "georgiano", justificava as maiores esperanças. Assim Siegfried Sassoon,[106] pacifista rebelde, embora soldado valente, duas vezes gravemente ferido, recusando-se depois a continuar no serviço militar e declarado louco pelo tribunal militar. Nunca foi capaz de esquecer o horror —

> *... I'm going crazy;*
> *I'm going stark, staring mad because of the guns.*

Poesias como *Aftermath, Grandeur of Ghosts, Death-Bed, Counter-Attack, Everyone Song*, em língua rude e coloquial, mas em ritmo cultivado, renovaram em meio dos suaves poetas georgianos a grande tradição inglesa da poesia amargamente satírica. Uma ou outra vez, Sassoon chega a realizações modernistas, como em *Presences Perfected*. Mas em geral sua poesia é tão tradicionalista como é confusa, e puramente emocional é sua irritação contra todos os que mentiram quanto à realidade da guerra. O único realmente moderno entre os poetas da guerra foi Wilfred Owen.[107] Sintetizou a sua experiência na frase: "The Poetry is in the pity", mas a crítica de tendência modernista não estava inclinada a admitir essa tese. Por isso, e não por motivos ideológicos, Owen foi excluído de certas antologias de poesia avançada, e alguns chegam a negar-lhe o apelido de poeta autêntico. Para rebater essa injustiça, basta observar a evolução muito segura desse poeta, que morreu aos 25 anos de idade. O sentimento inicial era, em pleno desespero, o amor aos companheiros, sofrendo sem revolta

— "the tenderness of silent minds". O resultado era a sátira violenta contra o falso patriotismo, não contra o inimigo sincero com o qual Owen sente a comunidade de

> ... the undene years,
> the hopelessness.

E essa "eternal reciprocity of tears" ajudou-o a não perder de todo a esperança. Saiu da sátira estéril, chegando a compor grandes poemas como *Anthem for Doomed Youth, Strange Meeting, Insensibility Exposure*, que apesar de certos elementos tradicionais — reminiscência de Keats — representam uma nova modalidade da poesia inglesa. Só muitos anos mais tarde revelou-se o sentido daquela frase, "The Poetry is in the pity": um novo princípio para descobrir poesia nas coisas simples da vida quotidiana, da qual a poesia inglesa estava separada até surgir a poesia revolucionária dos anos 1930. Owen, no entanto, não fora um revolucionário; a sua grande emoção lírica ficou fora das cogitações de natureza ideológica. E nisso Owen é um tipo da "revolução ideal" que caracteriza a fase entre 1917 e 1920.

Revolução na Rússia

Revolução completa só houve na Rússia; e só em consequência da Revolução Russa transformou-se a derrota militar e política da Alemanha em 1918 em revolução política, incompleta. Dos expressionistas alemães, poucos participaram diretamente da revolução; e destes, só alguns chegaram a aderir ao comunismo. Mas quase todos os expressionistas acompanharam a agitação revolucionária, durante os últimos anos da guerra e depois, com manifestos, programas, dramas, romances, poemas de conteúdo ideológico; apenas a ideologia não era muito clara, oscilando entre humanitarismo democrático, revolta social e angústia religiosa. Esses fatos demonstram bem que o expressionismo, a forma alemã do modernismo, não estava realmente ligado à evolução social; só obedeceu a imposições irresistíveis, das quais uma das mais fortes era a notícia emocionante da Revolução Russa.

Tratar a literatura da Revolução Russa antes de tratar a literatura do expressionismo revolucionário significa quebra violenta da ordem cronológica. Pois aquelas obras russas, embora inspiradas pelos acontecimentos de 1917, 1918, 1919, só em parte foram escritas naquele tempo, mas em parte mais tarde, e até algumas muito mais tarde; ao passo que o expressionismo revolucionário alemão, tendo começado antes, acabara mais ou menos em 1920, deixando como sucessores só alguns escritores comunistas. Recomenda-se, no entanto, quebrar a ordem cronológica, e por vários motivos. Os escritores russos da época da guerra civil são homens de antes de 1917, em grande parte mesmo homens de antes de 1914, de formação ocidental. É pela última vez, por enquanto, que a literatura russa está em relações diretas com o resto da Europa, a ponto de a literatura russa da fase bélica acompanhar, ou, parcialmente, antecipar a evolução europeia; por outro lado, a revolução tem logo o efeito de estabelecer uma muralha entre a Europa capitalista e a Rússia socialista, de modo que a quebra da cronologia já não se faz sentir de maneira muito forte. Depois, a separação será quase completa. Estabeleceram-se[108] três fases da evolução literária na Rússia revolucionária. Na primeira fase, apareceram pós-simbolistas, submetendo-se com horror à revolução, e futuristas, celebrando a revolução. Na segunda fase, dominará a glorificação romântica do binômio "guerra e trabalho"; e na terceira fase o realismo socialista pôr-se-á a serviço dos planos quinquenais. A análise mais exata daquela primeira fase revela, porém, entre os grupos principais um grupo intermediário, de escritores meio simbolistas, meio proletários, cuja mentalidade corresponde quase exatamente à mentalidade dos expressionistas europeus.

Entre os escritores russos da geração precedente, só um, Alexei Nikolaeivitch Tolstoi,[109] conseguiu aderir à revolução sem mudar de estilo; porque era um escritor versátil, capaz de se adaptar sem desmentir o seu passado e, no entanto, sem mentir. Fracassou só uma vez: no ciclo de romances *Via Dolorosa*, panorama da Rússia pré-revolucionária e revolucionária; mas essa obra imperfeita é o maior documento literário da época. A obra perfeita é o romance histórico *Pedro, o Grande*: pode passar pela obra capital do realismo socialista. Alexei Tolstoi foi, em vida, muito elogiado, hoje parece injustamente esquecido.

O simbolismo russo de antes da guerra sobreviveu num grupo de intelectuais proletarizados, mas não proletários, que se reuniram em Petersburgo, em 1919, constituindo o círculo "Os Irmãos de Serapion", em recordação de um famoso volume de contos fantásticos de E.T.A. Hoffmann. Talvez porque a realidade revolucionária lhes parecesse tão fantástica como os contos de Hoffmann. Um deles, Kaverin,[110] cultivou realmente a novela hoffmannesca; mas, depois, o seu romantismo mudou de cor, colocando-o perto de Gladkov e Pilniak. Os dois aspectos de Hoffmann, o humorismo e o terror fantástico, estavam como repartidos entre dois outros "irmãos", o humorista Sostchenko e o fantástico Vsevolod Ivanov,[111] que descreveu em prosa poética os horrores da guerra civil na Sibéria; também se lhe devem vivas representações dramáticas daquela época. Ao lado de Ivanov aparecia Samiatin[112] como "o último realista"; mas antes tem algo do "realismo mágico" dos europeus de 1925. Aqueles dois aspectos hoffmannescos estão novamente juntos, mas de maneira muito original, no teatro de Luntz:[113] a sua farsa sangrenta *Fora da Lei* lembra menos a Pirandello e Benavente, com os quais o autor foi comparado, do que a Carlo Gozzi, dramaturgo de predileção dos românticos e do próprio Hoffmann. É uma "commedia dell'arte", construída sobre o fundamento de uma contradição ideológica — entre revolução e anarquia — levando a desfecho trágico; a literatura moderna não possui nada de igual; e Gorki teve razão, ao afirmar que a literatura russa perdeu, com a morte prematura de Luntz, o seu grande dramaturgo virtual. Entre os "irmãos de Serapion", parece que só um chegou a realizações maduras, o romancista Fedin,[114] cujo tema é a contradição entre sentimentos revolucionários e dúvidas intelectuais, tormenta dos pós-simbolistas de Petersburg. Na sua obra-prima *Cidades e Anos*, Fedin retratou esse conflito, usando a técnica novelística de Conrad, quebrando a cronologia dos acontecimentos narrados. É a obra literariamente mais avançada que se escreveu na Rússia depois de 1917. A própria crítica russa não chegou a apreciar devidamente esse romance; não reconheceu, na mudança abrupta da ordem cronológica, o símbolo da mudança revolucionária de regimes sociais.

Aquele grupo intermediário é, antes, de homens da província. Se não são proletários, pelo menos conhecem o povo, e isso marca-lhes estilisticamente as obras: também são pós-simbolistas, mas Remisov iniciou-os na obra de Lesskov; e da fala rude e pitoresca do povo sabem tirar efeitos poéticos. Esse estilo corresponde bem à atitude, entre ativismo revolucionário e fatalismo, que suporta os horrores da guerra civil como se fossem naturais. Colocados entre ativismo e fatalismo, nenhum deles tentou a representação do conflito de maneira dramática; antes diluem os enredos, procurando a solução numa forma que se aproxima da epopeia. Vesely,[115] cujo grande romance épico *Rússia Lavada em Sangue* não surgiu antes de 1932 em forma definitiva, embora já fosse redigido por volta de 1923, é um espírito anarquista, usando a linguagem arcaica de Lesskov, construindo seus capítulos como se fossem poemas. Mas, quanto ao conjunto, não precisa de outro princípio construtor do que do horror monótono da guerra civil como de um *leitmotiv*, e de nenhuma outra unidade do que da geográfica dos acontecimentos: Cáucaso setentrional e vale do Volga. Neverov[116] não precisava de outro impulso do que do sonho, dos refugiados famintos, de encontrar pão em *Tachkent, Cidade Cheia de Pão*; e saiu algo como uma epopeia. Como numerosos fragmentos de uma epopeia despedaçada parecem os contos de Babel,[117] judeu de Odessa, misturando, como arte aprendida em Lesskov, os dialetos e gírias de toda essa gente do Sul da Rússia, judeus, cossacos, poloneses, estivadores, criminosos, camponeses, ladrões e revolucionários, conseguindo transfigurações do horror pela frieza de quem já não se admira de nada. É o olho míope do intelectual, discípulo consciente de Maupassant, examinando de perto as chagas sangrentas infligidas às criaturas humanas e aos bichos pela terrível brutalidade da guerra civil; é o olho aparentemente insensível do artista que contempla as ruínas de cidades e casas destruídas como se os destroços fossem elementos cúbicos de um quadro moderno. Babel aceita tudo isso friamente; e foi justamente por causa desse fatalismo que os stalinistas o perseguiram como oposicionista. Em contos como "Sal" parece cínico. Mas sente, secreta e dolorosamente, a destruição de valores diferentes e talvez superiores ("Gedali"; "Di Grasso"). Babel descreveu batalhas, *pogroms*, os crimes mais repelentes como se fossem acontecimentos dos mais triviais e, muitas vezes, com humorismo sarcástico e com melancolia infinita. É, a muitos respeitos, o maior contista que já surgiu no século XX.

Francamente oposicionista foi Bulgakov,[118] ucraniano como o judeu Babel, mas de família aristocrática. Nos contos do volume *Diabruras*, imitou conscientemente o estilo satírico-grotesco de Gogol. No romance *A Guarda Branca* apresentou os contrarrevolucionários com evidente simpatia, assim como a família burguesa Turbin, de Kiev, cujo trágico declínio e fim é o assunto dos dois outros romances de Bulgakov. Estranho só é o fato de que essas obras chegaram a ser publicadas em plena era stalinista e até a obter sucesso no palco, em adaptações dramáticas.

O último desses oposicionistas foi Oliecha.[119] Em seu muito discutido romance *Inveja* apresentou, em linguagem artisticamente elaborada, novos "homens inúteis": agora, não são os latifundiários que sentem remorsos, como em Puchkin e Turgeniev, mas os sentimentais, os poetas e outros inadaptados às exigências de trabalho prosaico e eficiente na Rússia revolucionariamente industrializada. A vitória é dos eficientes, claro. Mas o romancista não deixa dúvidas a respeito da sua simpatia para com os outros.

Em outras literaturas eslavas ou vizinhas da Rússia, a Primeira Guerra Mundial inspirou algumas poucas obras de ficção semelhantes: o romeno Rebreanu[120] descreveu, na *Floresta dos Enforcados*, com frieza "babeliana", a dolorosa história da decomposição do exército austríaco no fim da guerra, um dos melhores romances de guerra que existem. O tcheco Medek[121] revelou sopro épico no relato da marcha fabulosa dos prisioneiros tchecos, do exército austríaco, através da Rússia e Sibéria incendiadas, até o Pacífico: a "Anábase dos nossos tempos". Na própria Rússia, Leonov e Pilniak, antigos simbolistas, procuraram condensar o material épico; as primeiras obras desses dois escritores parecem-se com as de Vesely e Neverov; mas encontrarão mais tarde o estilo do romantismo revolucionário.

Esse estilo já pertence à segunda fase do modernismo russo. Havia modernistas na Rússia já em 1914: os imagistas Jessenin, Alexei Kusikov, Anatoli Mariengof; e os futuristas Maiakovski, Khlebnikov, Burlyuk, Asseiev, Vassili Kamenski. Jessenin[122] tornou-se muito conhecido na Europa pelos episódios espetaculares da sua vida: as viagens com Isadora Duncan, e enfim o suicídio. Então, conheciam-se só poesias suas que confirmaram o conceito de um poeta grandiloquente, falando em expressões sonoras como um profeta do Velho Testamento, lançando maldições apocalípticas contra a Europa reacionária. O verdadeiro Jessenin foi, porém, um intimista, um homem frágil e feminino, um camponês desarraigado e transferido para o ambiente de boêmios sofisticados, embriagando-se — Moscou parece-lhe uma "grande taverna" — e confraternizando com os malfeitores dos *bas-fonds*, que confunde com os revolucionários. Os mais belos poemas de Jessenin descrevem regressos imaginários à aldeia paterna, onde ninguém o reconhecerá. Sua última poesia antes de suicidar-se foi uma balada. Era um romântico triste e terno, perdido num mundo barulhento, sabendo e reconhecendo que "com golpes nos pregos não se constrói o esplendor das estrelas". Esse verso de Jessenin parece como uma condenação da poesia "técnica", do futurista Maiakovski,[123] que, por sua vez, condenou o suicídio do "burguês Jessenin" porque "neste mundo desesperado é mais fácil morrer o indivíduo do que construir a vida coletiva". Maiakovski não foi "grande poeta" no sentido do superlativo reservado às mais altas expressões da literatura universal; mas um poeta abundante, prejudicado mais por sua ambição do que pelas crises da época. Essa ambição de dizer o que nunca fora dito em poesia aos que nunca ouviram poesia levou-o logo à extrema esquerda da vanguarda de antes da guerra, ao futurismo; e imediatamente antes de escolher o caminho de poeta da revolução, que parecia levar a "possibilidades poéticas ilimitadas como as da técnica política", Maiakovski foi, por um momento, dadaísta. Entre todos os futuristas é Maiakovski o maior poeta, ou antes o único, de inédita riqueza verbal, porque descobriu para si uma língua, nunca antes usada em poesia: a gíria da rua. Pretendeu ser poeta da rua e da cidade, da rua das massas em marcha e das cidades da técnica a serviço da revolução. A tendência épica da sua geração revela-se em Maiakovski na ambição de criar uma poesia monumental, tornar-se o Victor Hugo do proletariado. Tinha, talvez, não o gênio, mas muito talento para fazer esse papel; foi um papel teatral e nem sempre sinceramente desempenhado. Não é preciso discordar da ideologia de Maiakovski para não gostar da sua poesia. Lenin, por exemplo, não gostava. Poesia escrita para ser recitada na tribuna não se afigura poesia a todos os gostos; e nunca ao gosto modernista. Fica, como último argumento, o conceito da poesia propagandística; mas justamente no caso de Maiakovski o efeito propagandístico ficou duvidoso, porque as massas proletárias tampouco gostavam do futurismo, estilo de "intellectuels déclassés" ou "désaxés". Para se fazer compreender, Maiakovski estava obrigado a "racionalizar" o seu vocabulário metafórico, a falar em estilo de jornal, em vez da língua do povo. Mas isso, o seu romantismo inato — todos os futuristas eram românticos desequilibrados — só o suportou, transformando sua poesia em *blague*. Essa *blague* é, porém, o traço menos revolucionário e menos russo na poesia de Maiakovski; é a sua herança do futurismo europeu de

Marinetti. Como poetas, eles não se comparam; Maiakovski é infinitamente superior. O que os aproxima é a atitude, a tendência para "se mettre en scène". Em Maiakovski revela-se essa tendência já na menção reiterada do seu próprio nome nos títulos dos seus livros; a retórica é, então, a consequência da atitude teatral, tribunícia. Contudo, Marinetti só realizou trabalho de destruição. Maiakovski, modernista à maneira ocidental e com forte inclinação para a sátira, viu-se colocado perante a tarefa de fazer poesia "positiva": celebrar vitórias da estatística. Enfim, esse romântico chegou à convicção de que "neste mundo desesperado é mais fácil morrer o indivíduo...", sem completar a frase; e imitou o suicídio de Jessenin. A Rússia não perdeu em Maiakovski o seu maior poeta moderno, mas o seu maior poeta virtual e nunca perfeitamente realizado.

Os suicídios de Jessenin e Maiakovski são tão simbólicos como a morte prematura de Luntz e o silêncio da maior parte dos escritores russos que na época das guerras civis apareceram como estreantes promissores. A fase de transição caracterizava-se mesmo pela impossibilidade de resolver o conflito entre ativismo revolucionário e fatalismo desesperado. O expressionismo alemão, a partir de 1917, revela, apesar de todos os gritos, o mesmo conflito íntimo; e a maior parte dos seus protagonistas literários, considerados como poetas de primeira ordem em 1918 e 1919, experimentaram o mesmo fim de esquecimento rápido. A analogia é digna de nota, porque não se trata de influência: aqueles russos não se tornaram conhecidos na Europa antes de 1920. Mas russos e alemães sofreram o mesmo impacto. Só quem conheceu a Alemanha naqueles dias sombrios de 1917, quando a derrota já se afigurava cada vez mais certa e a censura e a justiça marcial já não conseguiam manter a disciplina militar e civil, pode apreciar a impressão profunda, causada pelas mensagens de Moscou, que sempre começaram concitando: "A todos!". Realmente, impressionaram a todos, sobretudo na França e na Itália; mas em nenhuma parte mais do que na Alemanha, já perto da derrota. Poucos estavam preparados. Até os socialistas, que em agosto de 1914 aderiram à política do Kaiser, não eram capazes de acreditar na catástrofe do poderoso Estado que tanto os perseguira. Um grupo de intelectuais, muitos entre eles judeus, opôs a primeira resistência ao militarismo. A revolução política começou na literatura. Em 1916, Kurt Hiller, mais filósofo do que político, fundou a revista *Das Ziel. Jahrbuecher fuer geistige Politik*, órgão do "ativismo", e a expressão "política espiritual" no título é significativa; assim como a figura do mais nobre entre os ativistas, Gustav Landauer, judeu como Buber, revolucionário e místico, apóstolo de Hoelderlin e do agrarismo. Landauer será em 1918 assassinado em Munique pelos reacionários que, por equívoco, o consideravam como bolchevista. Fiel aos seus começos espiritualistas, o expressionismo procura o sentido religioso da revolução; o ativismo, proposto a uma nação derrotada e faminta, malogrará, acabando em fatalismo e desespero.

O Teatro dos Pacifistas

O conflito entre mentalidade espiritualista e tendências revolucionárias encontrou a sua expressão mais adequada no teatro.[124] Já em 1915, Werfel deu a versão livre das *Troerinnen de Eurípides*, lamentos desesperados e interrogações acusatórias. Fizeram impressão fortíssima os dramas de Unruh,[125] porque o autor, oficial e aristocrata prussiano, membro da casta dominante, se declarou pacifista, exprimindo as dúvidas mais graves quanto ao futuro da nação alemã. *Ein Geschlecht* [*Uma Geração*] é realmente um drama forte, tragédia de uma geração sacrificada, em versos tão herméticos como a atmosfera da peça é carregada. Mas, quando a tempestade passara, o hermetismo estilístico de Unruh revelou-se como incapacidade de expressão de um poeta que se revoltara sem ideologia certa. Deixou-se, então, de compará-lo a Kleist; e Unruh, que nunca perdeu nem perderá, como homem, o mais alto respeito, não deu mais nada de apreciável como dramaturgo. O sucesso propagandístico coube a Hasenclever,[126] muito mais superficial como homem e muito mais hábil como dramaturgo. Já antes da guerra, no drama wede-kindiano *Der Sohn* [*O Filho*], prepara revolução, não a política, mas a dos filhos contra os pais; e o objetivo dessa "revolução" era a permissão para o amor livre. A *Antigone* de Hasenclever é uma versão livre e eficiente da tragédia de Sófocles: o conflito entre a lei do Estado e a lei divina era atual; e o personagem de Creon prestou-se para aludir ao Kaiser Guilher-me II, despótico, teimoso e cego até a catástrofe. Depois, as tentativas de Hasenclever de fazer o papel de poeta revolucionário goraram; ele tam-bém foi logo esquecido. O autêntico dramaturgo político foi Toller,[127] re-volucionário idealista como Landauer, a cujo lado lutou na revolução malograda de Munique em 1919. Só depois o anarquista-pacifista Toller compreendeu o socialismo, tentando então apresentar a "multidão huma-na", a "Masse Mensch", no palco. O seu estilo nunca revelou a mesma se-gurança da sua ideologia; Toller perdeu-se em experimentos, imitações pouco felizes do novo teatro russo. Só o seu destino trágico — a prisão in-justa durante muitos anos e o suicídio em face da perseguição nazista — perpetua-lhe a memória.

O teatro expressionista é estranho. Os enredos passam-se em am-bientes vulgares, entre homens ordinários; mas os personagens lançam tiradas líricas ou gritos inarticulados e os seus motivos de agir não são os da psicologia comum, antes vagamente metafísicos. Tudo é delibera-damente antinaturalista. Não há coerência entre os atos e as cenas. Os acontecimentos parecem assaltar os personagens, o diálogo é em parte substituído por gestos de pavor ou indignação, e dessa pantomima par-ticipam os objetos, sobretudo as decorações, cuja mudança tem sempre significação simbólica. As fontes dessa nova dramaturgia são heterogê-neas. A revolta política e social ressuscitou, como se repete sempre na história literária alemã, o "Sturm und Drang", e ainda mais o "segundo Sturm und Drang", o de Georg Buechner, então meio esquecido, que foi naqueles anos de 1920 redescoberto e frequentemente representado. A outra grande moda teatral desses anos foi Wedekind: além da revolta se-xual, que aparece em Hasenclever e Toller, impressionou a sua interpre-tação fantástica dos acontecimentos triviais da vida quotidiana, manifestando-se na deformação lírica ou deliberadamente pseudolírica da língua coloquial. Alguns dramaturgos expressionistas deram mais um passo, decompondo a sintaxe à maneira de Sternheim. A todas essas influências, superpôs-se a mais poderosa, a de Strindberg,[128] que fora até então propriedade exclusiva da vanguarda, tornando-se agora o dramaturgo mais representado nos teatros alemães. Em Strindberg, os expressionistas aprenderam a simbolizar o sentido espiritual, religioso ou pseudorreligioso da revolução; o símbolo da participação do Universo nos destinos humanos era a participação das decorações na ação dramática, repetindo-se e refletindo-se os atos humanos na pantomima das coisas. E por ali entrou na dramaturgia expressionista o fatalismo que acabou paralisando o ativismo.

Só um dramaturgo expressionista compreendeu com toda a lucidez da sua inteligência ágil essa dialética e as possibilidades dramáticas encerradas nela: Georg Kaiser.[129] Começara imitando Wedekind, especialmente em seu aspecto satírico; depois, adotou os processos dramatúrgicos de Strindberg para representar no palco a vida moderna, as tentações da grande cidade, a queda e a ressurreição de almas ameaçadas: assim, em *Von Morgens bis Mitternachts* [*Da Manhã até a Meia-Noite*]. Colocou sua arte a serviço de ideias humanitárias. Esperava que da apresentação dialética da questão social, em *Gas*, saísse uma solução real do problema. Declarou-se "Denkspieler", isto é, "jogador com ideias", convencido de que a dialética das ideias no palco antecipa a dialética real na vida. Foi um experimentador incansável, escrevendo peças com a fecundidade de um dramaturgo espanhol do século XVII, tanto aproveitando enredos de todos os tempos e de todos os países como inventando enredos, com engenho formidável; inclusive as últimas peças, escritas no exílio, que são em parte sátiras antimilitaristas, em parte tragédias em estilo grego. Mas não teve evolução nenhuma. Sempre ficou o que foi no início: um *playwright* habilíssimo a serviço de uma dialética sem soluções. Sua obra-prima é uma das primeiras: *Die Buerger von Calais* [*Os Cidadãos de Calais*], dramatização eficiente de um episódio da crônica de Froissart; do conflito entre patriotismo e individualismo surge uma solução vagamente humanitária, a mesma que será a das últimas peças. O grande talento de Kaiser estragou-se pela rotina teatral.

A dramaturgia expressionista teve grande repercussão fora da Alemanha. Mas esse fato não foi, na época, percebido, nem, até hoje, devidamente estudado, de modo que os dramaturgos expressionistas não alemães aparecem em seus países como figuras isoladas. Os franceses, que só chegaram a conhecer o teatro expressionista alemão muito mais tarde, no repertório de Barrault, não puderam notar a semelhança entre as farsas fantásticas de Wedekind e a farsa mais fantástica do belga Crommelynck:[130] *Le cocu magnifique,* a tragédia burlesca dos ciúmes, deformação violenta da realidade e das possibilidades psicológicas. Mas de expressionismo falou-se a propósito de Paul Raynal,[131] porque seu drama *Le Tombeau sous l'Arc-de-Triomphe,* peça de mentalidade corneliana, tratava um assunto caro aos expressionistas alemães: a revolta contra a guerra. O mesmo assunto inspirou várias peças ao representante principal do expressionismo na literatura iugoslava: Krleža,[132] espírito anarquista, mais tarde comunista e "Poet laureate" do regime de Tito. São peças strindberguianas que chegaram a chamar a atenção dos teatros ocidentais. No entanto, têm importância maior as peças e romances em que tratou com grande força satírica e dramática a decadência e decomposição da burguesia croata e da ditadura fascista.

Ambiente revolucionário, em que surgiu um dos maiores dramaturgos expressionistas, foi, por volta de 1920, a Irlanda. No palco do Abbey Theatre em Dublin, onde imperaram o naturalismo à maneira de Ibsen e a dramaturgia simbolista de Yeats, tiveram efeito de bombas as peças de O'Casey.[133] Proletário de Dublin, sofreu as experiências dolorosas de trabalhador braçal sem especialização; só com quinze anos de idade aprendeu a ler e escrever; parece personagem de conto de Joyce; e há algo da atmosfera de *Ulysses* nos dramas de O'Casey, embora sendo ele de descendência literária diferente. Duas vezes, no *Shadow of a Gunman* e em *Silver Tassie,* O'Casey apresentou quadros da guerra, da qual ele pessoalmente não participara: a indiferença do soldado desiludido, entregue ao fado, serve-lhe para simbolizar a sua própria atitude em face da revolução irlandesa de 1916, em Dublin. Dessa ação, sim, O'Casey participara, porque, como proletário irlandês, tinha que participar, embora imbuído de desprezo e até de nojo contra a mesquinhez dos revolucionários sem ideologia firme, levados por ressentimentos vagos, depravação pessoal, hipocrisia religiosa e o álcool. Um título binômico como *The Plough and the Stars* exprime bem a atitude mental de O'Casey. Em *Juno and the Peacock,* conseguiu personificar a contradição, na mãe sacrificada do filho assassinado da filha perdida; é personagem altamente trágica. E seu marido, o "peacock", é fanfarrão, da revolução falsa e fracassada. Os dramas de

O'Casey fizeram impressão fortíssima e foram bem compreendidos em Londres, como símbolos dramáticos do determinismo fatal que destrói vidas humanas absurdas. O teatro de O'Casey parece caótico; mas o dramaturgo realiza o milagre de evocar nos *slums* de Dublin algo como o espírito da tragédia grega. A impressão devia ser diferente no Abbey Theatre de Dublin. Todos os espectadores tinham participado dos acontecimentos de 1916; e os personagens falaram a linguagem da plateia, se bem em deformação fantástica. O público fez parte da tragédia, sentindo a sátira como insulto. Repetiram-se os escândalos que Synge sofrera. Talvez por isso O'Casey continuasse a fazer experiências sempre novas. Mas nunca mais alcançou a altura de *Juno and the Peacock*. Entrou em rápido declínio. Dos seus anos posteriores só se salvam os volumes de sua fascinante autobiografia.

A luta contra as soluções sem solução do teatro expressionista constitui o caminho de evolução da dramaturgia de O'Neill.[134] O ambiente em que se formou o predestinou ao expressionismo. Antes de O'Neill não existia teatro americano; ou melhor, existia apenas a indústria teatral da Broadway, empregando os efeitos mais antigos do falso romantismo e do pós-romantismo, entre Sardou e a ópera, para impressionar um público inculto e, no entanto, exigente. Do movimento modesto do teatro de amadores surgiu a reação, que devia ser antirromântica, realista, mas que encontrou o seu grande dramaturgo, um romântico irremediável: O'Neill. Eram condições para criar um expressionismo; e contribuiu para isso a falta absoluta de tradições literárias no teatro americano — um primitivismo ao qual os Wedekind e Sternheim aspiraram. O'Neill já encontrou o primitivismo; mas ele mesmo não era um primitivo; ou antes, era um primitivo nutrido das reminiscências literárias que sempre existem numa família de atores. Shakespeare e Ibsen, romantismo e realismo, são as colunas do seu teatro contraditório; e conhecia bem Strindberg. O mundo strindberguiano de angústia e fatalismo também é o mundo de O'Neill; não harmonizava isso com utilitarismo e comercialismo, a filosofia oficial da América de 1920; e O'Neill escolheu para protagonistas do seu teatro gente menos americana no sentido oficial, gente estranha ou forasteira: negros, marujos, aventureiros. São as vítimas de angústias, superstições, saudades em *The Moon of the Caribbees, Emperor Jones, Beyond the Horizon, Anna Christie*. O mundo em que se agitam não é real, é a projeção para fora das suas almas — o que define o expressionismo. Como todos os expressionistas, O'Neill tentou explicar a dialética incompreensível da hostilidade desse mundo sonhado contra as criaturas que o criaram. Em *The Hairy Ape* tentou a explicação social; a peça foi considerada revolucionária, mas o próprio O'Neil não fora capaz de distinguir entre a revolta social e a angústia sexual do seu herói; e em *Desire under the Elms* parecia voltar-se, de todo, para as preocupações psicanalíticas da época do "Waste Land". Desde então, o expressionista O'Neill é "wastelander", revoltado contra as convenções morais do puritanismo; mas nesse "país" também ele não representará o naturalismo biológico, e sim a angústia religiosa.

O expressionismo lírico — todo expressionismo é lírico — apresenta os mesmos aspectos de humanitarismo, revolta social e misticismo angustiado, em mistura quase inextricável. O último aspecto, o místico, prevalece nos escritores que aderiram à teosofia, com Biely e o romancista alemão Albert Steffen, ou a outros ocultismos, como o muito traduzido romancista dinamarquês Anker Larsen,[135] inspiração semelhante se verifica, com veemência muito maior, no desespero apocalíptico do sueco Dan Andersson,[136] poeta e romancista de inspiração dostoievskiana e hamsuniana, cujo misticismo fatalista só era máscara da inquietação social do proletário desamparado; e na poesia do alemão Heynicke,[137] que partira do "Sturm" de Herwarth Walden, passando através do humanitarismo revoltado de 1917 a uma poesia de religiosidade pessoal, angustiada e, no entanto, calma.

Poesia Expressionista

A centos religiosos também caracterizam a poesia unitária do expressionismo: nos hinos esperançosos do jovem operário alemão Engelke,[138] unanimista autêntico que morreu poucos dias antes do armistício; assim como nos *Tragiques* de Jouve[139] e no *Prikaz* de Salmon. Neste último, porém, prevalece o aspecto puramente literário da emoção, ligado ao exotismo do viajante incansável; e esse exotismo também se manifesta na obra multiforme de Klabund:[140] fora vagabundo poético de verdade, embora mais dos cafés da boêmia do que ao ar livre; sempre ficou um grande viajante no tempo e no espaço, imitador virtuoso de Villon e da poesia chinesa. Durante os tempos agitados da guerra e da revolução essas máscaras serviram-lhe para manifestar ideias nobres, humanitárias. Mas a sua ânsia de liberdade ficou sempre a do poeta-vagabundo, do boêmio, e o seu elogio da "sabedoria chinesa", pacifista e filantrópica, não passou além dos aspectos pitorescos do Oriente. Poesia amável e cantável, sem significação permanente.

Entre romantismo individualista e socialismo meio anarquista oscilavam quase todos os expressionistas, seja o dinamarquês Boennelycke,[141] cuja poesia indisciplinada chegou a tornar-se popularíssima entre os operários do seu país, seja o poeta-operário tcheco Wolker,[142] que morreu tísico com 24 anos de idade; autor de fascinantes baladas no estilo da poesia popular, comunista apaixonado e místico eslavo, em quem a futura literatura proletária perdeu uma das maiores esperanças.

O maior dos expressionistas socialistas é Leonhard Frank.[143] É mais velho do que os outros expressionistas, e deve a essa circunstância um feliz equilíbrio estilístico que lembra os tempos do "Equilíbrio". Seu primeiro romance, *Die Rauberbande* [*Bando de Ladrões*] descreveu a camaradagem juvenil de alguns rapazes inquietos na velha cidade histórica de Wuerzburg, antes da guerra, e a dissolução da amizade pelas duras imposições da vida: o ponto de vista do autor é naturalista e socialista sem concessões, mas o estilo é deliciosamente nostálgico, à maneira de Hesse; é um dos mais belos romances em língua alemã. Desde então, Frank oscilava, como tantos outros expressionistas, entre a revolta sexual e a revolta social; em *Die Ursache* [*O Motivo*], chegou a combinar os motivos, explicando de maneira psicanalítica um crime de morte, punido por uma Justiça injusta e antissocial. Mas Frank tornou-se geralmente conhecido só com os contos do volume *De Mensch ist gut*, gritos violentos de indignação contra o militarismo, em plena guerra, obra que foi de grande eficiência propagandística para quebrar a resistência alemã. Frank não pôde deixar de tornar-se comunista. Nessa fase, escreveu a novela *Karl und Anna*, que é obra sobremaneira notável: um crítico como Empson encontra nessa novela — o assunto é a velha história do soldado que, voltando da guerra, encontra outro homem na casa e na cama da mulher — o primeiro exemplo de literatura autenticamente proletária, sem enfeite idílico e sem deformação tendenciosa, nas literaturas ocidentais modernas. Mas Frank não escreveu mais, nos longos anos depois, nenhuma obra digna das primeiras.

De literatura proletária só se pode falar, em sentido estritamente político, quanto à poesia de Becher,[144] filho de família bávara grande-burguesa, poeta whitmaniano da sua cidade de Munique, depois comunista combativo. Autor do poema "Século Vermelho", alimentou a ambição de tornar-se o Maiakovski alemão: igualou o russo só pela força da voz alta;

foi representante típico do que se chamava, por volta de 1920, "poesia do grito"; acabou escrevendo poesias eloquentes de propaganda política em versos tradicionais.

A "poesia do grito" foi, por volta de 1920, movimento importante e complexo: expressão de esperanças revolucionárias, antitradicionalismo furioso, desilusão pelo desfecho insatisfatório da revolução alemã, sátira antiburguesa. Mas a fúria destrutiva dessa poesia não é necessariamente socialista ou comunista; alguns dos seus poetas são destrutivos "sans frase", anarquistas; outros tornar-se-ão reacionários violentos. Em todos eles influi o futurismo de Marinetti, que naqueles mesmos anos aderiu ao fascismo. E nos mais sérios entre eles a ânsia de destruição tem até acento religioso, como em sectários revolucionários da época da Reforma. Não falam, mas gritam porque o futurismo lhes ensinou, como primeiro dever, a destruição da sintaxe e da própria língua, repositório das tradições odiadas. Apenas o seu futurismo é menos o de Marinetti do que o de Maiakovski; e como este aproxima-se, em certo momento, do dadaísmo.

August Stramm[145] teria sido se não o maior, o mais radical entre eles. Substituiu-o Ludwig Maidner, colaborador da *Aktion*, pintor e poeta de cenas de horrores no hospital militar e de reuniões noturnas de grevistas. Esse "estilo de voz alta" foi cultivado com furor especial por Johst,[146] cujo tema sempre foi a mocidade em revolta; apenas, nem sempre a mesma mocidade. Até 1920, Johst foi expressionista como os outros, talvez um pouco mais enfático; também se dirigia "a todos!". Depois, os "todos" são apenas os "irmãos", os alemães, e a mocidade é apenas a mocidade alemã e a revolta é a do nacionalismo. Em *Schlageter*, peça que exalta um guerrilheiro renano fuzilado pelos franceses, ocorre a frase notória: "Ouvindo a palavra Kultur, saco o revólver." Mas não se pode negar que essa expressão da rebarbarização intencional também represente uma espécie de antitradicionalismo futurista.

Existe, portanto, um expressionismo brutalmente reacionário. Assim o do húngaro Szabó,[147] cujo romance de uma *Aldeia Agitada Pela Tempestade* fez sensação na Hungria e na Europa: pela força explosiva do estilo e pelo furor inédito da tendência anticomunista e antissemita. Eis uma forma autenticamente bárbara da "literatura Blu-Bo" ("Glut und Boden", isto é, "raça e terra") dos racistas. Sem essa tendência empregou o mesmo estilo o eslovaco Urban[148] para descrever, numa trilogia de romances, a história de uma aldeia da sua pátria durante a Primeira Guerra Mundial e a revolução comunista.

Por uma ironia do destino, está ligado a essa corrente reacionária o primeiro grande poeta modernista alemão: Benn.[149] Os primeiros poetas expressionistas conservaram a métrica tradicional. Depois, adotou-se o verso livre whitmaniano. Mas os expressionistas alemães pareciam desconhecer o modernismo internacional. Benn criou, com plena independência, um estilo correspondente. Era médico, vivendo em subúrbio proletário de Berlim, ligado aos literatos apenas por visitas casuais nos cafés da boêmia. Seus primeiros poemas, do volume *Morque*, são muito propriamente nauseabundos: apresentam corpos em decomposição pelo câncer, cadáveres nus na mesa de dissecação, e assim por diante. O homem, nessas condições e em todas as condições, não vale nada. Benn não é, porém, espiritualista. Ao contrário, pelas chagas do corpo ele responsabiliza o cérebro, o órgão da consciência que sente as dores e estraga os prazeres da carne. As poesias mais violentas de Benn celebram a destruição da consciência cerebral, a destruição de todo "sentido" no mundo, a começar com a língua, que é preciso desarticular. Benn sempre foi anarquista. Caiu no niilismo por desespero absoluto. Criou as metáforas mais violentas, condensando-as em pequenas poesias epigramáticas, que teriam, paradoxalmente, toda a encantadora música da poesia popular — se não fosse o pessimismo abismal. Houve, em Benn, algo de Rimbaud. Como este, teve a pretensão de exorcizar as coisas pela palavra mágica; mas é para fixá-las pela última vez, antes que desapareçam. Sempre esteve convencido da proximidade do fim do mundo. E quando este fim parecia chegado, Benn aderiu a ele, assustando os seus amigos: virou nacional-socialista. Foi a conclusão lógica do seu anarquismo antiespiritual e da convicção de que "só além da destruição se encontra a perfeição". Entregou-se àquilo que chamara: "Nada, bebida sombria." Podia-se prever que os pequeno-burgueses brutais, mesquinhos e incultos do nazismo não entenderiam nada daquilo. O rompimento veio logo. Benn retratou-se. Seus últimos poemas, mais "modernistas" e mais radicais que nunca, exprimem um nobre estoicismo viril: um "niilism recollected in tranquility". Benn foi anti-Rilke. Sua influência, que é agora cada vez maior, destruiu com os últimos resíduos do pós-simbolismo.

Niilista "que se curou" também foi o jovem revolucionário e malogrado poeta flamengo Van Ostayen,[150] discípulo de Apollinaire, poeta revolucionário de tendências reacionárias. Em *Music-Hall*, o cântico da Antuérpia noturna, deu Van Ostayen um esplêndido desmentido pessimista e satírico a Verhaeren; foi um experimentador genial em versos onomatopaicos e, em parte, "calogramáticos" com os de Apollinaire, que refletem o absurdo da vida moderna, a depravação de todos os valores; sua última poesia, antes da morte prematura, é espiritualista e religiosa. Os mesmos problemas não cessam de angustiar o sueco Lagerkvist.[151] *Angústia e Caos* chamavam-se os seus dois primeiros volumes de versos; e entre esses polos movimenta-se a sua literatura, inteira, singularíssima, sugerindo comparações que nunca acertam. Os seus primeiros dramas, peças em um ato, são francamente expressionistas, sendo a forte influência de Strindberg muito natural num jovem escritor sueco. Mas o espírito é diferente. A peça, na qual a vida humana é simbolizada pela viagem de um trem através de um túnel escuro, é de um contemporâneo de Kafka. Tudo parece, então, invertido no romance *Gaest hos verkligheten* [*Hóspede na Realidade*], a propósito do qual a crítica se lembrava, tampouco com razão, de Joyce. Em vez de apresentar a realidade com projeção imaginária da alma angustiada, como nas peças, Lagerkvist duvida agora da realidade da alma, "hóspede na realidade", centro de todas as confusões e desordens. Daí parecia faltar um só passo para chegar ao materialismo dialético; e Lagerkvist escreveu um romance proletário. Mas suas ideias são largamente humanitárias: protestando contra o totalitarismo nazista escreveu o romance fantástico *Boedeln* cujo herói é o carrasco, símbolo das qualidades principais da humanidade: a violência e a crueldade. Criou-se o termo "vitalismo" para caracterizar a resistência das forças vitais contra as monstruosidades criadas pelo cérebro. Vitalista foi Benn. Vitalista foi o holandês Marsman,[152] cujas explosões juvenis lembravam as do poeta alemão: como este, chegou depois a construir pequenas poesias ásperas, de um romantismo recalcado, em torno de imagens eficientes; a crítica definiu-as como "classicismo negativo". O cume do negativismo "vitalista" encontra-se na poesia do polonês Tuwim,[153] a quem a crítica do seu país considera como seu maior poeta moderno. É um baudelairiano: seus temas são os horrores da grande cidade, as orgias de álcool, ironias infernais, ameaças de revolução sangrenta. O próprio

Tuwim confessa-se discípulo de Rimbaud. Outros reconhecem em suas blasfêmias retóricas a influência de Maiakovski, seu coetâneo: futurismo revolucionário. E não é acaso que Tuwim e Maiakovski passaram, ambos, por uma fase de dadaísmo. O dadaísmo é o ponto em que expressionismo, futurismo e modernismo se encontram. Como quer que seja julgado, "Dada" é o centro histórico da evolução literária entre 1910 e 1924.

Dada

mportância só histórica, isso é verdade. Não vale a pena ocupar-se com as teorias dadaístas, mistura pouco original e deliberadamente absurda de ideias modernistas, futuristas e expressionistas. Tampouco vale a pena tentar a interpretação do dadaísmo: já foi definido como "destruição do mundo absurdo da guerra pelo absurdo da literatura", ou "sátira triste depois da tragédia", ou "reação à estupidez geral", ou "estupidez sistematizada", ou mesmo "cume do l'art pour l'art", ou ainda "la littérature contre la littérature". Essas e outras definições não revelam muita coisa porque "Dada" não foi nem pretendeu ser um movimento sério. Não produziu, realmente, nenhuma obra de valor, nem sequer de importância documental. "Dada" não era mais do que uma tempestade nos cafés literários de Zurique, Paris, Berlim e Nova York; um movimento de ligação internacional entre as vanguardas. Mas nisso reside a sua importância histórica: desprezando a língua e as línguas, "Dada" unificou os grupos modernistas separados pelas línguas e pela guerra; sobretudo, ajudou a abrir o ciclo revolucionário nas literaturas anglo-saxônicas, que até então só tinham participado do movimento modernista por meio do pálido Imagism.

A história de Dada[154] é interessante como a de um hotel pelo qual passaram alguns hóspedes curiosos e extravagantes. A primeira reunião realizou-se em Zurique, em 1916, com a presença dos escritores alemães Hugo Ball e Richard Huelsenbeck, dos alsacianos Hans Arp e Val Serner, e do romeno Tristan Tzara. Fundou-se um cabaré da boêmia literária, o Cabaret Voltaire, cujo nome já revelou tendências "subversivas"; e numa reunião "histórica" no Café Terrasse, em 8 de fevereiro de 1916, adotou-se a palavra "Dada", expressão da linguagem infantil das crianças francesas, com nome do movimento destrutivo. Além do infantilismo, que pode ser interpretado como desejo de começar de novo num mundo devastado, não havia nada de original em "Dada". No Cabaret Voltaire, recitaram-se poemas e leram-se contos de Wedekind e Schickele, Jarry, Max Jacob e Salmon. Na revista *Cabaret Voltaire*, colaboraram Apollinaire, Cendrars, Kandinsky, Marinetti, Picasso. Cubismo, futurismo e expressionismo, separados durante tanto tempo, tinham-se encontrado numa taverna de bêbados. Os "chefes" de "Dada" eram desertores do serviço militar na Alemanha ou boêmios balcânicos que não tinham conseguido entrar em Paris. O fim da empresa foi — num momento em que os patriotas de todos os países falavam em "grande época" — "demonstrar que não sentimos respeito algum pela grandeza da época"; e entre as falsidades combatidas incluiu-se o expressionismo apocalíptico-messiânico. "Celebramos carnaval e réquiem ao mesmo tempo."

De início, os dadaístas empregaram os métodos de mistificação dos modernistas franceses para fazer oposição à Alemanha. Em sua maior parte, eram alemães. Huelsenbeck[155] veio do "Sturm"; em suas poesias realizou esforço extraordinário para, decompondo a sintaxe e as próprias palavras, sugerir o horror indizível da época. A literatura, "feita com o revólver na mão", devia servir para completar a autodestruição do mundo burguês. Considerou como grande poeta o sonhador Arp,[156] leitor infatigável de Laotse e Jacob Boehme, cuja poesia nunca chegou além de paródias mais ingênuas do que espirituosas de Goethe, Schiller e outros "clássicos" da civilização alemã. Estavam, todos esses dadaístas da primeira hora, inspirados pelo diretor do Cabaret Voltaire, Hugo Ball,[157] uma das figuras mais interessantes do nosso tempo. Fora, antes da guerra, dramaturgo vanguardista em Berlim; fugira do serviço militar para a Suíça; e, depois de ter passado pelo Cabaret Voltaire, trabalhou ativamente na propaganda intelectual contra a Alemanha. O resultado foi o panfleto *Zur Kritik der deutschen Intelligenz* [*Crítica de Inteligência Alemã*], libelo apaixonado, mas ao mesmo tempo a crítica mais profunda da civilização alemã que por enquanto existe. Ball chamou a segunda edição desse livro de *Die Folgen der Reformation* [*As Consequências da Reforma*], denunciando a reforma luterana como responsável pelo fato de a Alemanha se ter separado da Europa. Uma grave crise mental e o estudo da mística bizantina contribuíram, depois, para a conversão de Ball ao catolicismo; ao movimento neocatólico dedicou Ball seus escritos de erudição enciclopédica e estilo altamente poético, de sinceridade emocionante. E esse homem foi o fundador de "Dada". Quer dizer, "Dada" fora, no início, uma reação contra a civilização alemã. Lançou-se, depois, contra a civilização em geral, com primitivismo e infantilismo quase sádicos, por obra do romeno Tzara.[158] Esse balcânico representa um tipo: intelectuais, superficialmente civilizados, de regiões meio primitivas, chegando ao centro da civilização, logo decepcionados, julgando-se capazes de revolucionar tudo o que não compreendem e lhes parece tradição obsoleta e absurdo em decomposição. "Nous préparons le grand spectacle du désastre, l'incendie, la décomposition", gritou Tzara, ao qual não se pode negar a sua sinceridade total e forte talento poético, se bem que bárbaro. Em junho de 1917, Tzara editou o boletim "Dada I, recueil d'art et le littérature", que só fez rir aos países em Kuerra. Mas Tzara não se preocupava com a "realidade", já condenada. Achara um aliado no pintor francês Francis Picabia, recém-chegado à Suíça, cujos quadros abstratos não dissimularam intenções subversivas, quase diabólicas. Na Suíça, Picabia, que já editara, em Nova York, a revista *291*, meteu-se a escrever, publicando *L'Athèle des pompes funèbres et Dessins de la fille née sans mère*. Picabia fez intermediário entre Zurique e Paris, onde a vanguarda começou a revelar tendências dadaístas. Já em janeiro de 1916, um precursor francês do movimento, Birot,[159] fundara a revista *Sic*, na qual Apollinaire colaborava. Em março de 1917, a vanguarda inteira, com Apollinaire, Reverdy e Jacob, reuniu-se, na revista *Nord-Sud*, aos dadaístas (depois surrealistas) Aragon, Breton, Soupault. Os radicais consideravam como chefe o boêmio grosseiro e meio louco Jacques Vaché, o "Jarry do dadaísmo", que acabará suicidando-se. Mas o papel principal cabe a Tzara, que, depois de ter lançado em dezembro de 1918 o manifesto *Dada III*, foi para Paris, logo se impondo.

No Café Certa, estabeleceu-se o centro. Em março de 1919, lançou--se uma revista "antiliterária", chamada ironicamente *Littérature*, tendo como colaboradores Aragon, Breton, Soupault, Eluard, Reverdy, Cendrars, e o mais decidido dos dadaístas franceses, Ribemont-Dessaignes, em quem se perdeu um talento da estirpe, se bem não do valor, de Rimbaud. Em maio, saiu a *Anthologie Dada*, assustando a crítica e o público. Tzara organizou as famosas "festas Dada" durante o ano de 1920, no Salon des Indépendants, na Maison de l'Oeuvre, na Salle Gaveau, noites fantásticas de recitações provocantes, terminando em escândalos ruidosos. Breton propôs a convocação de um congresso internacional, "Congrès de l'Esprit Moderne" — o nome escolhido, lembrando o manifesto de Apollinaire, "L'Esprit nouveau et les poètes", revela a tendência de continuar a obra da vanguarda pré-dadaísta —, mas encontrou resistência fanática em Tzara, espírito puramente destrutivo, desconfiado contra todas as tentativas positivas. A briga pessoal entre Breton e Tzara levou à dissolução repentina do movimento. Mais tarde, só Coupault defenderá os dadaístas "ortodoxos". Os outros criarão o surrealismo; e ao surrealismo neorromântico de Breton seguir-se-á o surrealismo comunista de Aragon. Esse resultado parece fatal, porque o fim de Dada na Alemanha não foi diferente. Depois do armistício, os dadaístas alemães voltaram da Suíça, inaugurando, em junho de 1920, em Berlim, a Exposição Dada. Os trabalhos literários apresentados, Huelsenbeck publicou-os em 1921 sob o título de *Almanach Dada*. Então, o movimento já acabara. Ficou só o solitário Arp. Os outros chefes, o editor Wieland Herzfelde e o caricaturista George Grosz entre eles, tornaram-se comunistas.

O Ultraísmo

ada foi um episódio. Não produziu resultados. Mas foi um sintoma importante: revelou a incongruência entre a realidade e a literatura. Em 1914, começaram modificações da realidade social que até hoje ainda não chegaram ao fim. A literatura refletiu, decerto, os acontecimentos; mas recebendo-os apenas como assuntos; pois não era capaz de transfigurá-los em formas adequadas; tampouco conseguiu dominar o assunto "Guerra". Responsabilizou-se por isso o material da literatura, a língua, repositório associativo de todas as tradições, que impediram a criação de novas formas de expressão. Modernismo, futurismo, expressionismo tentaram destruir a estrutura sintática e até etimológica da língua, para abolir as tradições associativas e tornar possível a formação de novas associações, base de uma nova sintaxe. Alguns poetas chegaram a inventar línguas particulares. Mallarmé e George já sonharam com "língua absoluta", música sem sentido racional. Agora, essa ideia serviu para fins supra-artísticos: o alemão Rudolf Bluemner escreveu em língua inventada o poema "Anglo laina", e o poeta colombiano Miguel Angel Osorio, na época quando preferiu o pseudônimo "Ricardo Arenales", divertiu-se de maneira semelhante. A essas tentativas não se pode negar a coerência, a lógica implacável. Mas ao mesmo tempo revelam, ou antes afirmam a impossibilidade de criar individualmente uma língua, que é fenômeno coletivo. Isso está certo quanto àquelas tentativas extremistas; mas não está menos certo quanto ao modernismo em geral. Os modernismos — vanguarda francesa, futurismo italiano e russo, expressionismo alemão — malograram pelo mesmo motivo de serem movimentos puramente literários, de literatos separados da realidade social; definição que quase se subentende na palavra "vanguarda". O fato de o futurismo italiano ter ficado sem futuro, e dois outros fatos paralelos, o suicídio de Jessenin e Maiakovski, são bastante eloquentes, mais do que o rápido esquecimento do expressionismo alemão e as oscilações do modernismo francês, de Apollinaire até os últimos versos, já em métrica tradicional, de Aragon. O modernismo, que pretendeu ser expressão de uma vida nova, criou uma literatura à margem da vida; e nunca era mais "literário", no sentido pejorativo da palavra, do que quando pretendeu ser antiliterário. Ao dadaísmo cabe o mérito histórico de ter revelado isso, criando uma literatura que já não era literatura, e que, ao mesmo tempo, era a conclusão implacavelmente lógica do modernismo; por isso, "Dada" constitui um "missing link" indispensável na história dos modernismos, quase o centro dessa história; e por isso "Dada" foi internacional.

Mas foi o dadaísmo realmente internacional? Na aparência, seu movimento limitou-se aos países que criaram movimentos modernistas. Não parece ter existido dadaísmo espanhol nem dadaísmo inglês. Esta última afirmação não é, porém, inteiramente exata. Não existe dadaísmo inglês, mas havia um dadaísmo norte-americano; e a ele cabe o mérito de ter movimentado o modernismo inglês, até então pálido, abrindo perspectivas das quais os modernismos francês, italiano e alemão nem sequer sonharam. Nos países de língua espanhola não surgiu dadaísmo, é verdade; a predominância do outro "modernismo", escola de Darío, retardou por um decênio inteiro o aparecimento do novo modernismo espanhol, popularismo e surrealismo de García Lorca e Rafael Alberti, poesia pura de Guillén. Esses estilos foram, porém, precedidos por outros movimentos, mais radicais do que eles: criacionismo, ultraísmo. E esse radicalismo maior identifica-os como equivalentes históricos do dadaísmo do qual são contemporâneos.

Houve uma querela complicada quanto à prioridade cronológica do criacionismo ou do ultraísmo, dessas querelas de prioridade que nunca encontram solução satisfatória. Do ponto de vista da formação literária dos chefes, a prioridade cabe ao criacionismo do chileno Huidobro;[160] aderiu ao modernismo em Paris e escreveu grande parte da sua obra em língua francesa, sob a influência inegável de Marinetti e, também, de Reverdy. Em 1918, Huidobro apareceu na Espanha, onde o consideravam futurista. Aliou-se-lhe o jovem argentino Jorge Luis Borges,[161] que em 1921 fundará o grupo criacionista de Buenos Aires; descobriu os aspectos fantásticos da grande cidade. Mas passou rapidamente por essa fase de poesia radical. Integrou os elementos irracionalistas do criacionismo num sistema filosófico cuja tese principal é o caráter cíclico do tempo e, portanto, a reversibilidade de todos os acontecimentos. Mas, em vez de um tratado de metafísica, escreveu contos filosóficos, as "ficciones", altamente fantásticas, engenhosamente construídas e baseadas em "notas eruditas" diabolicamente inventadas, com a ajuda de toda a erudição fabulosa de que Borges dispõe realmente. É uma arte das mais requintadas, algo fria e desumana, sempre fascinante: obra significativa do século XX. Sua influência se confundirá com a da obra de Kafka.

A passagem de Huidobro e Borges pela Espanha foi imediatamente seguida pela primeira revista ultraísta, *Grecia*, editada em 1919, em Sevilha; mas o ultraísmo[162] parece realmente ter tido relações diretas, sem intermediários, com o futurismo italiano e a vanguarda de Paris. Os volumes de poesia ultraísta, espalhada em revistas efêmeras, só foram publicados mais tarde, quando a poesia espanhola já se encaminhara para outros ideais; tampouco surgiu entre os ultraístas um poeta de valor definitivo. Mas isso não diminui a importância histórica do impulso dado num ambiente de relativo atraso. E nota-se o radicalismo dos ultraístas, mais radicais do que qualquer outra poesia antes do surrealismo. O espirituoso Antonio Espina[163] chegou a deformações sternheimianas das suas experiências de Madri, cidade à qual Guillermo de Torre,[164] mais conhecido como excelente crítico-propagandista das literaturas da vanguarda, dedicou hinos de notável audácia poética. Questiúnculas de política literária anularam esse esforço; e ainda prejudicaram a memória do último ultraísta, Bacarisse,[165] cuja morte prematura era perda real da poesia espanhola. A derrota final do ultraísmo deve-se a um apóstata, Gerardo Diego,[166] poeta de grande talento, cujo ecleticismo escolherá outros caminhos. E o ultraísmo inicial do poeta León Felipe[167] influenciado mais por Whitman do que por Marinetti, revelará uma vez mais a possibilidades contraditórias do modernismo.

A questão da prioridade entre criacionismo e ultraísmo perde muito em importância, ao considerar-se a existência de outros vanguardistas de língua espanhola, sem relação manifesta com aqueles movimentos. Gómez de la Serna,[168] o inventor da "gregueria", embora madrilenho autêntico, gênio da malícia espirituosa, é, pela formação, um parisiense de 1910, camarada de Apollinaire e Jacob pela forma intencionalmente arbitrária e pelo espírito de contradição sistemática, é Gómez de la Serna o que há de mais dadaísta fora do dadaísmo "ortodoxo", um mistificador subversivo em quem os franceses da vanguarda logo reconheceram no fundo um grande jornalista literário. Não consta que seja discípulo seu o argentino Girondo,[169] autor dos *Veinte poemas para ser leídos en el tranvía*; mas o espírito é o mesmo. Enfim, o aspecto abismal, de vertigem fantástica, do radicalismo encontrou expressão notável no colombiano Greiff,[170] um dos poetas mais originais da América.

Os primeiros vanguardistas americanos são, na maior parte das vezes, otimistas: seja porque não experimentaram os horrores da guerra, seja porque sentem, em face das ruínas da Europa, as possibilidades inesgotadas do novo continente. À influência de Marinetti, junta-se a de Whitman, que já foi sensível em Darío, Lugones, Chocano e outros "modernistas", e no verbalismo desenfreado do uruguaio Carlos Sabat Ercasty. Otimista, nesse sentido, tornou-se o colombiano Miguel Angel Osorio,[171] boêmio vagabundo, cheio de experiências e aventuras, mudando constantemente de personalidade e pseudônimo; foi audacioso experimentador poético, mas exerceu maior influência com poesias como *Canción de la vida profunda*. Nem todos descobrirão a profundidade de versos como —

La vida es clara, undivaga y abierta como un mar —,

mas admite-se a impressão tonificante dos seus gritos. Ajudou muitos a sentirem-se livres de tradições e convenções na paisagem nova dos trópicos. Desde então, a poesia latino-americana realiza a segunda descoberta das Américas. Pellicer[172] progrediu nesse caminho com tanto ímpeto que alguns o chamam "o maior poeta moderno do México". Tem algo do verbalismo enfático de Lugones; o seu lado mais atrativo é a poesia intimista da paisagem. O whitmanianismo, que entra com facilidade nesse conceito da poesia, teria tido, talvez, um grande poeta, se não morresse tão cedo o peruano Parra del Riego,[173] cantor "del cielo y de los ferrocarrilles". Continua-lhe a obra Alberto Hidalgo,[174] poeta de força extraordinária e, como muitos outros vanguardistas americanos, polemista de paixões violentas. Porque a vanguarda latino-americana de 1920 tem de colaborar, ao lado da libertação poética, para a obra da libertação política e social; e os defensores da ordem estabelecida se lhes opõem também como defensores da poesia estabelecida. Mas nem sempre a poesia politicamente revolucionária foi poeticamente moderna. O mexicano López Velarde[175] é, num certo sentido, um passadista; um crítico comparou, com muita felicidade, a poesia desse provinciano às obras de arquitetura barroca da província mexicana. Em López Velarde viviam tradições de sensibilidade e forma, incompatíveis com as tradições do romantismo epigônico e do "modernismo pós-simbolista"; a sua poesia, em parte folclórica e indianista, em parte, apaixonadamente pessoal, satisfez de maneira surpreendente certas reivindicações modernas. López Velarde tornou-se precursor de uma nova poesia mexicana, nacional e social, já além do modernismo de vanguarda.

O caso de López Velarde é singular só com respeito à cronologia; se o poeta mexicano não houvesse morrido tão cedo, estaria ao lado do peruano Vallejo e de vários outros poetas hispano-americanos, simbolistas no início, pela influência do ambiente barroco da província e talvez pela herança do sangue indígena, e chegando depois, por meio do modernismo, à poesia social. Vallejo[176] era mesmo um grande poeta; ao movimento internacional de literatura proletária ele deu, além das poesias em favor da Espanha republicana, o romance social *Tungsteno*. Mas o poeta do "Himno a los Voluntarios de la República" e de "Invierno en la batalla de Teruel" não é um poeta facilmente compreensível, um poeta "a todos". É, ao contrário, difícil, hermético; passou pelo criacionismo e pela vanguarda parisiense — Picasso retratou-o — e tem, o que é fato mais desconcertante para os seus admiradores, um passado de simbolista-decadentista à maneira de Herrera y Reissig; de modo que preferiram explicar-lhe a tristeza pelo sangue indígena. Na verdade, Vallejo está mais perto de López Velarde do que dos seus coetâneos García Lorca e Rafael Alberti. Foi infeliz na vida. Mas na poesia foi mais feliz que Maiakovski: reunindo a tendência social e a expressão moderna. Foi um poeta grave e um homem sério.

O Modernismo Brasileiro

Em circunstâncias muito mais desfavoráveis, nasceu o modernismo brasileiro.[177] Não lhe precedeu nenhum "modernismo" à maneira hispano-americana, pré-simbolista ou simbolista, mas só um parnasianismo acadêmico, de vida artificialmente prolongada, literatura sem raízes na vida da nação. Os modernistas brasileiros estavam diante de duas tarefas diferentes, igualmente importantes e dificilmente compatíveis: criar uma nova poesia e arte realmente nacionais, brasileiras, e empregar, para tanto, os recursos das vanguardas europeias, da França e da Itália. Ajudou-os, no início, a intervenção do acadêmico Graça Aranha,[178] romancista de uma geração passada, revoltado contra a Academia; a ele aliou-se Ronald de Carvalho, que, após breve passagem pelo futurismo português e uma recidiva no parnasianismo, escolheu o caminho da poesia "americanista", whitmanianismo tropicalizado. Mas esses revoltados do Rio de Janeiro não teriam tido êxito sem o movimento anterior e melhor organizado do modernismo de São Paulo, que já assustara os "burgueses" pela "Semana de Arte Moderna", em 1922. O chefe foi e permaneceu Mário de Andrade:[179] poeta experimental e prosador experimental, sabia conquistar a nova geração inteira e imprimir unidade pessoal à mistura de tendências que se reuniram no seu movimento — Verhaeren e Whitman, muito Marianetti e algo de Soffici, Apollinaire, Salmon e Cendrars; hostilidade à burguesia semicolonial e ao individualismo estético, embriaguez da grande cidade e interesse pelo folclore, abolição da métrica tradicional e tendência para criar uma nova língua, a brasileira, diferente da portuguesa. Entre os líderes do Modernismo brasileiro ocupa lugar de destaque o romancista, poeta e crítico Oswald de Andrade,[179-A] quebrando agressivamente a tradição acadêmica e antecipando tendências atuais (poesia concreta, imoralismo, socialismo). Pelo modernismo passou Manuel Bandeira,[180] antigo simbolista, romântico nato e poeta moderno. O modernismo de Manuel Bandeira coloca-o perto da poesia experimental de Mário de Andrade: estende-se do whitmanianismo das evocações de paisagens da infância até a transfiguração de motivos triviais pela inspiração filosófica: "Evocação do Recife" e "Momento num Café" são as duas poesias decisivas do modernismo brasileiro. O romantismo do poeta refere-se a raízes portuguesas — afinidades com Antônio Nobre; a esse elemento se deve a profunda emoção que a poesia intimista de Bandeira irradia ("Profundamente", "Última Canção do Beco"). Mas é uma "emotion recollected in tranquillity". Do simbolismo herdou o poeta o senso infalível da forma: criou número maior de poemas permanentes.

No modernismo brasileiro, apenas se esboçou o mais difícil de todos os problemas da época: o da língua. A grande cidade e a técnica requerem nova língua. As nações criadas pela imigração e colonização requerem novas línguas. A extensão do nosso conhecimento da alma humana pela psicologia de profundidade requer nova língua. Muitas coisas inéditas e muitas coisas propriamente inefáveis têm de ser ditas. Nem na Europa nem na América Latina foi esse problema atacado com o radicalismo necessário. "Dada" também só fora uma tentativa inacabada. Só nos Estados Unidos a coincidência da nova psicologia com o primitivismo intencional das vanguardas abriu caminho para as soluções radicais.

Revolta na América

A prioridade cronológica cabe a Gertrude Stein.[181] Já em 1896 essa discípula de William James publicara na *Psychological Riview* um estudo sobre a escrita automática dos psicopatas. A sua primeira obra, os contos *Three Lives*, ainda foi escrita em estilo relativamente normal; além de um dos contos, "Melanctha", ser uma incontestável obra-prima, o volume tem importância histórica como uma das primeiras obras da literatura americana, talvez a primeira na qual o negro aparece como criatura de primitividade admirável dos instintos. Então, Gertrude Stein já viveu em Paris, em contato permanente com os cubistas, impressionada pela arte negra e pela arte abstrata; em 1909, ano da publicação de *Three Lives*, Picasso retratou a autora. *Tender Butons* já é uma coleção de poesias ou contos, ou trechos, como quiserem, em "língua abstrata"; e essa arte ou "arte" de dar o sentido mais geral às palavras por meio de privá-las de sentido chegou ao cume no enorme romance *The Making of Americans* e na "opera" *Four Saints in Three Acts*. Gertrude

Stein pretende exprimir, pela abolição da sintaxe lógica, certos "états d'âme" que não são lógicos e que constituiriam a própria base da vida psíquica. A frase seguinte — "They might be very well very well very well they might be they might be very well they might be very well very well very well they might be. Let Lucy Lily Lily Lucy Lucy let Lucy Lucy Lily Lily Lily Lily Lily let Lily Lucy Lucy let Lily. Let Lucy Lily" — descreve de maneira admirável um "état d'âme" de bem-estar sonolento. E Gertrude Stein também sabe descrever pelo mesmo método "acumulativo" ou "iterativo" muitos outros "états d'âme" que a literatura até então ignorava; muito embora os psiquiatras chamem a isso ecolalia. Um crítico respondeu a essas restrições dos médicos, citando Shakespeare: "Though this be madness, yet there is method in't." Gertrude Stein não escreveu para fornecer testes de saúde mental, mas para experimentar novos métodos literários. Com efeito, chegou a antecipar o dadaísmo e o surrealismo. Ficou, porém, ignorando deliberadamente Freud e *Ulysses*; passou a vida inteira em Paris, mas sempre em condição de turista, com boêmia norte-americana. A sua influência sobre Sherwood Anderson, Joyce, Hemingway e muitos outros foi grande, incalculável. A sua figura e existência estranhas confirmam a tese sobre a importância central de Dada na história literária contemporânea.

Gertrude Stein viveu em Paris, antes da guerra, quase como uma embaixatriz da boêmia de Greenwich Village. Em compensação, a vanguarda francesa mandou para Nova York o pintor cubista Marcel Duchamp, com cujo grupo de amigos americanos o pintor Francis Picabia editava a revista *291*. Picabia foi depois para Zurique participando dos primeiros movimentos de Dada, com Huelsenbeck e Tzara. Nesse tempo, Greenwich Village ainda não compreendeu o *dernier cri*. Lá a poesia feminista, erótica e romântica de Edna St. Vicent Millay[182] adorava-se como revolucionária; com arte mais requintada e com romantismo mais lúcido, às vezes amargo, a bela Elinor Wylie[183] continuava essa poesia para intelectuais; Amy Lowell, a imagista, foi considerada como avançadíssima. A moderação relativa de Greenwich Village em matéria poética explica-se em parte pela influência inglesa. Mas até da França trouxera o "radical" Bourne,[184] apenas um radicalismo político e social, algo entre Marx, Sorel e Péguy. Do lado da revolta social já viera um impulso de renovação integral da poesia americana; e é significativo que em Masters[185] também já aparecera a nota de revolta sexual contra o puritanismo. *Spoon River Anthology* saiu em 1915; por volta dos mesmos anos começou Mencken[186] as campanhas em favor de Dreiser e contra aquela mentalidade que mais tarde se encarnará no personagem Babbitt; Lewisohn, conhecedor das coisas alemãs, trabalhava pelo conhecimento da psicanálise. Enfim, em Sherwood Anderson, encontraram-se essas ideias da *Intelligentzia* europeizada com a revolta da aldeia norte-americana.

Quando se publicaram as primeiras obras de ficção de Sherwood Anderson,[187] contos e romances cheios de existências frustradas e quebradas, impulsos repentinos, violentos e fracassados, a crítica falou em Dostoiévski e Tchekov. Anderson, porém, não lera os russos: filhos de uma aldeia do Middle West, como Dreiser e Masters, não possuía a cultura literária de Masters; fora operário, soldado, repórter, sobretudo repórter de pequenos jornais provincianos. Mas não era iletrado. Já estivera, em Chicago, em relações com Dreiser, Sandburg e outros "vanguardistas" de então. Lera, embora não os russos, muita outra coisa; já considerava o então novíssimo D.H. Lawrence como seu modelo literário. O romance *Windy McPherson's Son* revela os esquemas novelísticos de Lawrence, que Anderson sempre empregou quando explorava elementos autobiográficos. Mas o verdadeiro impulso da literatura de Anderson veio daquele primeiro poeta do Middle West: *Windy McPherson's Son* saiu um ano depois da *Spoon River Anthology*. Em Masters, Anderson encontrara a explicação das frustrações nas aldeias e cidadezinhas norte-americanas, alusões inconfundíveis ao puritanismo e ao papel do sexo na psicologia do comportamento humano. Nos 23 contos de *Winesburg, Ohio*, Anderson deu a sua própria *Spoon River Anthology*, colocando-se a si mesmo no centro, como o repórter George Willard, descobrindo os "casos" recalcados dos habitantes da pequena cidade de Winesburg, Ohio. O livro era revolucionário em muitos sentidos: pela psicologia do sexo, pelo primitivismo dos personagens e dos seus instintos, e pelo emprego de uma linguagem ainda nunca empregada em obras literárias — a linguagem inculta, pitoresca e rude, embora sentimental, do norte-americano médio, a língua que naqueles mesmos anos Mencken ensinou a distinguir nitidamente da língua inglesa, organizando o primeiro dicionário da "língua americana". Sherwood Anderson, escritor mais literário do que parecia, tinha para isso também um modelo, se bem não um modelo europeu. O próprio

Anderson, em sua autobiografia *A Story Teller's Story*, conta: "I had already read a book of Miss Stein's called *Three Lives* and had thought it contained some of the best writing done by an American" — indicando os contos primitivísticos de Gertrude Stein como fonte do seu próprio primitivismo. Na mesma ocasião declara ter sido um dos primeiros leitores e um dos poucos admiradores de *Tender Buttons*, apontando as experiências linguísticas de Gertrude Stein como modelo de sua própria experiência linguística, diferente: notar a fala viva da gente americana, mesmo quando não parece muito inteligente e, muito menos, literária. Por isso, Anderson parece pouco literário. Parece o mais ingênuo e o mais espontâneo de todos os escritores americanos. Mas não é tanto assim. A ingenuidade — Anderson repete-se continuamente e só sabe contar bem o que viu e experimentou pessoalmente — não é a sua qualidade, e sim a sua limitação. No resto, seria equívoco atribuir-lhe o primitivismo dos seus personagens. Anderson, embora autodidata, foi mais culto que, por exemplo, Dreiser, que lhe é superior em todos os aspectos. Assimilou, mais tarde, com facilidade, a psicanálise e várias influências europeias. Tampouco significam ingenuidade o seu puerilismo e o seu otimismo. Anderson fora um adolescente neurótico; o seu talento de contar sem pessimismo e sem ressentimentos as experiências mais amargas faz parte do otimismo comum do americano médio. Anderson, embora revoltado, era americano típico. O seu erotismo quase maníaco era uma espécie de puritanismo às avessas. Anderson equivocou-se, interpretando o choque do seu sexualismo com a sociedade puritana com sinal de revolta social; engano que é o da sua geração: todos eles confundiram Marx e Freud. Na verdade, Anderson não era revolucionário, e sim místico; místico do sexo. Por isso, gostava tanto de Lawrence.

Sherwood Anderson é, antes de tudo, uma grande figura da história literária americana. Como repórter-romancista e inimigo da cidadezinha do Middle West, é ele o precursor de Sinclair Lewis. A ressonância da literatura de Anderson contribuiu para a redescoberta e reinterpretação do esquecido Melville,[188] então revelado por Garl Van Doren, Henry C. Canby e Van Wyck Brooks como um dos maiores escritores americanos. Como poeta e místico, Anderson aproxima-se das correntes europeias do seu tempo; por isso, gostava tanto de Lawrence.

D.H. Lawrence

Revolta na Inglaterra: D.H. Lawrence

D. H. Lawrence[189] veio de ambiente semelhante ao de Sherwood Anderson na mocidade: aldeia inglesa, aldeia de operários, mas casa puritana. *Sons and Lovers*, a primeira grande revelação do seu talento, é um romance autobiográfico como as melhores coisas de Anderson, e um romance psicanalítico, antes de a psicanálise se tornar moda e antes de Lawrence conhecê-la. Da relação entre filho e mãe, em *Sons and Lovers*, os psicanalíticos pretendem deduzir a literatura inteira de Lawrence e elucidar a psicologia do escritor. Em 1913, os leitores ingleses não entenderam nada disso; saudaram a obra como excelente romance, dentro da grande tradição do romance inglês, embora com estranho poder poético de transfigurar o ambiente trivial da vida de operários. Tanto mais, assustou-os a explosão do sexualismo em *The Rainbow*; a obra, que não é menos lírica, foi proibida pela censura. Alguns críticos consideram esse fato como decisivo: Lawrence nunca teria esquecido o golpe, esforçando-se depois cada vez mais para "épater le bourgeois"; até os excessos de *Lady Chatterley's Lover*. Embora haja nisso um grão de verdade, essa explicação ignora a força da franqueza, da "outspokenness", no poeta Lawrence. Fora ele poeta antes de ser romancista: um dos primeiros imagistas, e não dos menores. *Birs, Beasts and Flowers* é um grande volume de poesia. A "directnes of expression" da poesia imagista ficou como seu lema. *The Plumed Serpent*, o último dos seus grandes romances, ainda é uma obra de poeta. Ao imagismo Lawrence também deve as qualidades poéticas da sua prosa, das quais nem todo mundo pode gostar, assim como as opiniões sobre o valor de Lawrence sempre divergirão, pelo menos enquanto ainda vivem pessoas que conheciam pessoalmente e amavam ou detestavam esse gênio intratável. Como poeta imagista — e como homem doente, hiperestético — Lawrence possuía sensibilidade extraordinária. Os seus romances estão "cheios de vida"; é um dos narradores mais vivos do século XX. Mas excedeu-se nisso, como em tudo. Não vale a pena discutir a indignação dos moralistas contra *Lady Chatterley's Lover*; mas até um crítico perfeitamente imoralista, que admite a descrição pormenorizada do ato sexual no centro de um romance, tem o direito de duvidar da necessidade artística da repetição dessas descrições. Lawrence era excelente romancista, mas nem sempre, e não sem culpa sua: pois não quis ser romancista. Não quis dar ficção, e sim vida. Como poeta, quis ser profeta. E a sua mensagem profética é a de um puritano irremediável que substitui os atos sexuais pela descrição do ato sexual. A literatura de Lawrence é uma fuga para as regiões onde não existem as distinções do dualismo puritano; como símbolo, serviu-lhe a perda momentânea da consciência no ato sexual; e como racionalização desse símbolo serviu-lhe a doutrina do subconsciente. Daí o acento religioso que ele conferiu ao êxtase sexual: "Sex is a state of grace", o caminho para Deus. Mas, evidentemente, não para o Deus dos cristãos; antes para o do seu grande precursor Blake, que também fora místico do sexo. Daí a vontade de evocar os "deuses do abismo", os "deuses negros", contra o cristianismo. Um excesso de imaginação e confusão levou-o a confundir o materialismo biológico com o irracionalismo de Shopenhauer e o individualismo de Nietzsche. Essa pseudorreligião de Lawrence, embora partindo de uma crítica altamente justificada da nossa civilização antivital e anti-instintiva, é um beco sem saída. Encontrou poucos adeptos fiéis. Mas é preciso empregar, em face da obra de Lawrence, a "suspension of disbelief": pois a sua arte, especialmente sua arte de criar personagens cheios de vida, depende indissoluvelmente daquelas suas ideias confusas de um vitalismo primitivista. Essa dificuldade — muito mais do que o caráter intratável do escritor, que afinal só tem de preocupar seus amigos, ex-amigos e inimigos — torna bastante áspero o problema da crítica lawrenciana. F.R. Leavis, que prodigaliza os maiores, talvez excessivos, elogios aos grandes romances, *The Rainbow* e *Women in Love*, e a uma novela-poema como *St. Mawr*, esforça-se para enquadrar Lawrence na "Grande Tradição" do romance inglês, como sucessor legítimo de Jane Austen, George Eliot, Henry James e Conrad; mas ao mesmo tempo é esse "tradicionalista" festejado como grande revolucionário. A não ser que esta última classificação tenha antes sentido moral do que literário: que seja relativa ao mérito de ter derrubado os tabus e o silêncio pudibundo do romance vitoriano com respeito ao sexo. Desde Lawrence, fala-se com franqueza na literatura inglesa. Para o mundo anglo-saxônico, Lawrence realizou literariamente o que Freud realizou pela pesquisa científica para o mundo inteiro.

Stefan Zweig

A Psicanálise

as até o psicanalítico mais rigorosamente cientificista não negará o elemento de imaginação poética no conceito psicológico do mestre Freud.[190] Wittels chamou a *Traumdetung* [*Interpretação dos Sonhos*], na qual Freud analisou os próprios sonhos, com todas as associações, as fases passadas da sua vida, "a autobiografia mais estranha da literatura universal"; e um maldizente como Papini chegou a caracterizar a psicanálise como romance meio naturalista, meio simbolista, talvez sem perceber que verificava um fato fundamental da história literária contemporânea. O próprio Freud chegou logo a aplicações da sua teoria no terreno da crítica literária: já em 1907, publicou um estudo, interpretando os sonhos na novela medíocre *Gradiva* do escritor alemão Wilhelm Jensen como se fossem sonhos realmente sonhados, não pelos personagens, mas pelo autor. Literatura e arte em geral pareciam "sonhos diurnos"; e desde então há poucos críticos literários que não empregam, pelo menos ocasionalmente, a psicanálise para interpretar as obras de arte. A literatura, por sua vez, começou a empregar a psicanálise para interpretar a vida. Sem a psicanálise não haveria literatura moderna, embora a influência nem sempre seja direta e admitida: o surrealismo e O'Neill, Svevo e Gide, D.H. Lawrence e Julien Green, Joyce e Romains, Thomas Mann, Hesse e Leonhard Frank — enfim, todos. E a todos a psicanálise serviu de pretexto para falar da sexualidade com franqueza inédita, transformando-se completamente o aspecto da literatura universal. Seria difícil compreender tão grande repercussão literária se não existissem relações preestabelecidas entre a psicanálise e a literatura. Freud baseava-se em precursores no terreno da psicologia e psicopatologia: fez os seus estudos na Universidade de Viena, onde dominava a psicologia de Herbart, e em Paris, sob a direção de Charcot. É, porém, digno de nota que grande parte dos conceitos paleológicos de Freud já se encontram dispersos nos dramas e contos de um patrício, contemporâneo e amigo meu Arthur Schnitzler,[191] sem que se influenciassem reciprocamente. Os dois, Freud e Schnitzler, pertenceram à mesma classe: à burguesia judaica de Viena, culta e até sofisticada, rica, mas excluída da vida pública pelo antissemitismo; eis o motivo de certos ressentimentos subversivos da evasão para o sexualismo. Schnitzler era médico, como Freud, o que explica os fundamentos biológicos da sua psicologia e o seu relativo naturalismo, num ambiente literário em que dominava o simbolismo. Freud imaginou o simbolismo poético de uma filosofia biológica, determinista e naturalista. A psicanálise terá, no terreno da literatura, consequências naturalistas e consequências simbolistas.

O naturalismo psicanalítico manifestou-se primeiro naquela franqueza de falar que teria feito ruborizar um Zola; depois, na tendência de "desmascarar os valores tradicionais" como se fossem meros resultados de sublimação de desejos sexuais recalcados: o "debunking", que dominará sobretudo o gênero da biografia romanceada. O mestre desse gênero menor é Stefan Zweig,[192] que também aplicou psicanálise em contos bem arquitetados. Foi de habilidade notável em tornar dramáticos seus assuntos históricos, modernizando-os anacronisticamente, a serviço das suas ideias que são as do liberalismo do século XIX. Mas convém notar que Zweig veio, literariamente, do simbolismo vienense de 1900, cujo estilo se manifesta em suas poesias e peças dramáticas.

O simbolismo psicanalítico é capaz de dissolver os acontecimentos reais, na vida e na ficção, em símbolos de "sonhos diurnos": cada vez mais, o romance perde o caráter realista-naturalista, de fotografia da realidade com ou sem retoques, para tornar-se lembrança ou associação vaga através daquela espécie de sonho que se chama arte. Essa dissolução psicologística da realidade percorreu várias fases, nas quais é digna de nota a forte participação da sensibilidade feminina. Já muito antes da guerra um gênero então em moda — o romance que descreve a decadência de uma família — começa a perder os contornos firmes dos *Buddenbrooks* para dar as visões irreais, meio demoníacas, meio grotescas, da norueguesa Joelsen.[193] A húngara Margit Kaffka[194] empregou processos semelhantes em romances nos quais a descrição da decadência burguesa é pretexto para analisar os recalques em almas femininas. A dissolução da forma novelística chegou já quase (embora só quase) ao fim em Katherine Mansfield,[195] a escritora neozelandesa à qual a crítica, em parte por motivos de simpatia humana, tem prestado atenção algo exagerada. Katherine Mansfield, que deixou alguns contos muito poéticos, era menos poetisa do que artista, embora de sensibilidade extrema. "Ouviu crescer a grama." Os "grandes" acontecimentos, os que todo mundo observa, ela os desprezava; dedicou-se à representação meticulosa de acontecimentos e sentimentos minúsculos, que não modificam a Wida, mas indicam as modificações imperceptíveis de vidas: em "At the Bay", "The Garden Party", "Life of Ma Parker", "Miss Brill", "The Stranger", "The Daughters of the Late Colonel". É a análise infinitesimal aplicada ao canto. Com a poesia simbolista tem qualquer relação a sua arte de dissolver em visão a realidade, em visão mais verdadeira do que a realidade, a ponto de acabar todo movimento, e o conto se transformar em representação de uma cena visionária só, sem ação. Katherine Mansfield, escrevendo assim, julgava-se discípula de Tchekov; e a crítica sempre repetiu a comparação, que dá, porém, a medida exata do valor da arte de Katherine Mansfield. Não é ela o Tchekov inglês; faltam à sua arte o primeiro plano realista e a perspectiva metafísica da arte do grande russo. Mas de outro ponto de vista, a comparação justifica-se. Assim como o drama sem enredo de Tchekov simboliza agonia da burguesia russa, assim o conto sem enredo de Katherine Mansfield é sintoma da dissolução do gênero tipicamente burguês, do romance. Outra força, mais robusta, seria necessária para levar essa dissolução até o fim dar, depois, ao romance nova arquitetura. "The Garden Party" saiu no mesmo ano de *Ulysses*.

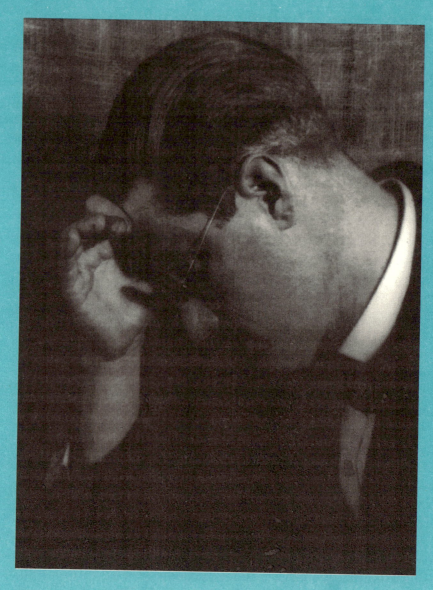

James Joyce

Joyce

as uma mistura de Lawrence, psicanálise e dissolução visionária do gênero "romance" ainda não daria, como resultado, um Joyce. Seria possível alinhar mais outros elementos: o encontro com o romancista triestino Italo Svevo,[196] em que a psicologia joyciana estava pré-formada em relação aos experimentos linguísticos de Joyce com os de Gertrude Stein[197] em Paris; e, a propósito de Paris, os contatos do romancista com a vanguarda francesa. Joyce, o mestre da prosa desarticulada, é o representante inglês ou anglo-irlandês de Dada, apenas com a diferença de que possuía o gênio de construir síntese tão grande como uma catedral ("désaffectée") ou uma Suma (herética). Tinha estudado filosofia escolástica com os jesuítas.

A imensa força construtiva de Joyce[198] é a primeira qualidade desse escritor que os seus contemporâneos consideravam um espírito destrutivo; e que, em tantos anos de intensa atividade literária escreveu tão pouco, publicando, depois das poesias de *Chamber Music,* só quatro obras: obras-primas, organizadas até o último pormenor e constituindo um monumento sem par na literatura contemporânea. Os contos do volume *Dubliners* são de um naturalismo impiedoso: retrato cruel da realidade, de uma Dublin diferente da Dublin fantástica de Yeats e O'Casey. Os primeiros críticos lembraram Maupassant. Só mais tarde T.S. Elliot distinguirá entre o niilismo cético do grande contista francês e a presença permanente, se bem secreta, dos critérios morais do catolicismo, se bem que hereticamente invertidos, na obra de Joyce. Se esse naturalista não podia aceitar a realidade da Irlanda, então devia rejeitá-la com violência; e isso aconteceu no romance autobiográfico *A Portrait of The Artist as a Young Man,* narrado com sutil arte simbolista, mas com tanta violência contra os jesuítas e o catolicismo irlandês que a obra só podia ser publicada depois de Joyce ter saído do país, vivendo no estrangeiro como *outlaw.* Excluído para sempre da realidade dentro da qual nascera, Joyce não entrou em outra. Nunca esquecerá aquela. A cidade de Dublin e suas experiências em Dublin serão o único assunto da sua obra imensa. Apesar das suas relações pessoais com a vanguarda de Paris, tornou-se o escritor mais solitário da Europa contemporânea. Em anos e anos de meditação, constituiu a sua realidade pessoal, assim como no retiro espiritual dos jesuítas se "prepara o lugar". O lugar é a cidade de Dublin. Data: 16 de junho de 1904, data fictícia na vida fictícia dos personagens fictícios Bloom, Molly e Stephen Dedalus. Mas "tudo é verdade". A verdade de *Dubliners* e a verdade do *Portrait of the Artist as a young Man,* superpostas deram *Ulysses,* a obra de arte mais pessoal que existe, composta só de reminiscências; no fundo, inteiramente compreensível só para o seu próprio autor. Ao lado desse individualismo extremo parece menos difícil o hermetismo da língua. Mas Joyce desenvolveu, depois, justamente este último aspecto da sua arte: *Finnegans Wake* é a representação de um "sonho diurno" em linguagem perfeitamente simbólica e, enfim, incompreensível; o *outlaw* chegara, depois de ter construído a sua própria realidade, a inventar uma língua particular, da qual *Finnegans Wake* é o primeiro e último documento.

Críticos menos fascinados lançaram contra essa obra desconcertante o mesmo argumento que a crítica conservadora lançara contra Ibsen: a obra de Joyce seria produto de circunstâncias muito particulares, de um regionalismo irlandês, se bem que subversivo — e o que tem o mundo com isso? Um renegado do catolicismo, fazendo do seu ódio contra os valores tradicionais o argumento de sua obra, não pode ser considerado como grande exemplo literário. O sexo seria a "idée fixe" do aluno foragido dos jesuítas de Dublin, que conseguiu transformar as doutrinas da psicanálise em sonho fantástico. Dir-se-ia que a psicanálise de Joyce é o próprio sonho do qual pretende ser a interpretação; um crítico malicioso chamou "Phallus in Wanderland" ao *Ulysses*. Mas Joyce não perdeu, como D.H. Lawrence, nos êxtases do sexo, a clareza de consciência; e nisso também se poderá notar o realismo e o intelectualismo, resíduos da formação católica. Do país dos sonhos, Joyce não cessou de contemplar o outro país, o nosso, observando-o com os olhos do *outlaw* ou então, para empregar um termo de Herzen, com a independência absoluta de quem está "na outra ribeira". E, sendo Joyce antes de tudo um grande humorista, da estirpe de Rabelais e Cervantes, a cidade de Dublin, do 16 de junho de 1904, tornou-se caricatura grandiosa, daumieresca, de outra cidade: da "Cidade sem Deus" do nosso tempo; e *Ulysses*, em que Joyce depositou todas as suas experiências e todos os seus conhecimentos enciclopédicos, de todas as línguas, literaturas, filosofias e ciências, tornou-se a "Suma apocalíptica da nossa época". Joyce é o Dante anticatólico do século XX. Edmundo Wilson chama a atenção para a grandiosa poesia noturna das cenas no hospital e no bordel. *Ulysses* inteiro é um "Inferno". Uma vez no "Inferno" (VII, I), Dante introduziu algumas palavras incompreensíveis para imitar a língua estranha dos diabos; Joyce fez disso um recurso permanente; ele, que T.S. Eliot chama de "o maior mestre da língua inglesa desde Milton", chegou a alterar essa língua a ponto de criar um idioma pessoal e, enfim, a língua artificial de *Finnegans Wake*, que só os diabos entendem. Assim nasceu a obra de Joyce, singularíssima, absolutamente *sui generis*, e contudo o maior e mais significativo documento literário da nossa época.

Em Joyce, as duas grandes correntes da literatura moderna, o naturalismo e o simbolismo, aparecem numa síntese nova. *Dubliners e The Portrait of the Artist as a Young Man* foram os elementos dessa síntese. *Ulysses* é uma obra de feição simbólica: personagens simbólicas realizando uma ação simbólica em ambiente simbólico — mas através deste último revela-se a sombra da Dublin real, uma Dublin muito naturalista, com os nomes das ruas e das pessoas, a data exata de 16 de junho de 1904. Nos romances do realismo moderado, por volta de 1850, nunca se indicavam nomes de ruas reais de cidades existentes, como por pudor ou medo de verificações; e quanto à cronologia bastava aos romancistas uma frase como "No século passado viveu em...”; os simbolistas até se esforçavam para "desrealizar" a ficção. Aquela maneira de usar endereços existentes no guia da cidade e datas acontecidas na história contemporânea, é a maneira de Zola. Adotando-a, Joyce revela-se como naturalista. Na história do gênero "romance" isso acontecera só uma vez antes de Zola: nos princípios, dessa história, no romance picaresco. E *Ulysses* (o próprio Ulysses foi espécie de pícaro grego) é um romance picaresco; por isso, situando-se fora dos critérios da moral burguesa. Joyce baseava esse seu imoralismo na psicanálise: o subconsciente não conhece moral. Mas não se satisfez com um imoralismo libertino. Além da moral, o subconsciente ignora mais outras convenções, em primeira linha as normas morfológicas e sintáticas da língua, que no sonho e no romance de Joyce obedecem a outras regras, às do automatismo. Com efeito, Joyce adotou o automatismo de Gertrude Stein. Representa o dadaísmo em língua inglesa; baseando-o na psicanálise, antecipou o surrealismo. Nesta altura, porém, Joyce revela novo aspecto do seu gênio literário: em vez de reproduzir sem controle o fluxo do subconsciente, disciplinou-o, enquadrando-o no esquema de uma composição rigorosamente literária, baseando todos os episódios de *Ulysses* em episódios correspondentes da *Odisseia*, criando uma epopeia moderna, de construção mais homogênea que todas as epopeias antigas, a ponto de observar as unidades do tempo e do lugar, como se *Ulysses* fosse uma tragédia clássica. Sem dúvida, revela-se nisso, mais uma vez, o discípulo dos jesuítas com os quais Joyce aprendeu grego, latim e escolástica. *Ulysses* não é uma fantasia arbitrária, mas um mundo extremamente bem organizado, se bem à parte do real: um mundo simbólico. A Dublin de Joyce de um 16 de junho de 1904 que nunca acaba distingue-se da Dublin real de 16 de junho de 1904 principalmente pela língua: língua de um *outlaw*, de um pícaro fora da sociedade, língua macarrônica como a do grande poeta macarrônico Folengo, que experimentava, como Joyce, a "acedia" do renegado e a secreta saudade da paz acima de toda a razão. Língua "sem razão", que afinal renuncia a ser entendida pelos outros. "SILENCE" é a última palavra de *Finnegans Wake* e de Joyce, que encontrou no silêncio, como todos os grandes místicos, a suprema sabedoria. Evidentemente, é um místico herético: colocou-se deliberadamente fora da coletividade religiosa, assim como o pícaro está fora da sociedade, assim como em *Ulysses* já não vigora a moral burguesa. E isso se reflete em estilo, composição e enredo. Nesse sentido, *Ulysses* representa realmente o fim do gênero "romance", como gênero da literatura burguesa. Mas o gênero continua a sobreviver, porque Joyce não pode ter sucessores. *Ulysses* é uma obra-prima solitária, inconfundível como o seu autor.

Não convém confundir Joyce com nenhum outro autor contemporâneo. A sua repercussão confunde-se com as repercussões de Proust e Pirandello, que apareceram ao mesmo tempo com ele. Mas é preciso distinguir entre obra e efeito. Será possível demonstrar que Pirandello vem do naturalismo e Proust do simbolismo; Joyce representa uma síntese singular dos dois estilos. Não é o Proust inglês nem é o Pirandello irlandês; esses apelidos convêm antes a Virginia Woolf e O'Casey. É necessário fazer essas distinções nítidas. Só depois, é lícito traçar as linhas de ligação. Nem a psicologia de Proust nem sua técnica novelística são as de Joyce; mas há algo do humorismo diabólico do romancista irlandês em sua permanente comparação satírica da esfera de cima (aristocracia e burguesia) e da esfera de baixo (os lacaios); e em torno de Chalus há a mesma aura noturna de certas cenas de *Ulysses*. Muito mais complexa é a relação entre Joyce e Pirandello. Vários críticos e historiadores literários já observaram o desaparecimento gradual do "herói" novelístico: os personagens fictícios perdem a homogeneidade psicológica, ficando sujeitos a um processo de dissociação ou desagregação.[199] Esse processo chega ao fim pelo "monólogo interior" e pelo correspondente fluxo dos acontecimentos, em *Ulysses*. O *pendant* é a dissociação do personagem dramático, que perde a identidade no teatro de Pirandello. Mas a relação não é direta; não houve contatos entre a literatura marginal da Irlanda e a literatura italiana, igualmente isolada naquela época; só *en passant* se pensa nas relações pessoais entre Joyce e o italiano Svevo, cidadão "marginal" da cidade "marginal" de Trieste.

Pirandello

irandello é, como novelista e como dramaturgo, um fenômeno tão solitário na história literária europeia como Joyce. O precursor do seu regionalismo naturalista, no romance siciliano, é sem dúvida seu patrício Verga,[200] que só depois da sua morte em 1922 chegou a ser devidamente apreciado: quer dizer, no mesmo tempo em que Pirandello, já quase velho, também chegou a tornar-se conhecido. Em Verga, Pirandello aprendeu o sentido trágico da vida quotidiana. Quanto à transformação da sua arte novelística em arte dramatúrgica, ajudou-o o chamado "teatro grotesco", do qual Chiarelli[201] deu a primeira obra-prima, *La maschera e il volto*, farsa trágica da irrealidade das aparências em que gostamos de nos mostrar perante os outros; o herói não é aquilo que pretende ser; começa a dúvida quanto à identidade do "caráter". A peça, escrita em 1914 e representada em 1916, precede as peças de Pirandello; mas só obteve sucesso graças aos sucessos maiores do dramaturgo mais velho.

Pirandello[202] já tinha mais de cinquenta anos de idade quando, por volta de 1920, as suas peças apareceram nos teatros de Paris, conseguindo sucesso internacional. Mas a crítica francesa só soube comparar-lhe a obra às máscaras do "théâtre des italiens". Pirandello não ficou menos solitário. Passaram anos até o mundo descobrir a verdadeira fonte da sua arte dramática em suas obras de ficção; mas então Pirandello parecia mais do que nunca um estrangeiro no mundo moderno; ele, natural da Sicília, a ilha arcaica, cujo grande romancista Verga também fora um ilustre desconhecido. A Sicília existe desde séculos ou quase milênios como fora da Europa. A sua contribuição à literatura italiana foi mínima. Verga e Pirandello são os primeiros escritores sicilianos famosos desde Teócrito. Dos gregos, os sicilianos herdaram o realismo antigo, que devia entrar em choque com os tempos modernos. A arte de Verga representou esse choque; Pirandello aprendeu nela o sentido trágico de qualquer expressão da vida, até da vida diária, na Sicília: até ele descobrir "Sicília" na Itália toda e em toda a parte e em nós outros. O problema de Pirandello é o de um homem que não está em casa em sua própria casa; assim como a Sicília não fora capaz do adaptar-se às novas condições de vida na Itália unificada de 1861. Eis o problema do romance *Il fu Mattia Pascal*, atrás de cujo psicologismo sutil se esconde o desejo de "começar uma nova vida", quer dizer, voltar à vida primitiva da ilha arcaica. Numa produção imensa de novelas e contos, mais tarde reagrupados na coleção *Novelle per un anno*, Pirandello submeteu a vida italiana do seu tempo a uma crítica implacável do ponto de vista siciliano. Não é crítica social, mas crítica ontológica: se a Sicília é real, então a Itália é irreal; com todas as conclusões. Como na obra capital, o romance *I vecchi e i giovani*, vasto panorama da Sicília de 1890, quadro desolador do feudalismo decadente, mas com tendência inconfundível contra a Itália moderna que traiu os ideais dos garibaldianos, dos libertadores da ilha. Esse grande romance situa-se exatamente entre a fase de produção novelística e a fase de produção dramatúrgica de Pirandello. *I vecchi e i giovani* resolvera de maneira sociológica o problema psicológico de *Il fu Mattia Pascal*. Quando Pirandello, então, começou a transformar em teatro a sua ficção — a maior parte das peças está pré-formada em novelas —, poderia sair um teatro meio naturalista, meio moralista à maneira de Ibsen. Em vez disso, Pirandello escreveu dramas meio fantásticos, meio humorísticos à maneira do "teatro grotesco". A sucessão das três fases — Pirandello siciliano, Pirandello italiano, Pirandello europeu e internacional — é, conforme Gramsci, a fonte do crescente relativismo moral e psicológico do dramaturgo, que perdeu gradualmente o chão seguro debaixo dos pés, começando a demandar da identidade do mundo e de si mesmo.

Pirandello é, por enquanto, o último grande dramaturgo da literatura universal. Apesar de dissecar consciente e cruelmente suas criaturas, possuía o segredo de criar personagens inesquecíveis — Signora Frola e Signo Ponza, em *Cosi è se vi pare*, talvez sejam os exemplos mais convincentes. Envolveu esses personagens em "casos" que nos concernem a todos nós, desenvolvendo-os com habilidade quase diabólica, embora a quantidade enorme desses "casos", inventados com imaginação inesgotável, não chegue a esconder certa monotonia dos temas. O fundo é sempre o mesmo: o caso de Mattia Pascal, assunto de todas as peças, é a sua "idée fixe"; repete-o obstinadamente, como se quisesse demonstrar que não sabe solução definitiva. Não é admirável, aliás, que a arte não saiba dar solução de casos encontrados no noticiário dos jornais. Pirandello, numa frase pouco conhecida e da maior importância para a compreensão da sua arte, declarou: "L'arte prosegue la natura." Nas peças mais fantásticas, Pirandello ficou sempre o naturalista de *i vecchi e i giovani*. Era um *scholar* formado no espírito de 1890, adepto da psicologia naturalista, do associacionismo que encara a "alma" como conjunto instável de movimentos psíquicos; daí o conceito do "eterno fluire" que não cabe na "fissità delle forme", isto é, dos nossos conceitos abstratos e petrificados. Mas o conflito não é entre a realidade fixa e as almas desequilibradas, mas entre dois desequilíbrios, o da realidade e o das almas, um refletindo o outro, sem possibilidade de congruência. A loucura dos personagens resulta da loucura da realidade, que só é o reflexo da outra loucura enfim, não há realidade, só um conjunto de aspectos irreais. A psicologia naturalista nega, em última conclusão, a realidade; mas sem conceito da realidade não existe teatro. O mundo está povoado de personagens em procura do dramaturgo, mas este só lhes pode dar a realidade teatral de duas horas de uma representação, porque não dispõe de outra realidade. Tem razão só o herói de *Enrico IV*, que resolveu transformar em representação teatral a sua vida; mas este único herói razoável de Pirandello é um louco. A esse resultado,

Pirandello chama "humorismo". O humor, conforme as definições de Pirandello, é a dissolução dialética da realidade. Mas isso significa o fim do teatro que Ibsen criara, do teatro burguês. Os personagens de Pirandello não têm certeza das suas próprias personalidades; nem temos nós outros. Pirandello destruiu o "éta civil" que Balzac introduzira na literatura. Ao lado de Joyce, que parecia acabar com o gênero "romance", Pirandello parecia acabar com o gênero "drama".

Na verdade, Pirandello tampouco acabou com o teatro como Joyce com o romance. Descobriu mais uma dimensão teatral: o "teatro no teatro", que fora uma exceção, é em Pirandello a regra. No teatro tradicional, o personagem, encarnado pelo ator, parece pessoa de carne e osso; Pirandello lembrou o caráter fictício dos personagens, assim como nunca esquecemos quando alguém nos conta a história de um romance ou de uma novela. Pirandello talvez seja maior como contista, de imaginação inesgotável e ironia amarga. No seu monumento, poder-se-iam inscrever os dizeres com que Goya acompanhou sua gravura do artista adormecido, rodeado de terrível turba de aves noturnas: "El sueño de la razón produce monstruos."

Pirandello é, como Joyce, um caso isolado. Não exerce influência. Só há casos paralelos. O mais próximo é o de Rosso di San Secondo,[203] dramaturgo fantástico, herdeiro direto de "teatro grotesco". Parece a alguns críticos "mais doloroso e mais humano do que Pirandello"; parece assim porque é mais agitado, até febril. Sua peça *Le Scala*, que se desenrola numa habitação coletiva, é o panorama dramático da época da insegurança geral. Rosso di San Secondo, ele mesmo um homem desequilibrado, não se realizou inteiramente. Muito mais seguro é o espanhol Grau,[204] que dá aspecto pirandellesco a problemas de Rhaw. Daí o seu humorismo eficiente, ao passo que as suas soluções são quase sempre insatisfatórias, menos quando revivificou tradições do grande teatro espanhol. Mas então chega ao artifício. O único dramaturgo autenticamente pirandelliano, embora sem qualquer influência, ou ponto de contato, é O'Casey;[205] e aí revela-se o sentido da aproximação entre o regionalismo siciliano de Pirandello e o regionalismo irlandês de Joyce. O intermediário — não na realidade das relações literárias, mas no plano ideal — é Svevo,[206] o regionalista triestino, pirandelliano *avant la lettre*, ao qual Joyce deve sugestões importantes de naturalismo psicológico.

O simbolismo de Joyce coloca-o perto de Proust, que surgiu naqueles mesmos anos de 1920, a ponto de se confundirem as repercussões. Desde então, "Joyce e Proust" constituem um binômio indissolúvel, embora tudo — as diferenças de origem burguesa e origem semiproletária, formação agnóstica e formação católica, ideias esteticistas e ideias naturalistas, cosmopolitismo parisiense e regionalismo irlandês —, embora tudo isso convide a distinguir nitidamente entre o simbolismo de Proust e a síntese simbolista-naturalista de Joyce.[207] Contudo, pela comunidade de um elemento da síntese confundem-se-lhes as repercussões. Existe realmente uma literatura "Joyce-Proust", aprofundando pela nova técnica psicológica o resultado de observações agudas à maneira de Katherine Mansfield. É, principalmente, uma literatura feminina.

O Espírito de Bloomsbury

A Dorothy Richardson[208] cabe a prioridade cronológica. Antes de Proust, Virginia Woolf e Joyce já empregaram a "notação registradora" das associações conscientes e subconscientes, no interminável *roman-fleuve Pilgrimage*; conforme um crítico, "a análise mais completa de uma alma feminina que existe na literatura universal". O modelo desse experimento, coroado de pouco êxito, fora a técnica novelística de Henry James. Um *pendant* seria a trilogia da sueca Agnes von Krusenstjerna,[209] descrevendo com franqueza os distúrbios mentais e sexuais, até o manicômio e a morte prematura, de uma jovem da decadente aristocracia sueca; os críticos do seu país atribuem a essa escritora, que também desapareceu antes do tempo, importância muito grande. Costumam compará-la a May Sinclair,[210] comparação pouco elucidativa, porque a romancista inglesa tampouco se tornou muito conhecida. *Mary Olivier* seria o tipo do romance das associações subconscientes. Em outras obras, porém, May

Sinclair não abandonou inteiramente o esquema tradicional do romance vitoriano, revelando até certas afinidades com E.M. Forster e, por outro lado, com Galsworthy. Ocupam-na problemas da família e do comportamento moral, e só a decadência evidente do seu objeto, a sociedade vitoriana, assim como a riqueza descomunal da sua imaginação levaram-na à adoção da nova técnica. Na Inglaterra, May Sinclair foi pouco apreciada. Assim como Charles Morgan e Rosamond Lehmann, May Sinclair encontrou mais admiradores na França, terra na qual a crítica fabricou o binômio "Joyce-Proust".

Virginia Woolf[211] era a encarnação desse binômio, embora só mais tarde ou só indiretamente influenciada por aqueles dois escritores. Em vez de "Joyce-Proust", seria mais justo dizer, no caso de Virginia Woolf, "Henry James-Katherine Mansfield". O elemento proustiano da sua arte é a consideração do tempo como medida ideal, de modo que em seus romances o tempo físico não existe, nem o dos dias em *Mrs. Dallow*ay nem o dos séculos em *Orlando*. Um crítico falou, com muita felicidade, de "holiday novels". Virginia Woolf não precisa de enredo; este é pretexto para revelar a presença de passados inteiros e mundos inteiros num momento do fluxo da consciência ou subconsciência dos personagens, que não são personagens propriamente ditos, e sim aspectos de personagens: a influência de Henry James é manifesta. Os romances de Virginia Woolf são resultados de uma arte finíssima, requintada, um pouco de segunda mão, menos espirituosos — *Orlando* não é uma obra-prima — do que espirituais. Nos melhores momentos, como em *The Waves*, chegou a escrever poesia simbolista, dir-se-ia arte extática. Como romance no sentido tradicional, *To the Lighthouse* é a obra-prima, quase clássica; mas, justamente nessa obra de maior objetividade, a escritora revelou o seu segredo, a melancolia de "Time Passes". Virginia Woolf, filha de Leslie Stephen, parente das famílias Thackeray, Darwin, Trevelyan, Macaulay, Strachey, amiga de E.M. Forster, era uma aristocrata do intelectualismo; a sua obra acompanha com melancolia poética a destruição dos valores que lhe foram tão caros. Na arte algo pálida de Virginia Woolf anuncia-se um "Fim do Mundo", que parecia chegado no momento do suicídio da escritora.

Virginia Woolf, em seu círculo de intelectuais sofisticados,[212] dos "high brow" de Bloomsbury, fez parte da primeira *Intelligentzia* que surgiu na Inglaterra conservadora imediatamente depois do armistício;

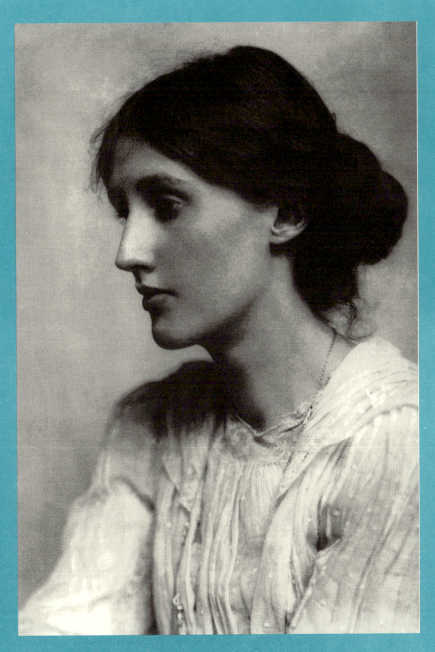

Virginia Woolf

surgiu junto com o enfraquecimento da moral puritana, a discussão pública dos problemas sexuais, a adoção de novos costumes pela mocidade; o que se chamava "época de *jazz*" ou do *foxtrot*. Os franceses falavam de "Après-guerre"; os ingleses, mais tarde, deram à época o apelido de "Waste Land", conforme o título do famoso poema de T.S. Eliot. O primeiro, e para muitos o principal aspecto da época de "Waste Land", foi a abolição dos valores e critérios da época vitoriana e a *Intelligentzia*, não revolucionária, mas cética e, em parte, libertina, não podia deixar de aprovar o antivitorianismo, movimento em que desempenhou grande papel um dos chefes da *Intelligentzia*, o crítico Johon Middleton Murry, marido de Katherine Mansfield. No mesmo ano de armistício, em 1918, saiu o livro fundamental do antivitorianismo e uma das obras-primas do "debunking": *Eminent Victorians* de Lytton Strachey[213] biografias irônicas do cardeal Munning, Florence Nighitingale, Dr. Thomas Arnold e o General Gordon, desmascarando as fraquezas e motivos humanos atrás da solenidade lendária, Strachey, grande conhecedor da literatura francesa, crítico de gosto classicista, agnóstico voltairiano, parecia um inglês da civilização aristocrática do século XVIII, acabando com o falso romantismo burguês da época vitoriana. E era artista notável: quanto mais se enfraqueceu em suas biografias posteriores de tendências subversivas, tanto mais o "esprit" cedeu à força evocativa; evolução de consequências funestas, aliás, porque Strachey se tornou assim o modelo da "biographie romancée". Mas evolução semelhante é comum de quase todos os antivitorianos de 1920: não é possível guardar juventude eterna. Edith Sitwell[214] parecia possuir esse segredo, ladeada pelos seus irmãos mais novos Osbert Sitwell, o poeta, e Sacheverell Sitwell, o historiador da arte barroca. Ela mesma poetisa notável, satírica e antirromântica no sentido do século XVIII, ao qual cultua dedicadamente Pope em especial. Edith Sitwell possui várias qualidades de Pope: "esprit" satírico e vasta cultura literária, além de senso rítmico dos mais finos aprendido no imagismo; e com o tempo conseguiu sempre renovar-se, revelando aspectos mais sérios e até trágicos da sua arte poética. Contudo, a melhor contribuição de Edith Sitwell à poesia inglesa reside em sua obra crítica, na revalorização do século XVIII. Eram os anos das representações em série da *Beggar's Opera*, de Gay, e da ressurreição do único imoralista da Inglaterra vitoriana, do esquecido Samuel Butler. Os anos em que *Erewhon e The Way of*

All Flesh foram, enfim, lidos; mas proibidos os romances de D.H. Lawrence. O escritor mais característico dessa época é, ou antes foi, Aldous Huxley.[215] Há trinta anos, Huxley foi um dos romancistas mais famosos da literatura universal. Comparavam-no a Proust e Gide. Hoje, essa glória já diminuiu muito, e *Point Counter Point* pertence à categoria dos documentos de uma época passada, da moda de ontem Huxley é homem cultíssimo, tipo de "high brow". Seus romances são ensaios disfarçados em ficção; só para o objetivo desse disfarce serviram-lhe os experimentos com novas técnicas novelísticas, que provocaram aquelas comparações. Nos romances de Huxley, fala-se muito sobre tudo o que há e não há entre o Céu e a Terra especialmente sobre literatura; e os leitores confundiram um pouco a literatura que Huxley escreveu com a que ele discutiu. Também exageraram amigos e inimigos a força subversiva da sua obra. Huxley, o mais sofisticado dos intelectuais ingleses, era amigo íntimo de D.H. Lawrence. A sua análise sutil dos valores decadentes da sociedade também parece servir para o fim da libertação dos instintos primitivos, pelo menos nos outros; porque o próprio Huxley desejava conservar o papel de crítico em disponibilidade gidiana. Muito cedo, um crítico lhe predizia que acabará no romantismo. Logo, o modernista de há trinta anos se tornou estudioso da mística e do ocultismo, defendendo os valores espirituais contra a utopia da técnica. Os amigos que retratara em *Point Counter Point* e outros "romans à clef" morreram ou desapareceram. E os grandes romances de Aldous Huxley só ficam como documentos de uma época que já passou: do "Waste Land".

A crítica anglo-americana, serve-se[216] do título desse grande poema de T.S. Eliot para definir certa época de euforia menos fundada no imediato pós-guerra, por volta de 1920 e 1925: época do *jazz* e do abuso da psicanálise como "jogo de salão", dos "bolchevistas de salão" e do capitalismo de Henry Ford, do turismo exótico e do "debunking" dos valores tradicionais, do antipuritanismo e de outras coisas menos confessáveis. Mas também é a época das advertências sérias: de oposição social, espiritual e religiosa contra aquela euforia perigosa. É a época dos *wastelanders*, mas também do próprio *Waste Land* de Eliot.

Um dos primeiros *wastelanders* americanos foi Cabell,[217] o autor de *Jurgen*, que opôs ao puritanismo ainda dominante o sonho novelístico de um reino de liberdade rabelaisiana. E o grande defensor de Cabell contra a censura e a opinião pública daqueles que mais tarde serão chamados de "Babbitts" foi Mencken,[218] a figura central do "Waste Land" americano. Com a verve de um polemista do século XVIII e com o humorismo grosseiro de um rabelaisiano, o editor do *American Mercury* perseguiu implacavelmente a suficiência dos comerciantes americanos, a mania da técnica e da estatística, a hipocrisia dos puritanos, a corrução dos politiqueiros, a imbecilidade dos jornalistas e as tradições inglesas, vitorianas, da literatura americana. Os seus "prefácios" e "preconceitos" leem-se até hoje com grande prazer, pois constituem obras-primas de sátira violenta e humorismo irresistível. O que Mencken fez no sentido de limpar a atmosfera dos Estados Unidos é incalculável. A contribuição positiva é menos forte. Defendeu com grande coragem a literatura dos seus amigos Dreiser e Cabell, então duramente atacados; mas Dreiser não era romancista tão grande como Mencken pensava; e Cabell não passava de um escapista esteta. A ideologia de Mencken era pouco definida. No fundo, só defendeu as teses de Shaw, menos o socialismo, que o individualista Mencken detestava. A *Intelligentzia* de Greenwich Village aplaudiu seus ataques contra a estupidez da democracia provinciana; mas Mencken não compreendeu por que essa democracia se tornara tão estúpida. Não compreendendo o desacordo entre a liberdade política e a estrutura social, ele baseava a sua oposição à democracia americana em teses de Nietzsche; e quando irrompeu a crise econômica o satírico não sabia resposta. Fora um *wastelander* atacando o "Waste Land". Acabou vivendo nos Estados Unidos como se estivesse exilado. Destino paralelo, o de Ludwig Lewisohn,[219] também nutrido de cultura alemã; não nietzschiano, mas psicanalítico, que chegou a interpretar a história inteira da civilização americana como expressão de desejos sexuais recalcados e sublimados. Abraçou, depois, o sionismo, retirando-se da cena literária. Nenhum dos *anti-wastelanders* sobreviveu ao "Waste Land".

Nenhum dos "wastelanders" escapou ao equívoco de atacar o "Waste Land" e fomentá-lo ao mesmo tempo; porque não compreenderam os motivos econômicos e sociais da atitude "expansiva" depois do armistício. Limitaram-se à indignação estética, assim como os pacifistas se tinham limitado, durante a guerra, à indignação moral; e essa atitude estética implicou aquele equívoco. Hergesheimer[220] foi considerado crítico implacável da depravação moral da sociedade americana pela prosperidade, e não se nega que esse narrador brilhante tenha às vezes conseguido representar de maneira admirável a angústia das vidas sem fins e sentido, por exemplo em *leytherea*. Mas Hergesheimer fracassou na tentativa ambiciosa de desenterrar, em *Three Black Penny*, as raízes do antipuritanismo na sociedade puritana: essa história de três gerações de uma família respeitável na qual, de vez em quando, rebentam os instintos maus, é estragada pela mesma mistura confusa de ódio, e desprezo, e admiração da vida dos ricos que é característica da literatura dos "wastelanders".

Scott Fitzgerald e O'Neill

Esse equívoco destruiu a vida de Scott Fitzgerald.[221] Este, sim, foi grande escritor, dono daquela coisa rara que é um estilo inteiramente pessoal. Criou as fórmulas da época. Cada um dos títulos dos seus romances e contos é representativo. Em *This Side of Paradise* descreveu a vida alegre em Long Island, paraíso dos dançadores de *jazz* e contrabandistas de álcool, na era da proibição. O volume de contos *Tales of the Jazz Age* deu o apelido à época. Tornou-se proverbial o título *The Beautiful and Damned,* revelando a admiração secreta de Fitzgerald pelo que denunciava: a vida dos ricos. Adorava o dinheiro: cantou-o em hinos e em prosa. O romance *The Great Gatsby* é uma admirável transfiguração daquela vida tão invejada. Pelo sucesso fácil, Scott Fitzgerald também se tornou rico, ao preço de esgotar seu grande talento, escrevendo demais e febrilmente para viver bem e beber muito. O romance autobiográfico *Tender is the Night* é a transfiguração dessa outra realidade: antecipa, no desfecho, o colapso total ao qual Scott Fitzgerald sucumbiu depois: seu "crack-up".

Perdeu-se nele um romancista de verdade. Sua famosa frase — "The very rich are different from you and me" — não foi desmentida pela espirituosa resposta de Hemingway: "Yes, they have more money"; o crítico Trilling interpreta-a melhor como resumo do conceito balzaquiano do romance. Scott Fitzgerald talvez não fosse gênio tão extraordinário como certa crítica atual afirma. Mas falou com a "authority of failure", que é uma grande autoridade: a da tragédia.

A oposição dos "wastelanders" criou o novo teatro americano. Ao teatro comercial da Broadway opuseram um teatro de amadores, depois profissionalizados. Nesse ambiente, como dramaturgo dos Provincentown Players, surgiu O'Neill,[222] admitindo logo, publicamente, o que deveu a Strindberg e Wedekind. Suas primeiras peças, quase todas em um ato só, já adotam a técnica expressionista. Mas não foram compreendidas assim. Explorando a imensa documentação que a vida americana lhe ofereceu — vida de *outlaws*, marujos, negros, prostitutas — O'Neill foi considerado como naturalista e primitivista, opondo ao *Waste Land* civilizado a revolta dos instintos primitivos. Assim se entendeu o gesto de revolta social do operário deserdado contra a vida fútil dos ricos, em *The Hairy Ape*. Assim se entendeu o gesto trágico de revolta sexual contra o puritanismo e o paternalismo, em *Desire under the Elms*. O aproveitamento da psicanálise, sobretudo nessa última peça, contribuiu para o público confundir o dramaturgo com outros críticos do "jazz age", com Hergesheimer, com Scott Fitzgerald. Ainda não se percebera o secreto sentido religioso que, de maneira bem expressionista, inspirava os assuntos aparentemente "sociais" de O'Neill: o poeta do terror cósmico do homem isolado num Universo vazio e hostil, em *Emperor Jones*. A psicanálise só se serviu do instrumento para extrair das almas essa verdade mais verdadeira debaixo da falsa realidade formada pelas convenções sociais. O experimento mais audacioso, nesse sentido, foi *Strange Interlude*: a técnica de revelar num "segundo diálogo" os pensamentos subconscientes e recalcados dos personagens. Não é um experimento psicológico. É uma revelação. Foi possível demonstrar que a raiz dessa técnica é a mesma de uma particularidade do teatro jacobeio, sobretudo de Tourneur: os personagens explodem em hinos e maldições líricas que se situam fora da ação dramática.[223] O'Neill não dispõe do mesmo lirismo: sua linguagem é, na maior parte das vezes, baixamente coloquial. Mas o fundo é idêntico: como Tourneur e John

Webster, é O'Neill pessimista, acusando a estrutura precária do Universo e a incoerência da vida humana; pelo mesmo motivo, a construção das suas peças pode ser tão pouco coerente como a daqueles velhos dramaturgos. Mas a filosofia de O'Neill é coerente com a daqueles velhos dramaturgos. O'Neill é coerente: é fatalista e místico. Os *outlaws* das suas primeiras peças estão tão irremediavelmente condenados pelo destino como os da última peça, *The Iceman Cometh*: parece o *Asilo noturno* americano, mas está separado de Gorki por um abismo: a salvação só pode ser a da alma. A peça do russo não tem desfecho; pois a solução encontra-se no futuro. Os desfechos de O'Neill são trágicos: porque a derrota exterior é a única libertação possível. Assim pode O'Neill dar à sua grande tragédia do puritanismo americano um título que alude a Ésquilo, *Mourning Becomes Electra*, um problema strindbergiano, tratado com aparente naturalismo psicológico, é resolvido pelo desfecho trágico.

Essa filosofia trágica é um caso singular na história literária e teatral dos Estados Unidos. Houve, depois, outros dramaturgos cujas peças se situam em nível literário. Mas não houve outro O'Neill. Só uma vez, a inesgotável riqueza de documentação vital que a vida nos Estados Unidos oferece ao escritor, se encontrou com uma filosofia não americana, porque não pragmatista, não ativista e não otimista. Isto é, trágica. O'Neill ficou um caso isolado.

Contra os Babbitts

O protesto contra o "Waste Land" americano assumiu principalmente duas atitudes: a social e a poética. Podia-se protestar em nome de valores humanos e em nome de valores transcendentais. A primeira atitude foi assumida por um grupo de romancistas que, continuando o trabalho dos "muck-rakers", submeteram a uma crítica impiedosa a estrutura social dos Estados Unidos e a mentalidade do americano médio. O "Homero do americano médio" foi Sinclair Lewis.[224] Mas o Homero dessa gente não pode ser um vate; é um jornalista do Middle West, como foram Dreiser e Sherwood Anderson; um repórter. Já mudaram, porém, os tempos, depois desses pioneiros. Long Island, o *jazz* e o uísque contrabandeado conquistaram os Estados Unidos; desapareceram os recalques puritanos que perturbaram a mente de Sherwood Anderson. Por outro lado, em vez dos poucos grandes piratas industriais que Dreiser admirara, já há os milhares de "business men", os Babbitts suficientes, sorridentes, estúpidos e donos do mundo. O repórter Sinclair

Lewis retratou-lhes as caras, casas, ruas e cidades, como um Balzac da pequena burguesia americana. Com esse repórter sem grandes ambições literárias começa, senão uma nova literatura, pelo menos a literatura de um novo continente. Sinclair Lewis cumpriu o dever do naturalista: descobrir novos ambientes. Descobriu Gopher Prairie e Zenith. A opinião dos europeus com respeito à América formou-se, por vinte anos, nesses romances, com os quais o "jeffersonianismo do Oeste" e a "revolta contra a aldeia" entram na literatura universal. Até hoje, a maior parte dos europeus julga a nação americana composta só de Babbitts. Nem todos os americanos perdoam isso. Não lhes custa muito provar que Lewis não deu um panorama, e sim uma caricatura. Não é de modo algum sociólogo, mas um repórter malicioso. Não é naturalista, e sim caricaturista; e, o que é pior, a sua deformação da realidade americana não obedece a um critério certo. A sua indignação estética e moral não ultrapassa o horizonte do "jazz age" e da "prosperity". Depois de 1929, já não tinha nada que dizer; os seus últimos romances foram cada vez mais fracos. Pois Sinclair Lewis não tem ideologia. Dickens também não tinha ideologia; e em Sinclair Lewis há algo como um pequeno Dickens americano: o poder de imitar a fala e os gestos da gente, transformando os personagens em caricaturas inesquecíveis, criando um verdadeiro mundo, real ou irreal, de "humours". Lewis não tem, é evidente, a imensamente rica substância humana do grande romancista inglês. Mas em um determinado ponto chega a ser superior: entre as inúmeras personagens de Dickens não há um Babbitt, tipo representativo de uma classe, nação e época. Babbitt está ao lado de Dom Quixote; e, por isso, muito será perdoado ao autor de tantos romances medíocres. Está claro que um tipo humano assim não se cria só com ódio; é preciso, para tanto, uma dose de simpatia humana, senão de amor. Com efeito, Lewis simpatiza até certo ponto com Babbitt e com os Babbitts; afinal, ele mesmo é um americano típico. É tão incapaz de adotar uma ideologia certa como os grandes partidos americanos. A sua crítica da vida americana é autocrítica; e por isso não lhe falta um elemento retórico, e por isso os romances de Sinclair Lewis de 1920 leem-se hoje como profecias da catástrofe econômica e humana de 1929. E é por isso que a maior parte das suas obras já parece hoje irremediavelmente antiquada.

A ambiguidade das atitudes dos "wastelanders" estragou-lhes, quase a todos, o talento. Nenhum desses talentos parece ter sido superior ao de

O'Hara:[225] narrador da categoria de um Maugham e crítico social da acuidade de um Gorki. *Appointment in Samarra* foi o quadro magistral e impiedosamente satírico da estrutura de classes e dos preconceitos sociais numa pequena cidade do "hinterland" americano. Mas quando O'Hara pretendeu aplicar essa crítica aos ambientes da alta sociedade e da boêmia de Nova York, caiu no sensacionalismo e na pornografia.

Até aquela obra-prima de O'Hara parece quase tão antiquada como os romances de Sinclair Lewis. Os problemas talvez não estejam superados. Mas a técnica novelística é a tradicional, a do século XIX. Nem sequer se adivinha nessas obras a existência contemporânea do modernismo na Europa. Essa conquista ficou reservada aos poetas.

O primeiro grande anti-*wastelander* entre os poetas foi Robinson Jeffers,[226] que foi por volta de 1925 considerado como a maior força poética dos Estados Unidos. Vivendo isolado em sua casa, antes uma torre, que se construíra com as próprias mãos num ponto deserto da costa da Califórnia, escreveu grandes poemas narrativos à maneira de Shelley, mas de estilo e ideologia muito diferentes: o protesto de Jeffers contra a sua época é de extrema violência, nutrida pelas leituras de Nietzsche, dirigido contra a democracia e o humanitarismo, que responsabiliza pela decadência moral. Jeffers é um homem trágico; devem-se-lhe versões, também violentas, de trágicos gregos. Mas seu protesto é o de um isolado.

A segunda fase, representa-a Wallace Stevens;[227] não se isolou numa torre, mas escreveu poesia nas horas livres de sua vida de grande advogado e diretor de uma companhia de seguros. Poeta romântico, internado em sonhos de beleza, manifestou-os em linguagem altamente hermética e, muitas vezes, sutilmente humorística. É algo como um Laforgue americano; mas de saúde perfeita e, portanto, de otimismo radiante. Um americano que zomba dos pequenos fenômenos da vida americana porque viu no sonho o Universo inteiro iluminado por uma luz mística: a da arte.

O hermetismo de Wallace Stevens é, pelo menos em parte, involuntário. Sua extraordinária riqueza de imagens e metáforas, lembrando os "metaphysical poets", não se enquadra no seu pensamento poético, que é, provavelmente, muito mais simples. O protesto poético contra o *Waste Land* choca-se com o problema da língua, que não foi possível resolver na América.

Resolveram-no, na Europa, os expatriados americanos: precedidos por Pound e patronizados por Gertrude Stein.

Os exilados ou "expatriados", como lhes chamavam os conservadores indignados, eram na maior parte ex-combatentes ou ex-correspondentes de guerra, acostumados às liberdades maiores da vida na Europa. A eles, associaram-se estudantes e os fugitivos da proibição do álcool — naturalmente era Paris o centro, de onde se fizeram excursões para a Espanha, Bélgica e Itália, levando-se uma vida de orgias ininterruptas, sem finalidade e sem outro fim do que o desespero do "animal post coitum triste". Alguns se suicidaram, outros morreram de tuberculose; o resto oscilava entre sofisticação requintadíssima e a procura de uma vida primitiva dos instintos, justamente na capital da civilização europeia onde os intelectuais americanos ocupavam quase um bairro inteiro. Não existe melhor descrição da existência dos exilados do que um romance de um deles: *The Sun Also Rises*, de Hemingway. E definiu-os outro deles, o crítico e poeta Malcolm Cowley, pelo título que deu, em 1931, "post festum", a essa emigração: *The Lost Generation*.[228]

Tipos da "lost generation" eram Walsh e Carnevali. Walsh,[229] ex-soldado do exército americano, morreu, na França, de tuberculose. Os versos desse poeta, que Pound elogiara e que hoje está esquecido, distinguem-se pela originalidade dos ritmos e a franqueza da expressão. Carnevali[230] nascera em Florença; veio para Nova York como imigrante paupérrimo, passando pelas piores misérias e escrevendo em inglês impecável as poesias do *Hurried Man*, saudadas por Sandburg e Sherwood Anderson como "a primeira poesia inteiramente pessoal, escrita na América". Carnevali voltou para a Europa com a doença mortal: passou só pelos círculos americanos de Paris para voltar à Itália.

O ambiente literário que os exilados encontraram em Paris revela-se por meio das revistas que editaram: *The Little Review*, de Margaret Anderson (até 1929), que publicara *Ulysses*; e *Transition*, editada por Eugene Jolas e Paul Elliott entre 1927 e 1930. Joyce e Proust eram os deuses do dia; Proust, representando a decadência de todos os valores tradicionais; Joyce, representando a inversão diabólica desses valores. Mas a influência mais próxima, mais imediata, era a de Gide. A futura história literária terá dificuldades em situá-lo. Gide[231] pertence, pelo pensamento e pela maior parte da sua obra, ao mundo antes de 1914;

mas, naquela época, venderam-se os seus livros em poucas centenas de exemplares; e a "Nouvelle Revue Française", que ele fundara em 1909, circulava entre os grupos pouco numerosos da vanguarda; discípulos seus, diretos ou indiretos, como Rivière e Alain-Fourier, eram raros. Em 1919 e 1920, Gide fez a famosa "rentrée brillante": a mocidade intelectual do "Waste Land" reconheceu-o como mestre. Os dadaístas pediram-lhe o "placet". Os surrealistas eram, no início, todos mais ou menos gidianos, sobretudo Soupault. Os jovens intelectuais comunistas foram chefiados pelo gidiano Malraux. O autor das *Nourritures terrestres* desempenhava a função de um novo Rousseau, pregando a volta à natureza e aos instintos, admitindo só um valor, o último valor possível no mundo da anarquia: a sinceridade. Os jovens, os adolescentes, aos quais se dirigia especialmente o autor do tratado *Le retour de l'enfant prodigue*, entregaram-se à "disponibilité" sem fim definido. Em geral, os gidianos franceses guardaram a medida e o bom senso da herança clássica. A atitude eclética da "Nouvelle Revue Française" também revela isso; colaboraram nela Valéry Claudel, ao lado dos vanguardistas. Os gidianos americanos, porém, a "lost generation", assumiram mesmo a atitude de filhos pródigos.

Literariamente, encontraram obstáculo tremendo na língua. Foram alunos de Harvard, de Yale, de outras universidades e colégios conservadores que cultivaram nos "English Departments" a mais ortodoxa tradição da língua inglesa vitoriana. A libertadora foi Gertrude Stein[232] que, residindo sempre em Paris, naqueles anos se tornou a mãe literária dos jovens exilados, centro de um grupo inteiro. O poeta desse grupo foi Cummings.[233] Participara da guerra como membro de uma ambulância americana; e, por equívoco, os franceses o prenderam como espião. A experiência dos muitos meses passados no barracão-prisão de um campo de prisioneiros transfigurou-se-lhe em pesadelo fantástico: *The Enormous Room* é uma narração magistral, quase de qualidade dostoievskiana. Eis um poeta romântico, talvez um sentimental, que tem de responder devidamente a um mundo hostil e absurdo. Respondeu nas poesias de *Tulips and Chimneys* e *is 5*: poeta do tempo em que "... the smallening world became absurd" e todos os valores pereceram, menos o amor físico que Cummings celebrou —

> *... dreaming*
> *et*
> *cetera, of*
> *your smile*
> *eys kenees and of your Etcetera.*

Como o Apollinaire dos *Calligrammes*, Cummings decompõe os versos, frases e palavras pela disposição tipográfica; ultrapassando os futuristas, destrói completamente a língua, adotando as ecolalias de Gertrude Stein. Poetiza as prostitutas de dois hemisférios na língua das crianças. É dadaísta perfeito, e muito espirituoso. No fundo, é um satírico romântico, individualista extremo: para todo mundo, duas vezes dois é quatro, então para o poeta duas vezes dois *is 5*, e na poesia ele tem razão. Mas, na vida, ele é da "lost generation".

Hemingway

ummings é como um personagem de *The Sun Also Rises*, de Hemingway,[234] ao qual Gertrude Stein dissera solenemente: "You are all a lost generation". Mas Hemingway fizera tudo para fugir desse destino da mocidade americana. Retirara-se para a região selvagem dos lagos e das florestas de Michigan; e ao volume em que descreveu essa vida primitiva fora do tempo deu o título irônico de *In Our Time*. Com efeito, os homens do civilizadíssimo século XX tinham de novo começado a comportar-se como selvagens. Eis a experiência de "lost generation". Ironia, cinismo, desilusão, sentimento da perdição universal; enfim, o niilismo absoluto. Todos os atos humanos são atos de violência absurda. Hemingway, artista nato, de sinceridade gidiana, não quer mentir. "I was always embarrassed by the words sacred, glorious, and sacrifice and the expression in vain." Pretende falar a língua direta, sincera, dos americanos, a língua que ele mesmo teve que empregar diariamente em sua profissão de repórter, telegrafando ao jornal os acontecimentos mais extraordinários em palavras rápidas, abreviadas, sem supérfluas artes sintáticas, até sem sintaxe; é o contrário do estilo "acumulativo" e "iterativo" da sua amiga Gertrude Stein. Por isso, Hemingway renegou mais tarde a influência dela. Escolheu a forma mais concisa, por assim dizer clássica, para disciplinar o seu romantismo e sentimentalismo escondido e indomável. O estranho "l'art pour l'art" do dadaísmo não o fascinara porque sempre tinha, talvez na subconsciência, um fim além da arte: a ação. Mas como é ação possível se não existem valores que a inspirem e se a vida é absurda? A primeira resposta foi o primitivismo de *In Our Time*. No repórter e soldado Hemingway sobrevivem, como resíduos, os valores primitivos da cavalaria: amor, coragem, "countenance" em face do perigo e da morte, um verdadeiro código de honra; Hemingway é o Conrad da "lost Generation". Baseando-se nessa presença de valores aristocráticos no americano Hemingway, um crítico comparou o repórter ao nobre lord Byron: ambos eram artistas e esportistas; ambos viviam em tempos perturbados por convulsões bélicas, Byron depois de Napoleão e Hemingway no "après-guerre"; ambos se colocaram fora de todas as convenções; ambos acabaram lutando pela liberdade de outros povos, Byron na Grécia, Hemingway na Espanha. Ambos eram artistas, aspirando à ação. E a ambos serviu como critério e pedra de toque dos valores livremente escolhidos o acontecimento mais inelutável, mais fatal da vida humana: a morte. Já atrás das orgias absurdas dos americanos exilados em Paris, em *The Sun Also Rises*, aparece a sombra assustadora; *A Farewell to Arms* é a epopeia da morte sem glória; *Death in the Afternoon* é o cântico da morte absurda, na "Plaza de Toros"; enfim, em *For Whom the Bell Tolls* a morte tem sentido: "It tolls for thee."

Hemingway, que só posa como repórter e esportista inculto, mas é, na verdade, bom conhecedor da literatura clássica, sempre gostou de escolher citações algo raras para títulos das suas obras. *The Sun Also Rises* é uma frase bíblica, do Eclesiastes, *A Farewell to Arms* é título de um romance de Barnaby Rich, fonte de Shakespeare para *Twelfth Night*. Sempre o título era irônico. Só em *For Whom the Bell Tolls*, a frase impressionante de Donne é tomada a sério: "No man is an Island, intire of it selfe; every man is a peece of the Continent, a part of the maine." O primitivismo da ação individualista está substituído por uma ideologia coletivista. Muitos críticos, e justamente os da esquerda, duvidaram aliás dessa ideologia de Hemingway; consideram *For Whom the Bell Tolls* uma obra romântica de um espírito inquieto, mas apolítico, incapaz de encontrar a solução das suas dúvidas de niilista. E talvez tenham razão. Hemingway é artista que sonha da ação, sem capacidade de encontrar sentido fora da arte. Mas dentro de sua arte realizou, se não obras perfeitas — isso não é próprio dos românticos —, pelo menos algumas páginas nas quais uma experiência profunda da mente humana está transfigurada em palavras de concisão clássica; as últimas páginas de *A Farewell to Arms* são das mais perfeitas que já se escreveram neste século.

A Farewell to Arms parecia, em 1929, romance de guerra como o de Erich Maria Remarque, que saiu no mesmo ano. Mas não é romance contra a guerra, nem sequer de guerra, mas fora da guerra; é a magnífica história de um amor simples que acaba, como todas as coisas no mundo de Hemingway, em morte e nada. No fundo, seu único assunto é a derrota; seu esforço, o de encontrar uma atitude de valor ético para enfrentá-la. Repetiu-se muitas vezes. Escreveu alguns romances francamente medíocres. Quando a Segunda Guerra Mundial lhe ofereceu oportunidade para retomar o velho assunto, em *Across the River and into the Trees*, a crítica destruiu-lhe a obra, achando absurdas e monótonas as mesmas atitudes que, vinte anos antes, elogiara. Foi grave a injustiça, da qual logo se retrataram, exaltando de tal maneira *The Old Man and the Sea*, que Hemingway recebeu o Prêmio Nobel. Por uma ironia do destino, essa vitória foi obtida por um livro cujo tema é novamente uma derrota; mas, desta vez, a crítica reconheceu melhor o sentido idealista no aparente niilismo desse arquirromântico, fantasiado de repórter; e que é um grande escritor do nosso tempo.

Para os seus companheiros de geração, Hemingway ficou sempre o autor de *The Sun Also Rises* e *A Farewell to Arms*, livros de 1926 e 1929: os testamentos da "lost generation". Cummings voltará já em 1925 para a América; outro exilado, Mac Leish, em 1928. Considera-se como data sintomática o suicídio do "exilado" Harry Crosby, ocorrido em Paris em 1929, ano em que a *Little Review* cessou de sair. Em 1930, *Transition* também desapareceu. A crise econômica na América está por qualquer coisa nisso: suprimiram-se mesadas aos estudantes americanos na Europa; alguns boêmios que se julgaram independentíssimos descobriram a necessidade das relações com a pátria longínqua. Modificou-se a atitude crítica. A queda da prosperidade, em vez de fortalecer a revolta, eliminou vários motivos de crítica social, chegando a inspirar um novo patriotismo. Começou-se a ter fé em reformas radicais e uma nova vida na América; ao passo que a Europa agora se julgava perdida. São, agora, outros "exilados", americanos que sentem saudades da antiga civilização europeia. Foi a hora de T.S. Eliot.

Ernest Hemingway

T.S. Eliot e o "Waste Land"

Eliot serve-se dos recursos métricos e sintáticos da poesia moderna, a ponto de ele mesmo representar de maneira mais completa o modernismo anglo-americano, ao lado dos outros modernismos. Quem não entender, porventura, o sentido das poesias herméticas de Eliot, a esse leitor incompreensivo revelarão os escritos críticos do poeta a significação da sua sátira e do seu desespero: Eliot é um saudosista dos tempos clássicos. Precisava-se de um americano de Missouri para explicar aos europeus por que a civilização europeia caiu e vai acabar: porque os europeus recusam ser o que Eliot proclama ser: classicista, monarquista e anglo-católico. Eliot destrói métrica e sintaxe como um vanguardista de Paris e tem visões apocalípticas como um expressionista alemão; mas o que lhe importa é o fim da literatura romântica e da democracia do século XIX, responsáveis da catástrofe. Se Eliot fosse francês, talvez fosse adepto de Maurras. Como americano, estrangeiro dentro da civilização europeia, não conhece fronteiras nacionais, mobiliza Ésquilo e Virgílio,

Dante e Baudelaire, todas as literaturas de todos os tempos e países contra o "Waste Land" que lhe deve o apelido, criando um modernismo "sui generis", o modernismo reacionário.

A imensa cultura literária de Eliot, exibida em seus escritos críticos e até nas notas das suas poesias, não é, portanto, esnobismo. É a arma desse modernista que é um passadista. São múltiplas as influências que agiram sobre Eliot, e é possível reconstituí-las em certa ordem, considerando a relação entre o esteticismo e o pessimismo, e mais a relação entre o pessimismo e determinadas atitudes religiosas e políticas. Explicam-se então as influências dos simbolistas franceses e de Laforgue, as de Hulme e Pound, pessimismo spengleriano, as analogias da sua atitude com a dos neo-humanistas americanos, a descoberta de Donne, a descoberta de G.M. Hopkins e daí o caminho ao modernismo. O próprio "reacionarismo" de Eliot inspira-lhe a resolução de "we shall not cease from 'exploration'".

A crítica apontou o papel de Hulme[235] na formação de Eliot. Desse adepto inglês da Action Française, Eliot recebeu o conceito do pessimismo antropológico; em Hulme, o americano nada puritano aprendeu a compreender a importância do dogma do pecado original para a interpretação da natureza humana, com todas as conclusões religiosas, políticas e sociais. Desde aquele momento, Eliot já foi catolizante e conservador, e portanto, no terreno da literatura, classicista. Mas Hulme, espírito algo confuso, também era bergsoniano; as suas ideias filosóficas iam envolvidas em conceitos estéticos; e o esteta, quando se choca com a realidade, torna-se sempre pessimista e não raramente reacionário. Nisso reside a afinidade principal entre Hulme e seu amigo Pound,[236] o poeta imagista que acabará abraçando o fascismo italiano. Pound revela, aliás, grandes semelhanças com Eliot; ele também veio do interior meio inculto dos Estados Unidos para transformar-se em europeu supereuropeizado, Pound também adquiriu grande erudição e um domínio estupendo de todas as línguas e literaturas; o próprio Eliot confessa as sugestões importantíssimas que recebeu da parte do seu patrício. Por intermédio de Pound, Eliot liga-se às correntes simbolistas, decadentistas e imagistas da poesia de língua inglesa. Ambos, Pound e Eliot, são americanos que dominam todo o passado da civilização europeia; por consequência, explicam as catástrofes políticas, espirituais e morais da Europa pelo abandono daquelas grandes tradições pelos europeus. São neófitos, cristãos novos chegando para ensinar os cristãos velhos que eles consideram como apóstatas já condenados.

Esse pessimismo estava no ar quando Eliot escreveu *The Waste Land*. A guerra deixara a impressão de uma catástrofe irremediável; o progressismo eufórico de antes de 1914 estava profundamente desmoralizado, e muita gente preferiu, como mais verdadeira, a visão de uma corrida para o fim. Releu-se Schopenhauer; e as poesias de A.E. Housman conseguiram tiragens maiores do que qualquer outro livro de poesia inglesa. Em comparação com as doutrinas de Hulme e Eliot poder-se-ia falar em fé no pecado original sem fé na redenção; não é outro, aliás, o ponto de vista do católico apóstata Joyce em *Ulysses*. Contudo, a perspectiva era menos metafísica do que histórica. Estava-se no fim de um ciclo da civilização. Vico, o teórico dos "ricorsi", reapareceu no horizonte. Spengler[237] concebeu, sob a impressão da decadência do poder alemão, a sua grandiosa visão do nascimento, auge e fim fatal das civilizações, repetindo-se a história de maneira sinistra; terminou o *Untergang des Abendlandes* [*O declínio do Ocidente*] depois da derrota do Reich. A obra, tão vulnerável do ponto de vista científico, é uma das maiores realizações literárias do nosso tempo. Obra profundamente alemã, pelo espírito e pelo estilo nietzschiano; mas encontrou ressonância em toda parte. Mais tarde, Spengler acreditará na salvação pela ditadura e pela guerra das raças, antecipando o nacional-socialismo que ele, no entanto, desprezará. Em 1920, porém, o alemão derrotado, conhecendo o passado inteiro, mas, do presente, só a civilização alemã, não podia conservar fé alguma. Havia então spenglerianos alemães, italianos, holandeses, franceses, até spenglerianos russos. A visão de Spengler era menos aceitável para americanos, que não sentiam sintomas de velhice. Admitiam a catástrofe, mas responsabilizaram a evolução europeia; mais ou menos assim como Maurras, o mestre de Hulme, a apresentara como consequência da Revolução Francesa. Havia maurrasianos nas universidades americanas, entre os discípulos de Irving Babbitt, classicista, inimigo de Rousseau e do romantismo, chefe de uma escola filosófica que se chamava "neo-humanista", porque pretendeu restabelecer as disciplinas do espírito clássico.

O neo-humanismo,[238] como corrente universitária, já começara muito antes da guerra. Mas os literatos e o público só tomaram conhecimento dele por volta de 1920, quando os universitários belicosos se meteram a combater o romance naturalista de Dreiser, a crítica iconoclasta de Mencken, os ensinamentos psicanalíticos de Lewisohn, o radicalismo político de Bourne. Sentindo-se americanos cem por cento, julgando-se herdeiros legítimos da civilização greco-latino-inglesa, consideraram a revolução literária como mercadoria de importação europeia, germes de putrefação contaminando o futuro da América. Irving Babbitt[239] — o destino irônico deu-lhe o nome do herói de Sinclair Lewis — era o chefe incontestável da escola, mas não da campanha. Exerceu grande influência sobre alunos e discípulos. Mas não era muito hábil na polêmica. Além disso, era agnóstico, incapaz de acreditar no futuro do cristianismo, que é, porém, o fundamento da sua "civilização clássico-inglesa"; e as suas excursões para as filosofias e religiões da Índia e China não foram muito felizes. O polemista do humanismo era Stuart P. Sherman,[240] que dirigiu entre 1917 e 1923 a grande campanha contra Mencken e Lewisohn, atacando com veemência especial os romances de Dreiser, a poesia de Masters e os costumes dos "expatriados". Por volta de 1924, porém, revelou sintomas surpreendentes de conversão; acabou saudando a nova literatura americana. Sherman fora sempre mais jornalista do que "scholar"; não possuía sólido fundamento ideológico. O grande ideólogo do neo-humanismo é Paul E. More,[241] cujos onze volumes de *Shelburne Essays* constituem a maior contribuição de um americano para a crítica literária antes de Eliot. Durante dez anos viveu na solidão bucólica de Shelburne, lendo milhares e milhares de livros, a literatura e filosofia de todos os tempos, procurando um critério moral e religioso para classificar, julgar e disciplinar as experiências humanas; e por meio do dualismo platônico encontrou o caminho ao cristianismo. More era um alto espírito, talvez de autênticas experiências místicas, de visão notavelmente larga nos ensaios literários; a "democracia" da "prosperity" que o rodeava, só lhe podia inspirar desprezo; confundindo-a com o radicalismo, chegou a abraçar um credo político excessivamente reacionário.

As ideias de Babbitt e More, hostis ao chamado "romantismo político" da democracia, significavam uma revisão radical da história americana, baseada até então nos ideais "românticos", quer dizer, liberais, de 1776 e 1789. Na Inglaterra, o católico Hilaire Belloc tentou ao mesmo tempo revisão semelhante dos valores da história inglesa, condenando a

Reforma e a "Revolução Gloriosa" de 1688, reabilitando a Idade Média e os Stuarts. T.S. Eliot, que fora antes da guerra aluno de Irving Babbit em Harvard, realizou revisão semelhante dos valores da história literária inglesa. Um Shelley não suportaria, ao seu ver, a comparação com um Dryden. E o maior dos "metaphysical poets", Donne, ressuscitou para ocupar o trono do "herético" e "falso classicista" Milton. Ao lado de Gosse, H.J.G. Grierson e alguns outros "scholars", é Eliot o responsável principal pela nova glória de Donne,[242] que se tornou o poeta inglês mais admirado e mais estudado do nosso tempo: nele, a vanguarda encontrou surpreendentes licenças sintáticas e métricas, a mistura característica de "wit" satírico e emoção dolorosa nas metáforas audaciosas que revelam a ambiguidade do seu espírito, oscilando entre ascetismo e sexualismo, mística visionária e niilismo cético. Quem procurava a continuação da "Donne tradition" na poesia inglesa, encontrou-a no estranho jesuíta Gerard Manley Hopkins,[243] cujas poesias inéditas foram publicadas, em 1918, pelo velho vitoriano Robert Bridges. Encontraram em Hopkins ambiguidade semelhante, expressões arcaicas e modorníssimas, uma técnica revolucionária do verso. Reconheceram em Hopkins o único representante de um simbolismo genuinamente inglês; ao lado do simbolismo francês, do qual agora já não se notou só o aspecto esteticista, mas também o pessimismo cristão de Baudelaire e o pessimismo irônico de Laforgue. Em Hopkins, leram-se versos apocalípticos como —

> The times are nightfall, look, their light grows less;
> The times are winter watch, a worl undone...

Em 1918, compreenderam-se esses versos. Era o espírito *Waste Land*, que T.S. Eliot publicou em 1922.

T.S. Eliot[244] é um dos poetas mais discutidos da nossa época. Presta-se para discussões a sua poesia hermética, objeto das artes interpretativas mais engenhosas; e a sua crítica, tão radical no sentido literário e tão reacionária no sentido político, não deixa dormir a direita e a esquerda. Em sua poesia, entra-se com relativa facilidade pela leitura de *The Hollow Men*:

> *We are the hollow men*
> *We are the stuffed men*
> *Leaning together*
> *Headpiace filled with straw. Alas!...*

São os habitantes do *Waste Land*, "of the dead land", o deserto espiritual do nosso tempo. Essa região árida apresenta-se em versos herméticos, ora satirizando em estilo coloquial a futilidade da vida burguesa —

> *Oh, do not ask: "What is it?"*
> *Let us go and make our visit... —*

ora profetizando o fim apocalíptico —

> *Falling towers*
> *Jerusalem Athens Alexandria*
> *Vienna London*
> *Unreal... —;*

ora aludindo a religiões esquecidas, ritos primitivos, vagas esperanças de redenção. Sátira, apocalipse, balada metafísica: é o poema mais assombroso da literatura moderna. As origens do hermetismo de Eliot encontram-se nos simbolistas franceses, principalmente em Laforgue. Daí a irresistível música verbal de Eliot, mas que não é só música verbal. A influência de Donne ajudou-o a realizar aquilo que um crítico chamou de "música de ideias". Apenas não são ideias inequívocas. A dialética dessa poesia entre sátira mordaz e misticismo religioso é fonte de ambiguidades; mas a poesia não tem que dar nem pode dar afirmações analíticas e analisáveis sem deixar de ser poesia, transformando-se em prosa. E Eliot sabe distinguir e separar: é um prosador da maior lucidez, e um poeta hermético da maior mestria técnica do verso.

Alguns críticos acham-no até magistral demais. Sabe demais literatura. Quase toda linha alude a versos famosos ou versos pouco conhecidos de poetas de todos os tempos; em certos casos, Eliot recorre ao recurso pouco poético de explicar em notas as citações dissimuladas; outras vezes, compõe mosaicos de versos em diversas línguas — em italiano, francês, alemão, até em sânscrito. Parece poesia livresca, de segunda mão, como a de Horácio, como a do admirado Dryden; e como a de Pope. Yeats apreciava em Eliot só um "outro Pope", um satírico de ritmos engenhosos; e outros críticos também admiram em Eliot menos a emoção poética do que a inteligência literária. Realmente, Eliot é um "wit", um poeta da inteligência, o último dos "metaphysical poets" que reabilitou; e nisso reside parte da sua grandeza como poeta. Detestando o conceito romântico da poesia como efusão emocional, restaurou a poesia em nosso tempo, salvando-a da fama de arte de boêmios lunáticos e adolescentes meio lunáticos, senão de mulheres de ambos os sexos. Com Eliot, a poesia voltou a ser digna de ser feita por homens e lida por homens. Desde Eliot, a poesia voltou a ser um poder na vida espiritual do tempo; e, sendo o tempo árido e estéril como o "Waste Land", a poesia tinha que ser, antes de tudo, satírica. O grande perigo dessa poesia satírica teria sido o ceticismo, levando a uma literatura irresponsável como foi o falso classicismo do século XVIII. Aí, revela-se em Eliot a consciência de filho de gerações de puritanos anglo-saxônicos: a sua sátira supõe um código de valores. Daí a sua oposição contra o agnosticismo dos vitorianos e de todos os liberais, contra o pelagianismo de D.H. Lawrence; prefere a perversão (portanto, a existência) dos valores morais em Joyce. O pelagianismo é a grande heresia moderna à qual Eliot opõe o dogma do pecado original. Sem pecado original não há redenção. Até o "Waste Land" não pode ser salvo sem o rito que representa o dogma. *The Wast Land* é poema satírico e, ao mesmo tempo, poema litúrgico. Nele já está implícita a doutrina do "Anglo-Catholic in religion, clascist in literature, and royalist in politics". O resto é, senão silêncio, a humildade de quem reza:

> *Pray for us sinners now and at the hour of our death*
> *Pray for us now and at the hour of our death.*

Nos últimos tempos, nota-se certo refluxo: surgem vozes críticas contra o predomínio da poesia eliotiana. Essa oposição examina inicialmente, o conceito de "ortodoxia"; pois o que é ortodoxo para o anglo-católico Eliot pode ser e é heterodoxo para um católico romano etc. É uma crítica que atinge principalmente as peças dramáticas de Eliot, baseadas em conceitos religiosos, sem os quais perderiam a significação e, talvez, até o interesse. O teatro de Eliot é sobremaneira vulnerável: é "pastiche" em várias camadas, assim como aquela crítica adversa encontra "pastiche" na poesia toda de Eliot, na sua mistura livresca de citações e alusões eruditas. Seria o poeta do alexandrinismo de hoje; e sua glória contemporânea, um mito artificialmente construído. Robbins já falou em "T.S. Eliot Myth". Os tempos de admiração indiscutida passaram. Mas a última obra do poeta, *Four Quartets*, não poderá ser questionada. São quatro grandes poemas filosófico-religiosos: fundamentação histórica da sua fé no Absoluto e elegia dolorosa sobre o caos do mundo e do coração humano. A literatura inglesa, tão rica em valores poéticos, não possui nada de semelhante a esse acorde perfeito de pensamento e música verbal: "A white light still and moving."

Eliot, justamente porque sua poesia é tão "full of meaning", é o poeta ambíguo de uma época ambígua; e a isso corresponde a repercussão ambígua e múltipla da sua obra, repercussão que quase equivale à história da poesia contemporânea. Um crítico americano chamou a Eliot "the international hero"; pelo menos, ele é "herói de três reinos: na América, na Inglaterra, no continente europeu".

Aos americanos, ele parecia no início outro Pound: um grande esteta. Como esteta, ele tem afinidades com a arte de uma grande poetisa americana, Marianne Moore,[245] que é exatamente contemporânea sua e à qual ele dedicou a frase significativa: "Miss Moore's poems for part of the small body of durable poetry written in our times." Um elogio tão grande da parte de crítico tão severo deve ser explicável não pelo que Marianne Moore tem de comum com Eliot, é, por outro lado, pelo que ela possui e ele gostaria de possuir. Como Eliot, Marianne Moore é poeta livresco: passou por uma rigorosa formação filológica, carrega toda a tradição da poesia inglesa à qual gosta de aludir por meio de citações e notas. Mas muito mais vivo é em Marianne Moore o desejo de quebrar as convenções do epigonismo. Escreve em métrica absolutamente livre, decompondo a sintaxe, empregando os caprichos tipográficos de Apollinaire e Cummings. As suas poesias reconhecem-se logo pelo hábito estranho de terminar os versos com o artigo ou com qualquer partícula monossilábica sem significação emocional nem intelectual. Essa poetisa inteligentíssima e sensibilíssima — Marianne

Moore também é excelente crítica literária — evita a exibição de pensamentos e emoções. Dedica as suas poesias com preferência a animais, plantas, objetos, "under-things". A influência do imagismo é inconfundível. A sua visão do mundo é deliberadamente estreita para não ver o que pudesse contrariar a realização de uma poesia menor, mas perfeita; e atrás desse esteticismo, que também sabe satirizar com mordacidade, está a convicção de que

> *Beauty is everlasting*
> *and dust is for a time.*

Os discípulos de Eliot na América são quase todos "esteticistas", nesse sentido especial de admitir a poesia como força autônoma, agindo sobre a vida. Ao lado da crítica de Eliot surgiu a crítica semântica do inglês I.A. Richards,[246] distinguindo nitidamente entre os valores racionais e os valores emocionais da língua, distinguindo entre os "statements" da prosa e a "meaning" da poesia, procurando os valores poéticos na ambiguidade irracional das raízes da poesia: apoio poderoso à revalorização de Donne, ao hermetismo, à combinação de inteligência crítica e música verbal no próprio Eliot. Crítica e poesia aliam-se de maneira indissolúvel. Os poetas como Marianne Moore e Ransom fazem crítica literária. Os críticos como Tate, Malcolm Cowley e Empson escrevem poemas. Entre esses estetas complicados, perpetuam-se atitudes reacionárias em matéria política, já não à maneira do neo-humanismo, mas à maneira de Eliot. Os patrícios de Eliot compreendem a essência saudosista, portanto romântica, da sua doutrina; e àqueles que nasceram no sul dos Estados Unidos oferece-se um objeto atrativo desse saudosismo: a antiga civilização aristocrático-agrária do Sul escravocrata. Um poeta e crítico eliotiano, John Crowe Ransom, é o líder do movimento do "Old South",[247] cujo maior representante é o poeta e romancista Robert Penn Warren.

Outra interpretação prevaleceu entre os discípulos ingleses de Eliot. Na democracia americana, que rejeita todas as expressões literárias incompreensíveis às grandes massas dos leitores, é fenômeno frequente a combinação de poesia vanguardista, moderníssima, e ideologia antidemocrática, reacionária. Na Inglaterra ainda se mantém a fé na aliança natural entre os progressos político e social e o "progresso" literário. Os jovens poetas ingleses de 1930, por mais radicais que fossem em matéria política, não se assustaram com a teologia mística de Donne, nem com a batina de jesuíta de Hopkins, nem com o anglo-catolicismo de Eliot; adotaram as técnicas e processos literários desses modelos para exprimir a angústia e indignação de revolucionários em face da decomposição do mundo burguês. Auden, sobretudo, depois Spender e Cecil Day Lewis são ou foram poetas socialistas, formados na escola de T.S. Eliot.[248]

Na Rússia Soviética

A repercussão de Eliot no continente europeu — basta citar os nomes do italiano Montale, do alemão Holthusen, do grego Seferis — é fenômeno mais recente. Na época do "Waste Land", essas regiões ainda não haviam sido atingidas. Mas houve "Waste Lands" em toda a parte. A única obra ideologicamente comparável ao *Waste Land* é a grande novela *O senhor de San Francisco*, do russo emigrado Bunin. Dentro da Rússia, uma posição eliotiana foi ocupada pelo grande poeta Pasternak.[249] Sua atitude ideológica pouco importa: conseguiu, no início da Revolução, aderir ao comunismo sem sacrificar sua liberdade íntima nem trair sua inquietação espiritual; e depois, no romance *Doutor Jivago*, sacrificará a ideologia à liberdade espiritual sem se tornar reacionário; tradutor de Rilke; e como este, é um poeta de feição passiva, um "Blok feminino". Num famoso estudo, o crítico Roman Jacobson analisou a prosa das suas magníficas novelas: a tendência de "substituir a ação ao agente e a ação pelo ambiente". A poesia de Pasternak é, nesse sentido, "objetiva": ocupa-se principalmente com as coisas, inanimadas ou animadas, construindo um Universo de metáforas e imagens, tão rico, completo e complexamente organizado que um crítico ocidental lembrou a "metaphysical poetry". As tentativas de provocar no Ocidente maior interesse por essa poesia metafórica não deram muito resultado; a barreira da língua é, nesse caso, intransponível. Só vários decênios depois, o romance "herético" *Doutor Jivago*, embora mais apolítico que propriamente antirrevolucionário, chamará a atenção do mundo ocidental. Na Rússia de 1925, a posição de Pasternak foi a de Eliot na "época do jazz": sua mera presença teve valor de advertência séria, sem e antes que o poeta levantasse voz de protesto. Mesmo assim, sua atitude teria sido impossível em 1918 ou 1920; então, Pasternak teria emigrado ou sucumbido à fascinação do horror, como os "irmãos de Sarapion". Em 1925, deveu a liberdade temporária da sua poesia ao afrouxamento do "comunismo de guerra" na época da N.E.P. [Nova Política Econômica, implantada por Lenin], do restabelecimento parcial da economia particular. A consequência dessas medidas foi uma euforia geral, com tendências de libertinismo sexual e de escárnio satírico contra tradições obsoletas: um "Waste Land" russo.

Os "wastelanders" russos, da época da N.E.P., estão hoje quase todos esquecidos. Naquele tempo, suas obras provocaram discussões dentro e fora da Rússia. Assim o romance *Chocolate*, de Tarasov-Radionov:[250] dentro, porque no romance um inocente é fuzilado por acalmar uma multidão furiosa; fora, porque se soube, desse modo, do valor de chocolate e meias de seda como suborno na Rússia soviética. Também ficaram os leitores impressionados com as explosões de sexualismo, à maneira de D.H. Lawrence, em certos romances e contos de Lydia Sejfullina.[251] Foram glórias muito efêmeras. Lido até hoje continua o romance *Cimento,* de Gladkov:[252] pois é narrado com vivacidade, um documento histórico, do terrorismo implacável nos inícios do regime comunista. Mas foi escrito para glorificar o "novo homem", a nova espécie de homens que transforma as energias da guerra civil em energias de trabalho industrial. A obra teve dentro e fora da Rússia grande sucesso, apesar da crítica áspera de Gorki aos defeitos literários do romance e contra o romantismo eufórico do autor. Esses defeitos acentuaram-se em *O sol ébrio,* documento do relaxamento dos costumes na época da N.E.P.

Tendo passado grande parte da vida em Berlim e Paris; romancista hábil, denunciando com sátira mordaz os males da civilização capitalista

Máximo Gorki

e fabricando, ao mesmo tempo, romances de aventuras de ambiente cosmopolita, vendendo-os aos americanos para filmagem; e, como jornalista, um dos propagandistas mais eficientes do regime russo. Sua sátira anticapitalista tem semelhança suspeita com o "debunking", nos próprios países capitalistas, por volta de 1920; sua literatura romanesca lembra Morand; característico é seu oportunismo, pelo qual conseguiu sobreviver a todas as mudanças de regime e de gosto literário. Sua obra mais durável é provavelmente sua volumosa autobiografia.

A época produziu, porém, dois romancistas notáveis: Pilniak e Leonov. A arte dos dois tem raízes na época pré-revolucionária, sobretudo em Dostoiévski; nem este nem aquele conseguiu sobreviver, como artista, ao rigor e às exigências ideológicas depois de 1930.

O Ano Nu, de Pilniak,[253] é o mais completo romance da revolução e guerra civil na Rússia: uma coleção imensa, praticamente inesgotável, de pormenores de horror e heroísmo, fome e violência, ideologia e miséria. São, na verdade, só esses pormenores, reunidos como num mosaico, sem a menor tentativa de composição novelística. O processo corresponde maravilhosamente à incoerência intrínseca do assunto: de uma guerra civil na qual as cidades mudaram, durante uma semana, várias vezes de dono e, em certos momentos, não se sabia quem estava mandando. É o romance caótico do caos. Esse processo novelístico foi, porém, habitual em Pilniak: os críticos explicaram-no como consequência do seu credo político, indisfarçadamente anarquista. Pilniak nunca conseguiu submeter-se à disciplina do marxismo, oscilando entre um vitalismo primitivista e um eslavofilismo de forte colorido asiático. Enfim, combinou seu conhecimento íntimo, inclusive do folclore, da região do Volga com as exigências da ideologia oficial para escrever seu romance da industrialização: *O Volga Desemboca no Mar Cáspio*. Obra que interessa pelas complexidades ideológicas e técnica novelística, quer dizer: mais interessante do que o romance é o autor. Mas este já tinha dado, então, o que tinha que dar. Emudeceu.

Leonov[254] veio do ambiente dos "Irmãos de Sepapion" e dos últimos simbolistas. Seus modelos literários foram, inicialmente, Dostoiévsky e Lesskov. *O Fim de um Homem Mesquinho* é um dos últimos rebentos da grande literatura russa do passado, assim com o romance *O Ladrão*: mas neste, o ambiente já é o da N.E.P.; é um romance mais psicológico que sociológico. Em *Toupeiras* descreveu o romancista a resistência dos camponeses contra os comunistas das cidades. São inconfundíveis as veleidades oposicionistas do intelectual Leonov. Mesmo quando teve de ceder às exigências do regime, conseguiu colocar no centro dos "romances de reconstrução" o conflito entre os intelectuais a serviço da industrialização e os homens do partido: em *Sot* e *Skutarevsky*. Enfim, *O caminho para o Oceano* já parecia a capitulação. Mas ainda então sabia Leonov aproveitar-se das suas artes estilísticas para iluminar a lealdade ideológica pela ironia. Mas as peças patrióticas, escritas durante a guerra, pareciam significar o fim do seu progresso literário, embora *A captura de Velikoshumsk* ainda apresente interessantes inovações de técnica ficcionista.

A França entre as Guerras

O "Waste Land" russo foi um episódio de poucos anos. O "Waste Land" francês estende-se por toda a época entre 1918 e 1939. Não falta nenhum dos fenômenos característicos. Um literato como Paul Morand representa o exotismo e o erotismo. O "turismo poético" é representado por Cendrars. Quanto ao erotismo "sans phrase" e sem prestar atenção aos exploradores baixos do gênero, convém lembrar a grande repercussão, naqueles anos, dos romances de Colette,[255] quadros da vida do "monde" e "demimonde" parisienses e da boêmia, muito bem escritos e bem-feitos; mas o futuro descontará algo dos exageros da crítica a propósito dessa obra mais sincera e sentimental do que profunda.

A expressão mais perfeita das preocupações e alegrias francesas dessa época encontra-se nas obras de Giraudoux,[256] sempre muito espirituosas, às vezes intensamente poéticas, uma ou outra vez inspiradas por uma ideia profunda. No romance e no palco teve Giraudoux sucessos bem merecidos, embora efêmeros. Suas peças fantásticas sobreviverão ao resto. O leitor e o espectador têm a impressão de que Giraudoux escondeu atrás de um humorismo sutil uma visão bem triste do mundo. "Waste Land."

A posição eliotiana foi ocupada por Saint-John Perse:[257] estilo elíptico, senão hermético; transfiguração filosófica das graves preocupações da época; atitude aristocrática. A crítica francesa oscilou entre exaltá-lo e ignorá-lo. No estrangeiro, a divulgação da sua poesia nobre, rara e pouco acessível deve-se a um poeta-crítico inglês: ao próprio T.S. Eliot.

O gênio universal do "Waste Land" francês, homem de sete ou mais instrumentos, é Cocteau.[258] Filho da grande burguesia parisiense, membro conspícuo da "jeunesse dorée" e menino dos olhos das vanguardas desde seus tempos de colegial precoce. Cocteau percorreu todas as modas literárias e artísticas da sua época: poeta classicista, propagandista do "ballet russe", adepto do cubismo com Picasso e poeta modernista com Apollinaire e Max Jacob, escrevendo bailados para Satie e os "Six", discípulo de Gide e mestre de Radiguet, psicanalítico e psicanalisado, católico com Maritain e, logo depois, blasfemando com Maurice Sachs, adicto ao ópio e à pederastia e anjo da guarda das bailarinas mais novas — e, enfim, entrou triunfalmente, "sous coupole", na Academia Francesa. É perturbador e desconcertante o espetáculo permanente, organizado por esse poeta, romancista, dramaturgo, diretor de teatro, diretor de bailado, diretor e autor de "scripts" de cinema. É perturbadora a volubilidade da sua inspiração caleidoscópica. É desconcertante seu oportunismo artístico. Mas é possível defender Cocteau, embora só dentro do seu terreno.

Cocteau é fundamentalmente poeta, embora nunca se tenha plenamente realizado na poesia. Mas tudo o que escreveu e fez é poético. É jogo poético. É o gênio do "jeu" e só tem medo daquilo que acaba com todos os "jeux" e que é, no fundo, sempre presente em todas as suas obras: a Morte. Sua obra mais sincera, talvez a única sincera, é o romance poético *Les enfants terribles*, grande documento do desespero do "Waste Land". Ele daria a vida, se a morte fosse uma mentira ("une fauses rue en rêve...", reza um poema seu). Na impossibilidade de negá-la, prefere opor-lhe outras mentiras, suas, talvez mais verdadeiras, porque Cocteau acredita na Arte, com maiúscula, e em suas próprias ficções. O artista tem de fingir, mentir. Despreocupado, Cocteau cria e desmente mitologias que chegaram a fascinar o mundo inteiro, o novo *Orphée* e os anjos que chegam de bicicleta. Eram as fórmulas e os "morts d'ordre" das temporadas parisienses de então. Toda a vida de Cocteau é uma permanente temporada parisiense. A organização dos espetáculos parece-lhe a Ordem à qual se chega por intermédio da anarquia dos estilos, instintos e modas. É a Ordem do "Waste Land" do qual Cocteau foi proclamado o gênio; mas tinha talento e talentos demais para ser gênio.

A arte multiforme de Cocteau tem exercido influência internacional; e, graças à sua multiformidade, tem criado muitos equívocos. Cocteau acompanhou todas as modas literárias e artísticas do seu tempo, menos o surrealismo, ao qual tomou apenas emprestadas algumas fórmulas para empregá-las no teatro e no cinema. Mas justamente com os surrealistas, seus inimigos ferozes, foi muitas vezes confundido o criador dos "anjos de bicicleta".

O Surrealismo

O surrealismo[259] é o último dos movimentos modernistas da vanguarda. Os surrealistas entronizaram novos deuses: em vez de Jarry, Vaché; em vez de Apollinaire, o enigmático Raymond Roussel,[260] escritor excêntrico, provavelmente paranoico, que criara uma "littérature des aventures imaginaires". Na verdade, não houve solução de continuidade entre modernismo, dadaísmo e surrealismo. As personalidades eram as mesmas. Aragon, Breton, Soupault, os futuros chefes do surrealismo, colaboraram em 1917 com Apollinaire, Reverdy e Jacob na revista *Nord-Sud*; e, em 1919, os mesmos Aragon, Breton, Soupault e mais Eluard reuniram-se a Tzara e Ribemont-Dessaignes para fundar o centro francês de Dada. Quando Apollinaire, em 1917 escreveu *Les Mamelles de Tirésias, drame sur réaliste*, escondendo deliberadamente atrás de expressões burlescas a fé numa verdade transcendental, superior às verdades falsas e efêmeras deste mundo, ficara fiel ao programa do cubismo, que procurara a verdade das coisas atrás das aparências físicas. Essa fé os surrealistas herdaram-na; e por isso não podiam ficar na aliança com o dadaísmo, "le nihilisme pour le nihilisme", o fanatismo da destruição absoluta. O surrealismo é antiliterário como o dadaísmo, mas não, como este, niilista. Pretende destruir a literatura; mas não pretende destruir, e sim reconstruir o mundo, se bem que um mundo diferente. Essa atitude antiliterária lembra imediatamente o exemplo de Rimbaud. Por volta de 1900, os simbolistas apreciaram os primeiros sonetos, ainda parnasianos, de Rimbaud. Por volta de 1910, os vanguardistas compreenderam a poesia simbolista de Rimbaud. Em 1920, a poesia de Rimbaud parecia menos importante do que a sua fuga, da poesia para o mundo. As suas metáforas estranhas já não se interpretavam como expressões poéticas, e sim como condensações violentas de experiências humanas à maneira das metáforas chocantes dos "metaphysical poets" ingleses. Ocorre, nessa altura, o nome de T.S. Eliot. A diferença parece imensa e qualquer aproximação extremamente forçada. Mas Eliot e o surrealismo não se hostilizam reciprocamente; não tomam conhecimento um do outro. São paralelas que não se encontram. Mas são paralelas. Eliot e os surrealistas, estes e aqueles escrevem sátira violenta contra o "Waste Land", porque acreditam numa realidade superior, espiritual; Eliot e o surrealismo, ambos a apresentam em língua hermética, como de outro mundo: em Eliot, é o mundo do classicismo; nos surrealistas, o mundo do romantismo. Essa diferença essencial baseia-se nos antecedentes da tradição literária dos quais ninguém pode fugir: na Inglaterra protestante e liberal, é heresia o classicismo anglo-católico; na França classicista, a revolução é sempre proclamada em nome do romantismo.

Evidentemente, não podia ser o romantismo já oficializado de Lamartine, Hugo e Musset, mas sim o "verdadeiro" romantismo de Nerval, que foi só então redescoberto e devidamente apreciado (e é significativo que Eliot citara Nerval, "le prince d'Aquitaine à la tour abolie", num dos últimos versos do *Waste Land*). Os surrealistas procuraram a árvore genealógica desse "verdadeiro romantismo" de Nerval; e encontraram-na no romantismo alemão,[261] no romantismo dos sonhos de Jean-Paul, Novalis, Arnim, E.T.A. Hoffmann, agora celebrados como precursores de Aragon, Breton e Eluard; e a esses românticos alemães associa Aragon *Alice in Wonderland*, de Lewis Carroll, a obra-prima do "nonsense" antivitoriano; que também é obra estudada com certa preferência pelos críticos anglo-americanos, discípulos de Eliot. A chave para a interpretação dos sonhos românticos é a psicanálise. Os vanguardistas de 1910 tinham febrilmente procurado a arte primitiva, na casa suburbana de Henri Rousseau, entre os negros da África. Os surrealistas descobrem outro primitivismo mais perto de nós, dentro de todos nós, no sonho, nos resíduos da infância. Mas não é a infância angélica dos falsos românticos, e sim aquela que em *Alice in Wonderland* sonhou oposição burlesca à sabedoria dos adultos; aquela infância na qual Freud descobrira a fonte de todas as perversões e aberrações e, eventualmente, de um niilismo sádico. Redescobre-se o Marquês de Sade. A literatura surrealista produz seus "horrores" por uma técnica particular, o "automatisme psychique", a "dictée de la pensée, en dehors de tout controle exercé par la raison, en dehors de toute préocupation esthétique et morale". Assim escrevera o demoníaco Lautréamont,[262] quase totalmente esquecido e agora descoberto pelos surrealistas; Soupault editou em 1917 os *Chants de Maldoror*. Com todo o esforço, os surrealistas mal podiam superar as blasfêmias, maldições, palavrões e gritos diabólicos de Lautréamont, possesso pelos espíritos noturnos; mas podiam superá-lo em fúria revolucionária. Lautréamont fora revolucionário militante, fazendo discursos nos comícios populares antes da Commune; os surrealistas declaram-se comunistas, pretendem destruir a sociedade burguesa que já perdeu todos os valores, para contribuir ao estabelecimento de uma nova ordem igualitária, na qual os subconscientes individuais se confundirão no subconsciente coletivo: "L'égalité totale de tous les êtres humains normaux devant le message subliminal." Desse modo, o surrealismo julga-se, já além do "nihilisme intellectuel" de Dada, um movimento construtivo, baseado de um lado na psicanálise de Freud e por outro lado na sociologia de Marx.

Nessa síntese psicanalítico-marxista do surrealismo culmina o conflito entre revolução individualista e revolução social que se encontra na base dos modernismos. Explica-se, assim, a confusão extrema dos programas e manifestos surrealistas, as dissensões permanentes e as apostasias, de tal modo que não é possível defini-lo; nem seria possível escrever-lhe a história. São as realizações que contam; mas estas são poucas.

Em 1920, o "nihilisme intellectuel" de Tzara fizera fracassar o projeto de André Breton de convocar em Paris um "Congrès de l'Esprit moderne". Foi o fim de Dada. Pouco depois, Breton e Soupault iniciaram os experimentos de automatismo psíquico; e em 1921 publicaram uma obra comum, resultado desses experimentos: *Les Champs magnétiques*. Em 1924, lançou Breton o *Manifeste du Surréalieme*; e no dia 1º de dezembro de 1924 começou a circular a revista *La Révolution surréaliste*. O barulho era enorme; os resultados eram magros. O surrealismo contou com dois poetas autênticos, Soupault e Eluard; mas a poesia de ambos não pode ser considerada uma realização do programa. Eluard[263] pertencerá a outro ciclo, o de uma nova "poesie pure". Soupault[264] veio de Dada; e guardou sempre o senso dos equívocos intencionais, como se a sua poesia fosse concebida em noite escura na qual os conceitos se confundem, produzindo resultados absurdos. Com efeito, grande senão a maior parte da poesia de Saupault é poesia noturna; vive num estado de tensão permanente, esperando a luz, o dia. Essa modalidade noturna de poesiaé pré-surrealista, pré-dadaísta, até simbolista:

> *Lentes ombres*
> *qui du fond de la nuit*
> *viennent à mon secuors*
> *Tout s'éteint dans le silence*
> *tout se tait pour la minute prévue*
> *je ferme les yeux*
> *il faut attendre encore...*

A poesia de Soupault é como se a poesia estática de Reverdy fosse posta em movimento; e esse movimento é extremamente musical, composto de contrapontos metafóricos que nunca antes se juntaram, sinais sensíveis do inefável. Soupault separou-se cedo do surrealismo ortodoxo, continuando a professar um surrealismo dissidente, individualista. Ninguém entre os surrealistas da primeira hora parecia-se mais com Rimbaud do que Soupault, com o "verdadeiro" simbolismo de Rimbaud, não com o "falso" simbolismo que ele detesta; e rimbaudianos são, com pureza poética menor, os poucos poetas não conformistas que se agruparam em torno de Soupault: Francis Gerard, Mathias Luebeck, que acabaram abandonando a poesia. Mas o mais radical dos rimbaudianos foi Artaud,[265] Ninguém lhe nega o talento poético, nem a alta ambição de penetrar até o fundo para surpreender a essência das coisas. Seja que a ambição fosse maior que a capacidade; seja que ao espírito humano fosse vedada essa última vitória: Artaud não conseguiu dizer o que suas visões lhe revelaram. Um autêntico "poète maudit", sofrendo de afasia. Sua fuga rimbaudiana foi para o México, onde desenterrou mitos, magias e rituais. Lançou, depois, as mais violentas e nada injustificadas maldições contra a sociedade contemporânea. Terminou a vida no manicômio. Seus amigos e adeptos o consideram gênio. Precisava de gênio para chegar até a fronteira além da qual não há literatura; a cuja história Artaud já não quis pertencer. Seus escritos teóricos sobre a renovação da arte teatral ainda não estão esgotados para a prática do teatro.

A outra modalidade do surrealismo, à maneira de Lautréamont, foi a porta de entrada de Aragon.[266] Em suas primeiras obras poéticas, o subconsciente expele o conteúdo da sua cloaca contra a sociedade, que é, por definição, antipoética; poesia grotesca e cínica, "poésie de griffonage d'urinoir". A mesma mentalidade ditou *Le Paysan de Paris*, que é, no entanto, a obra capital do primeiro surrealismo: a única na qual o programa de fusão da realidade mais trivial e mais feia com a realidade maravilhosa do sonho foi plenamente realizado. A segunda fase de Aragon é a das poesias propagandísticas *(Hourra l'Oural)* à maneira de Maiakovski e a dos sombrios romances parisienses que são as obras-primas do autor; sobretudo *Les beaux quartiers*: neles realizou Aragon a fusão do surrealismo e do comunismo. Terceira fase é a das poesias da Resistência em métrica tradicional, de grande efeito na época, mas sem valor permanente, e a dos volumosos romances em que Aragon pretendeu descrever, à maneira de Balzac ou Tolstoi, a decomposição da sociedade burguesa; e, enfim, o romance histórico *La Semaine Sainte* que foi sucesso literário surpreendente. Pela sua versatilidade, Aragon já conquistou o apelido de "Cocteau da esquerda".

Enquanto ainda existem surrealistas, não serão esquecidas as vítimas do movimento: Desnos,[267] virtuose verbal das palavras em liberdade absoluta, artista da "psychopathia sexualis", vítima dos nazistas como membro da Resistência; e Crevel,[268] que poderia ter sido o Radiguet do surrealismo e que acabou suicidando-se.

Fica o chefe: Breton,[269] chefe nato, pela energia, pela seriedade, pela honestidade intelectual que não lhe permite desvios nem transigências. O surrealismo deve-lhe a relativa coesão, como movimento, e todos os impulsos principais: o automatismo, a magia, o "merveilleux", o "humor noir". O que lhe parece faltar é a força criadora. Quanto às suas obras de colaboração com outros poetas, atribui-se a Soupault o romantismo fascinante dos *Champs magnétiques* e a Eluard o estranho encanto da *Immaculée Conception*. A maior parte das obras próprias de Breton, como *Poisson solubre*, que acompanhou o primeiro *Manifeste du Surréalisme*, não passa de "period pieces". Mas Breton, o teórico do sonho poético, é um autêntico poeta menor em seus momentos de um romantismo fantástico e fantasmagórico, como na novela *Nadja*, que sobrevive e sobreviverá, provavelmente, como documento de mentalidade Montparnasse de 1920.

O resultado é magro. O surrealismo não conseguiu criar uma literatura nova. À crítica negativa pode-se responder, porém, que o ciclo do surrealismo ainda não terminou. A história dos manifestos, adesões, apostasias e reagrupamentos ainda não está completa. E em pouco mais de quarenta anos de existência, o surrealismo já criou um novo clima da poesia europeia e americana. Muito daquilo que antes parecia experimento isolado ou audácia individual, é hoje técnica geralmente reconhecida e meio de expressão indispensável. O efeito do surrealismo sobre os não surrealistas é, por enquanto, mais importante do que o próprio surrealismo.

Sobretudo nos países anglo-saxônicos é notável essa repercussão indireta. Ao clima, mais do que a influência do surrealismo, deve-se a purificação da poesia do americano Aiken,[270] antigo decadentista que conseguiu afugentar as visões fúnebres e o erotismo doentio, embalando--se numa doce música do sonho. Representante característico de um surrealismo norte-americano é Nathanael West,[270-A] cujas obras *Miss Lonelyheart* e *The Day of the Locust*, sátiras ásperas e fantásticas da vida americana, conquistaram fama póstuma. Uma versão mais tipicamente anglo-saxônica dos novos "glissons" surrealistas é *Nightwood*, da americana Djuna Barnes,[270-B] que T.S. Eliot chegou a comparar à poesia elisabetiana. Ao surrealismo, converteu-se formalmente o inglês Read,[271] antigo poeta "georgiano" e eminente crítico das artes plásticas, lutando sempre na vanguarda. Descobriram-se antecipações do surrealismo na poesia do catalão Folguera,[272] elegíaco e grande artista da forma clássica na qual cristalizou experiências especificamente "suprarreais" de "exultación sonora", "presencia de la Mort" e "silenci vegetal". Um movimento paralelo ao surrealismo é o dos tchecos em torno de Nezval.[273] É poeta tão multiforme como Aragon. Explorou a fundo as vagas recordações da infância. Construiu, com grande elegância verbal e surpreendente riqueza metafórica, um panorama poético da sua cidade de Praga. Empregou a mesma arte barroca para compor grandes odes comunistas. Nezval sabe fazer tudo: "calligrammes" à maneira de Apollinaire, "féeries" à maneira de Breton, poesias deliberadamente absurdas, hinos à técnica moderna e profundas elegias fúnebres. Parece ter acabado na grandiloquência de uma poesia oficialmente tendenciosa.

No futuro, quando a perspectiva histórica terá reduzido várias distâncias cronológicas e geográficas que hoje nos parecem importantes, então a poesia hermética italiana da época fascista parecerá contemporânea, exatamente, do surrealismo. Assim, também, a poesia da exploração psicológica, nos poetas portugueses em torno da revista *Presença*, de Fernando Pessoa até José Regio, aparecerá como caso especial de poesia surrealista.

Nova Poesia Espanhola

Antes de tudo, o surrealismo será apreciado como fase de transição na evolução da poesia espanhola. Depois de ter sido renovada por Darío e Unamuno, e depois de já ter dado poetas de primeira ordem como Antonio Machado e Juan Ramón Jiménez, a poesia espanhola do século XX entrou numa época de florescimento multiforme do qual as antologias de Onis e Domenchina dão magnífico testemunho,[274] de modo que se pode afirmar sem exagero: a poesia de língua espanhola é por volta de 1920 e 1930 a primeira do mundo: por evolução autônoma e por se ter aberto a benéficas influências estrangeiras. Antes de 1920, o criacionismo e o ultraísmo representavam as formas espanholas de futurismo e dadaísmo. Mas não venceram, porque o poeta mais influente da época, Juan Ramón Jiménez, já tinha encontrado o caminho da "poésie pure", no qual lhe seguirá uma geração inteira de poetas jovens, os juanramonistas;[275] destes se separam dois poetas maiores, Jorge Guillén[276] e Salinas,[277] aparentados, pelo seu conceito da poesia com o neogongorismo; influências gongoristas notam-se em todos os poetas da época, tanto em Guillén como em García Lorca e Rafael Alberti. Em alguns casos, um gongorismo temporário só serviu como fermento de evolução: assim em Moreno Villa,[278] cuja carreira poética é um resumo da evolução da poesia espanhola moderna. Por natureza, esse andaluz robusto é da estirpe de Antonio Machado; mas estreou como juanramonista, poeta sutil, cada vez mais hermético e mais abstrato, elaborando fórmulas gongoristas, aproximando-se da exploração surrealista dos abismos da alma, até encontrar o caminho da poesia popularista, chegando a escrever "coplas" de sabedoria proverbial e música sugestiva. Nada mais significativo do que alguns títulos de volumes desse poeta: *Evoluciones* chama-se um, e outro: *Puentes que no acaban*.

O popularismo é o contrapeso do neogongorismo. Às sutilidades extremas da poesia neobarroca opõem-se as expressões simples, até as expressões simplistas e infantis da poesia popular. Entre esses dois polos situa-se o "intermezzo" do surrealismo espanhol.

O representante mais autêntico do popularismo na poesia é Villalón,[279] poeta "costumbrista" de Andaluzia, cantor das tauromaquias; mas era alto aristocrata, de sensibilidade literária requintada. Villalón é folclorista, mas nunca homem do povo. Repara-se que todos os poetas popularistas são andaluzes. Sugere-se a possibilidade da origem puramente literária daquele popularismo, seja por meio da poesia "proverbial" do andaluz Antonio Machado, seja por meio da poesia regionalista do andaluz Manuel Machado. O próprio Rafael Alberti, poeta popularista e, depois, socialista, dizia: "El Romancero General, el cancionero de Barbieri y sobre todo Gil Vicente fueron mis primeros guías... Nada o muy poco tiene que ver mi poesía primera con el Pueblo." A raiz do primitivismo literário não é, de modo algum, a imitação de poesia ou arte primitiva, o que seria naturalismo; mas o primitivismo é, em toda a parte, deliberadamente antinaturalista, na pintura de Henri Rousseau assim como no estilo neogótico do expressionismo alemão. É preciso lembrar a tese de Worringer sobre a relação entre primitivismo e angústia na arte medieval e dos negros.[280] A angústia é o traço característico da poesia popularista de García Lorca; mas em estilo hermético aparecem no último livro de García Lorca, *Poeta en Nueva York*, os temas sociais da sua poesia. A poesia política anarquista ou socialista, de muitos poetas espanhóis contemporâneos, não é, como se podia supor, a conclusão direta da poesia popularista dos mesmos poetas; interpõe-se uma fase surrealista. Mas a esta os poetas espanhóis não chegaram diretamente pela imitação de modelos franceses, e sim por intermédio de uma fase gongorista.

O neogongorismo espanhol[281] foi, no início, um movimento de filólogos e críticos: reabilitação e reinterpretação de um grande poeta que fora desprezado e caluniado pela rotina dos acadêmicos e críticos incompreensíveis. O mexicano Alfonso Reyes foi dos primeiros; seguiram-lhe Miguel Artigas e José María de Cossío; e, enfim, Dámaso Alonso[282] deu a sua magnífica edição das *Soledades*. Alonso, juanramonista no começo, também foi dos primeiros que imitaram a Góngora, realizando algumas poesias de pureza e condensação notáveis. Desde então, quase nenhum poeta espanhol escapou ao neogongorismo; o próprio Rafael Alberti teve a audácia de compor uma *Soledad tercera*. O maior dos neogongoristas é Gerardo Diego,[283] que chegou a organizar, em 1927, uma *Antologia poética en honor de Góngora*, ao lado de uma antologia da poesia espanhola contemporânea. Diego é um poeta de muita versatilidade, que chegou a transformar o vanguardista radical em neoclassicista. Diego já foi juanramonista; já imitou a poesia castelhana de Antonio Machado, já acertou da maneira mais segura o tom da poesia popular. Começou como ultraísta, para acabar como sonetista tradicional. No meio dessa carreira vertiginosa há uma fase gongorista, culminando na *Fábula de Equis y Zeda*, seguida de uma fase surrealista das mais audaciosas. Alberti também aderiu ao gongorismo para abandoná-lo depois, de modo que o movimento não parece passar de uma moda efêmera. Mas não é tanto assim. O neogongorismo espanhol coincide exatamente com a redescoberta de Donne e o "donnismo" na Inglaterra; e, mais, com a reabilitação da poesia barroca alemã — Gryphius, Hofmannswaldau — por Benjamin e Cysarz, e com a reabilitação dos poetas "précieux" franceses do século XVII por Bremond. Bahr, Sacheverell Sitwell e D'Ors inauguraram uma verdadeira moda internacional do Barroco; e embora houvesse muito jornalismo superficial nesse movimento, não se deve o sucesso dos propagandistas à conspiração de uma clique. A poesia moderna, mesmo quando longe de imitar estilos históricos, revela analogias surpreendentes como a poesia barroca. Em Góngora, na "metaphysical poetry" de Donne e Herbert, nos poetas da "escola silesiana", no preciosismo dos marinistas italianos e franceses nota-se o choque violento das metáforas que substituem os termos próprios, conseguindo-se assim uma completa transfiguração lírica da realidade; e a poesia moderna não faz outra coisa senão deformar a realidade objetiva e sintática para chegar ao mesmo fim. Poucas antologias da poesia espanhola moderna deixam de incluir o seguinte poema, altamente significativo, de Dámaso Alonso:

> *Esta es la nueva escultura:*
> *Pedestal, la tierra dura.*
> *Ambito, los cielos frágiles.*
> *El viento, la forma pura,*
> *Y el sueño, los paños ágiles.*

Nesse poema, uma série de metáforas gongoristas exprimem da maneira mais exata o espírito da arte "moderna": a função demiúrgica da poesia, a onipotência das imagens, satisfazendo desejos infantis e primitivos, a lógica do sonho. É pleno surrealismo. Em conclusão, pode-se afirmar: o neogongorismo foi o caminho especialmente espanhol para chegar ao surrealismo. Este já estava presente, em germe, na poesia popularista — dão testemunho disso as angústias tremendas e o grande papel do sonho em *O Romancero gitano* e no *Poema del Cante Jondo*, de García Lorca —, assim como é pré-surrealista certa arte gótica dos primitivos. Existem analogias evidentes entre a mentalidade barroca e a mentalidade do século XX. O surrealismo, que é a poesia barroca dessa época neobarroca, pode evoluir na direção da "poésie pure", como a poesia mística do século XVII; ou, então, pode chegar às afirmações diretas de uma poesia revolucionária. Assim com Eluard e Aragon, assim como T.S. Eliot e, por outro lado, Spender e seus camaradas, os jovens poetas espanhóis percorreram esse caminho até o fim, amargo ou vitorioso.

Lorca e Alberti

García Lorca[284] é o mais famoso dos poetas espanhóis contemporâneos. Antonio Machado e Juan Ramón Jiménez pertencem à geração anterior. Quanto aos novos, este ou aquele crítico pode preferir Jorge Guillén ou Alberti; contudo, García Lorca é, sem dúvida, o mais inspirado e o mais completo de todos. Mas não a este fato ele deve a glória. Duas vezes, o seu nome conquistou o mundo: primeiro, a propósito da poesia pitoresca e colorida de *Romancero gitano*, do qual saíram, ainda em vida do poeta, entre 1928 e 1936, nada menos que sete edições; foi, além disso, o primeiro livro de poesia espanhola desde a Renascença que foi traduzido para outras línguas e fez sensação em Paris. Depois, quando, nos primeiros dias da contrarrevolução na Espanha, o poeta foi assassinado. Desde então, o nome de García Lorca tornou-se símbolo de revolução poética e poesia revolucionária. Mas García Lorca é muito mais do que um poeta folclórico-pitoresco; e, embora fosse partidário da República Espanhola, são raríssimos na sua obra os versos de significação política. A morte do poeta parece ter sido menos um ato de ação deliberadamente contrarrevolucionária do que de brutalidade estúpida; não caracteriza o destino do poeta, mas a fatalidade dos seus assassinos. A verdadeira "causa mortis" foi o inconformismo do poeta; esse inconformismo que é proverbialmente espanhol. Nesse sentido, García Lorca foi, embora homem de alta cultura literária, um filho típico do povo espanhol: o poeta de *Romancero gitano*, o poeta popular de Sevilla —

> *Oh ciudad de los gitanos!*
> *Quién te vió y no te recuerda!*
> *Que te busquen en mi frente.*
> *Juego de luna y arena.*

Por mais bonitos que sejam esses versos, certos críticos não se conformam com o sucesso dessa poesia que lhes parece pitoresca, superficial, anedótica: "cromo" fácil. Enquanto os admiradores de García Lorca teimam em considerar o *Romancero gitano* como "retrato" poético da Andaluzia, é difícil responder àquelas restrições. A verdadeira medida do livro resulta, porém, da comparação com os dramas rústicos de García Lorca, sobretudo com a tragédia *Bodas de Sangre*. Pedro Salinas apontou, com razão, a estilização da vida camponesa nesses dramas; a poesia "popular" e "primitiva" de García Lorca não é literalmente "popular" ou "primitiva". É produto de certa "filosofia": o do "hombre natural", de que é o representante mais perfeito o cigano; por isso dedicou Lorca aos ciganos seu livro de versos, que não é "retrato" da Andaluzia, mas a transfiguração musical daquela "filosofia"; para tanto, o poeta adotou conscientemente os processos de adaptação do folclore musical, do seu admirado amigo De Falla. Os homens primitivos, nos versos e nas peças de Lorca, não são só camponeses, ciganos de Andaluzia. Lembrou-se, a propósito de *Bodas de Sangre*, uma outra tragédia rústica: *Riders to the Sea*, de Synge; o ambiente poético é o mesmo. O estilo é aparentado. Synge falara da combinação de elementos naturalistas e elementos simbolistas na arte moderna. Naturalista, na peça de Synge e na peça de García Lorca, é o fatalismo sombrio; mas é justamente este que, no espanhol, se reveste de expressões não naturalistas e nada regionalistas, expressões simbólicas e às vezes já herméticas. O crítico inglês Hendry quis reconhecer na angústia trágica de García Lorca um eco longínquo da

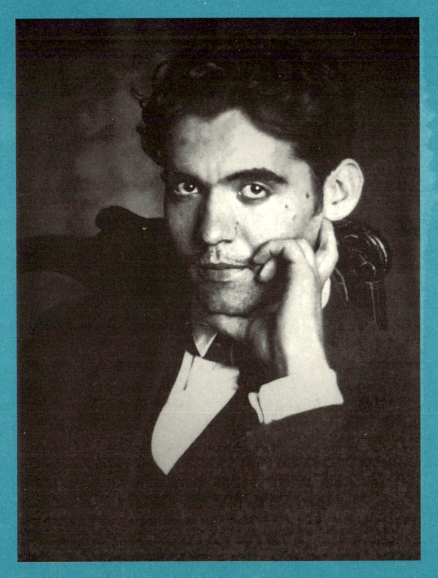

Federico García Lorca

catástrofe de 1898; com igual ou maior razão podem suas tragédias ser interpretadas como profecias da tragédia espanhola de 1936, da grande Tragédia Espanhola de ódio e sangue. O poeta-profeta não pode falar em afirmações diretas. Só pode aludir. O recurso para tanto é o estilo de "alusão" e "elusão" do poeta que Lorca estudara tanto: o estilo de Góngora. E García Lorca também falou em alusões gongoristas:

> *Córdoba.*
> *Lejana y sola.*

O neogongorismo de García Lorca chega ao auge em seu último volume, *Poeta en Nueva York*; em odes complicadas e obscuras, o poeta exprime o seu horror diante dos artifícios detestáveis e até nojentos da civilização técnica de grande cidade, a *Ciudad sin sueño*; sobretudo os matadouros enormes sugerem-lhe visões apocalípticas de sangue e putrefação. Ao artifício da civilização, que escraviza o homem, García Lorca opusera o homem livre, o "hombre natural", fora das convenções da sociedade: o cigano. Aos ciganos andaluzes, não aos próprios andaluzes, estava dedicado o *Romancero gitano*, e lembra-se de que Góngora, depois de ter celebrado nas *Soledades* o estado natural da humanidade, também gostava de fazer canções de ciganos. É como um derivativo do homem que vive em angústia; afinal, a poesia mais famosa do *Romancero gitano* é aquela que descreve a perseguição implacável dos ciganos livres pelas forças da autoridade estabelecida: o *Romance de la Guardia Civil Española*. *Romancero gitano* é um livro pitoresco, mas revela pouco da proverbial alegria mediterrânea. É um livro sombrio, patético, em que se trata de violência, assassinatos, violação, tragédias do sexo e do sangue. Observou-se bem que García Lorca é um poeta sombrio, e que o sangue exerce sobre ele uma espécie de obsessão. Dessas visões, o poeta gosta de fugir para as recordações da infância, imitando com virtuosidade o tom das canções infantis, como no famoso *Romance de la Luna Luna*. Mas as suas recordações de infância também são sombrias, até sinistras, sempre interrompidas pelo doloroso "Ay! Ay" do menino desamparado; e esse "Ay! Ay!", repetido como uma "idée fixe", é o "leitmotiv" do *Poema del Cante Jondo*: ainda poesia popularista, mas todo noturna, hermética assim como é hermético o infantilismo intencional dos surrealistas. García Lorca chegara, por meio do gongorismo, ao surrealismo. Surrealista é o drama enigmático *así que pasen cinco años*. Surrealista é a expressão definitiva da sua angústia social, no *Poeta en Nueva York*, em poesias como *Ciudad sin sueño, Nocturno del Hueco, Nueva York: Oficina y Denuncia*. E todas as visões americanas são apagadas pelo eco do "llanto inmenso — no se oye otra cosa que el llanto":

> *Oh, pueblo perdido*
> *en la Andalucía del llanto!*

García Lorca escreveu, no fim da sua curta vida, "otro llanto inmenso": *o Llanto por la muerte de Ignacio Sánchez Mejías*. Neste maior dos seus poemas volta a obsessão do sangue derramado:

> *No.*
> *Yo no quiero verla!!*

Mas a tragédia do toureiro esmagado já estava musicalmente transfigurada pela música do refrão: "A las cinco de la tarde"; e a elegia acaba na música de um "recuerdo triste por los olivos". Desde este momento, a poesia de García Lorca esclarece-se de uma maneira "mediterrânea". Na *Oda a Salvador Dalí* ocorre-lhe a imagem serena de

> *... la mar poblada con barcos y marinos —*

— é como se um agonizante chegasse a ver o céu aberto. A última palavra da poesia de García Lorca é a *Oda al Santísimo Sacramento del Altar*, com o final que em versos de metrificação disciplinada mata a angústia:

> *Mundo, ya tienes meta para tu desamparo.*
> *Para tu horror perenne de agujero sin fondo.*
>
> *Oh, Cordero de tres voces iguales!*
> *Sacramento inmutable de amor y disciplina!*

Rafael Alberti,[285] embora nunca obtivesse a ressonância internacional de García Lorca, não tem importância histórica menor. Seu caminho foi mais tortuoso. Sua obra é, graças à sua engenhosa virtuosidade verbal, um resumo da história da poesia espanhola moderna. Na poesia folclórica encontrou Alberti, precoce, a primeira oportunidade para exercer suas faculdades imitativas, imitando não apenas os poetas antigos que ele mesmo citou, mas também a García Lorca, com felicidade particular o tom infantil do companheiro:

> *Pirata de mar y cielo,*
> *si no fuí ya, lo seré...*

Parecia tão destinado a ser um novo Garciloso, embora nada aristocrático. Um "Garciloso para o povo". O gongorismo da *Soledad tercera* parecia mero "intermezzo"; mas foi a fase indispensável de transição para o surrealismo do volume *Sobre los ángeles*. O livro não é nada "angélico" no sentido tradicional da palavra: apresenta um mundo deserto, frio, cheio de objetos destroçados e absurdos, "espanto de tinieblas sin voces", como nos quadros surrealistas de Salvador Dalí, amigo do poeta. Nesse deserto frio aparece o

> *Angel de luz, ardiendo,*
> *oh, ven!, y con tu espada*
> *incendia los abismos donde yace*
> *mi subterraneo ángel de las nieblas;*

e aparecem o "Angel Bueno", o "Angel del Misterio", o "Angel de los Números", todo um exército de "espíritus de seis alas", ressurreição feliz de um mundo poético que Rilke e Cocteau não esgotaram, e que fascinará os jovens poetas de dois continentes. Os anjos de Alberti, embora descendentes dos anjos de Cocteau, já foram comparados aos de Blake; e pode-se apresentar que o visionário Blake também foi revolucionário. Alberti, ao por-se "al servicio de la revolución española y del proletariado universal", saiu do hermetismo surrealista: para o whitmanianismo do volume anti-imperialista *13 bandas y 48 estrellas. Poema del mar Caribe*; e para a poesia propagandística de *De un momento a otro*, já sem estilo definido. No exílio, depois da desgraça, Alberti passou por uma fase de poesia caricatural, goyesca, e outra, de violência trágica. Seus últimos volumes revelam, sem que o poeta renunciasse à sua ideologia, a procura de disciplina clássica. Para ele também, o ciclo da revolta modernista está encerrado.

NOTAS

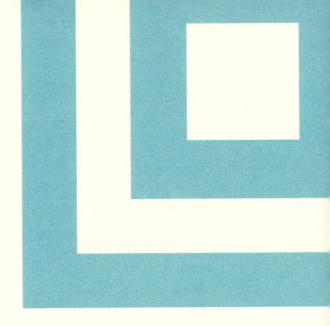

1) F. Dulberg: *Der Imperialismus im Lichte seiner Theorien.* Basel, 1936. J. Schumpeter: *The Sociology of imperialism.* Nova York, 1955.
2) Frank Wedekind, 1864-1918. *Fruehlings Erwachen* (1891); *Erdgeist* (1897); *Der Marquis von Keith* (1900); *Der Kammersaenger* (1900); *Mine-Haha* (1900); *So ist das Leben* (1901); *Die Buechse der Pandora* (1903); *Hidalla* (1904); *Totentanz* (1905); *Musik* (1906); *Zensur* (1907); *Daha* (1908); *Schloss Wetterstein* (1910); *Franziska* (1911); *Simson* (1913); *Herakles* (1917). Edição (incompleta) pelo autor, 6 vols. Munique, 1912-1914. Edição de obras escolhidas por F. Strich, 5 vols. Munique, 1923. P. Fechter: *Frank Wedekind.* Leipzig, 1920. A. Kutscher: Frank Wedekind. 3 vols. Munique, 1922-1931.F. Gundolf: *Frank Wedekind*, 2.ª ed. Frankfurt, 1956.
3) Cf. "O Equilíbrio europeu", nota 227.
4) Gustav Sack, 1885-1916. *Ein verbummelter Student* (1917); *Ein Namenloser* (1919). Edição completa (com introdução por H. W. Fischer) por G. Sack, 2 vols., Berlim, 1920.
5) Carl Sternheim, 1881-1942. *Die Hose* (1911); *Die Kassette* (1912); *Buerger Schippel* (1912); *Der Snob* (1913); *1913* (1914); *Chronik von des Zwanzigsten Jahrhunderts Beginn* (1918); *Europa* (1919); *Berlin oder Juste Milieu* (1920); *Schuhlin* (1927) etc. *Dramen*, edit. por W. Emrich, 3 vols., Neuwied, 1964. F. Eisenlohr: *Carl Sternheim, der Dramatiker und seine Zeit.* Munique, 1926.
6) René Schickele, 1883-1940. *Schreie auf dem Boulevard* (1913); *Benkal, der Frauentroester* (1914); *Hans im Schnakenloch* (1915); *Mein Herz, mein Land* (1919); *Das Erbe am Rhein* (1925-1927); *Die Flaschenpost* (1937); Rainer Schickele: "René Schickele" (In: *Books Abroad*, XV, 1941.)
7) Hermann Hesse, 1877-1962. *Hermann Lauschers hinterlassene Schriften* (1901); *Gedichte* (1902); *Peter Camenzind* (1904); *Unterm Rad* (1906); *Gertrud* (1910); *Unterwegs* (1911); *Die Rosshalde* (1914); *Demian* (1919); *Siddharta* (1922); *Der Steppenwolf* (1927); *Narziss und Goldemund* (1930); *Neue Gedichte* (1937); *Das Glasperlenspiel* (1943). Edição completa, 6 vols., Frankfurt, 1950. H. Ball: *Hermann Hesse.* Berlim, 1927. H.R. Schmid: *Hermann Hesse.* Munique, 1928. M. Schmid: *Hermann Hesse. Weg und Wandlung.* Zurique, 1947. R. Matzig: *Hermann Hesse.* Strettgart, 1949. H. Levander: *Hermann Hesse.* Estocolmo, 1950. G. Hafner: *Hermann Hesse. Werk und Leben.* Nurenberg, 1954.

8) AndréGide, 1869-1951. *Les Cahiers d'André Walter* (1891); *Traité du Narcisse* (1891); *Paludes* (1895); *Les Nourritures Terrestres* (1897); *L'Immoraliste* (1902); *Prétextes* (1903); *La porte étroite* (1909); *Corydon* (1911); *Le retour de l'enfant prodigue* (1912); *Les Caves du Vatican* (1914); *La Symphonie Pastorale* (1919); *Dostoiévsky* (1923); *Les Faux-Monnayeurs* (1926); *Si le grain ne meurt* (1926); *Le Journal des Faux-Monnayeurs* (1926); *Num quid et tu?* (1926); *Voyage au Congo* (1927); *L'École des Femmes* (1929); *Nouvelles Nourritures* (1936); *Retour de l'U.R.S.S.* (1936); *Journal* (1940). Edição por L. Martin-Chauffier, 15 vols., Paris, 1932-1939. G. Gabory: *André Gide, son oeuvre*. Paris, 1924. P. Souday: *André Gide*. Paris, 1927. R. Lalou: *André Gide*. Strasbourg, 1928. Ch. Du Bos: *Dialogue avec André Gide*. Paris, 1929. F. Fernandez: *André Gide*, Paris, 1931. L. Pierre-Quint: *André Gide, sa vie, son oeuvre*. Paris, 1933. CI. Mann: *André Gide and the Crisis of Modern Thought*. Nova York, 1942. P. Archambault: *Humanité d'André Gide*. Paris, 1946. Van Meter Ames: *André Gide*. Norfolk, Conn., 1947. L. Thomas: *André Gide. The Ethic of the Artist*. Londres, 1950. R.M. Albérès: *L'Odyssée d'André Gide*, Paris, 1951. A.J. Guérard: *André Gide*, Cambridge, Mass. 1951. J. O'Brien: *Portrait of André Gide. A Critical Biography*. Londres, 1953. R. Lafille: *André Gide, romancier*. Paris, 1954. R. Mallet: *Une mort ambigue*. Paris, 1955.

9) Raymond Radiguet, 1903-1923. *Le diable au corps* (1923); *Le bal du comte d'Orgel* (1924). J. Cocteau: *"Prefácio" de Le bal du comte d'Orgel*. Paris, 1924. K. Goesch: *Raymond Radiguet*. Paris, 1956.

10) Vincent Muselli, 1879-1963. *Les Travaux et les Jeux* (1914); *Poésies légères* (1927); *Oeuvres* complètes (1944).

11) John-Antoine Nau, 1860-1918. *Au seuil de l'Espo*ir (1897); *Hiers bleus* (1904); *En suivant les Goëlands* (1914). *Hommage à John-Antoine Nau* (*Les Belles-Lettres*, número especial, abril de 1921).

12) Cf. "O Equilíbrio europeu", nota 127.

13) Paul-Jean Toulet, 1867-1920. *Les Contrerimes* (1921); *Vers inédits* (1936). H. Martineau: *Vie de Toulet*. Paris, 1921. J. Dyssord: *L'aventure de Paul-Jean Toulet*. Paris, 1928. F. Carco: *Amitié avec Toulet*. Paris, 1934. P. O. Walzer: *Paul-Jean Toulet. L'Oeuvre, l'écrivain*. Paris, 1949. P. O. Walzer: *Paul-Jean Toulet*. Paris, 1954.

14) Tristan Derème (pseudônimo de Philippe Huc), 1889-1942. *Les ironies sentimentales* (1909); *La Flûte fleurie* (1913); *La Verdure dorée* (1922); *Le Zodiaque ou les Étoiles sur Paris* (1927); *Poèmes des Colombes* (1929); *Caprices* (1930). L. Dubech: *Les chefs de file de la Jeune Génération*. Paris, 1925.

15) Jean Pellerin, 1885-1920. *La Romance du Retour* (1921); *Le Bouquet inutile* (1923).

16) M. Raymond: "Le mariage de l'ancienne et de la nouvelle esthétique" (Cap. VII de: *De Baudelaire au Surréalisme*, 2.ª ed., Paris, 1940.)

17) Cf. "O Equilíbrio europeu", nota 134.

18) Cf. "O Simbolismo", nota 20.

19) Alfredo Panzini, 1863-1939. *La Lanterna di Diogene* (1907); *Le fiabe della virtù* (1911); *Santippe* (1914); *Viaggio d'un povero letterato* (1915); *Io cerco moglie* (1920); *Il padrono sono me* (1922). R. Serra: "Alfredo Panzini" (In: *Romagna*, VII, 1910, reimpresso In: *Scritti*, vol. I, Florença, 1938). G. Mormino: *Alfredo Panzini nelle opere e nella vita*. Milão, 1937. G. Boldini: *Panzini*. Roma, 1941.

20) Alfred Jarry, 1873-1907. *Ubu Roi* (1896); *Ubu Enchaîné* (1900); *Messaline* (1901); Le SurMale (1902); *Gestes et opinions du Dr. Faustroll*, pataphysicien (1911); Edição de Ubu Roi, por J. Saltas, Paris, 1921; Oeuvres, Lausanne, 1950. P. Chauveau: *Alfred Jarry ou La naissance, la vie et la mort du Père Ubu*. Paris, 1932. F. Lot: Alfred Jarry, *son oeuvre*. Paris, 1934. A. Lebois: *Alfred Jarry, l'irremplacabl*e.Paris, 1951.

21) C. Pavolini: *Cubismo, Futurismo, Expressionismo*. Bologna, 1926.

22) Filippo Tommaso Marinetti, 1878-1944. *La conquête des étoiles* (1902); *Déstruction* (1904); *La bataille de Tripoli* (1911); *Le Futurisme, theories et mouvement* (1911); *Le Monoplan du Pape* (1912); *Guerra, sola igiene del mondo* (1915); *Lussuria — velocità* (1920); *L'Aeropoema del Golfo dela Spezzia* (1935) etc. C. Pavolini: *Marinetti*. Roma, 1924. A. Bellonzi: *Marinetti*, Pisa, 1929. E. D'Arrigo: *Il poeta futurista Marinetti*. Roma, 1937. A. Niviani: *Il poeta Marinetti e il Futurismo*. Roma, 1940.

23) Cf. "O Simbolismo", nota 80.

24) Cf. "O Equilíbrio europeu", nota 173.

25) Ardengo Soffici, 1879-1964. *Lemmonio Boreo* (1912); *Arlecchino* (1914); *Giornale di Bordo* (1915); *BÏF§ZF+18, Simultaneità, Chimismi lirici* (1915); *Kobilek* (1918); *Statue e fantocci* (1919); *Elegia dell'Ambra* (1927); *Taccuino di Arno Borghi* (1933), etc. G. Prezzolini: "Ardengo Soffici". (In: *Amici*. Florença, 1922.) G. Papini: *Ardengo Soffici*. Milão, 1933.

26) Luciano Folgore (pseudônimo de Omero Vecchi), 1888-1966. *Canto dei motori* (1912); *Fonti sull'Oceano* (1914); *Città veloce* (1919); *Poeti controluce* (1922) etc. F. Flora: *Dal Romanticismo al Futurismo*. Piacenza, 1921.

27) G. Tasteven: *Futurismo*. Petersburgo, 1914.

28) Viktor Viktorovitch Khlebnikov, 1885-1922. *Coleção de poemas*, 1907-1914 (1914); *Segunda coleção de poemas* (1914); *A morte na trincheira* (1921). R. Jakobson: *Nova poesia russa*. Praha, 1921. (Em russo.)

29) Cf. nota 123.

30) V.Y. Ivchenko: *Le Ballet contemporain*. Paris, 1912. N. Svetlov: *Le Ballet contemporain*. Paris, 1913.

31) M. Raymond: *De Baudelaire au Surréalisme*. 2.ª ed. Paris, 1940. G. Lemaitre: *From Cubism to Surrealism in French Literature*. Cambridge, Mass., 1941.

32) Guillaume Apollinaire (pseudônimo de Wilhelm Apollinaris de Kostrowitzky), 1880-1918. *L'Hérésiarque et Cie.* (1910); *Le Bestiaire ou Cortège d'Orphée* (1911); *Les peintres cubistes* (1912); *Alcools* (1913); *Les Mamelles de Tirésias* (1918); *Calligrammes* (1918); *La femme assise* (1920); *Anecdotiques* (1926); *Le Guetteur mélancolique* (1952). Edições das poesias por M. Adéma e M. Décaudin, Paris, 1956. A. Billy: *Apollinaire vivant*. Paris, 1923. Ph. Soupault: *Guillaume Apollinaire ou les reflets de l'incendie*. Paris, 1927. H. Fabureau: *Guillaume Apollinaire* Paris, 1933. E. Aegerter: *Guillaume Apollinaire et les destins de la poésie*. Paris, 1937. E. Aegerter e P. Labracherie: *Guillaume Apollinaire*. Bern, 1944. G. Giedion-Welcker: *Die neue Realitaet bei Guillaume Apollinaire*. Bern, 1944. A. Rouveyre: *Apollinaire*. Paris, 1945. M. Adéma: *Guillaume Apollinaire le mal-aimé*. Paris, 1952. P. Marinotti: *Il sole in faccia. Guillaume Apollinaire e la realtà della nuova estetica*. Milão, 1954. P. Pia: *Apollinaire par lui-même*. Paris, 1954. F. Steegmuller: *Apollinaire, Poet among the Painters*. Londres, 1964.

33) Max Jacob, 1876-1944. *Saint Matorel* (1909); *Les oeuvres mystiques et burlesques de Frère Matorel* (1911); *Le cornet à dés* (1917); *La défense de Tartuffe* (1919); *Le Laboratoire central* (1921); *Art poétique* (1922); *Les visions infernales* (1924); *Les Pénitents en maillots roses* (1925) etc. H. Fabureau: *Max Jacob, son oeuvre*. Paris, 1935. A. Billy: *Max Jacob*. Paris, 1946. J. Rousselot: *Max Jacob*. Paris, 1956.

34) Pierre Reverdy, 1889-1960. *Poèmes en prose* (1915); *La lucarne ovale* (1916); *Les Ardoises du Toit* (1918); *Étoiles peintes* (1921); *Cravates de chauvre* (1922); *Épaves du ciel* (1924); *Écumes de la mer* (1925); *Sources du vent* (1930); *Pierres blanches* (1931); *Ferraille* (1937); *Plupart du temps* (1945); *Main d'oeuvre* (1950). M. Raymond: "Dada" (Cap. XIV de: *De Baudelaire au Surréalisme*. Cf. nota 30). G. Lemaitre: "Cubism" (Cap. III de: *From Cubism to Surréalisme* Cf. nota 30). E. Stojkovic: *L'Oeuvre poétique de Pierre Reverdy*. Padova, 1951. Mercure de France. Número especial, edit. por J. Saillet (publ. como livro, Paris, 1962).

35) Léon-Paul Fargue, 1878-1947. *Tancrède* (1895); *Poèmes* (1912); *Pour la Musique* (1914); *Banalité* (1928); *Espaces* (1929); *Sous la Lampe* (1930); *D'après Paris* (1931); *Le Piéton de Paris*, (1939). Y. Gandon: "Léon-Paul Fargue ou Le style au second degré" (In: *Le démon du style*. Paris, 1938). A. Beucler: *Vingt ans avec Léon-Paul Fargue*. Paris, 1952. S.V. Schub: *Fargue, sa vie, son oeuvre*. Paris, 1952. E. de la Rochefoucauld: *Léon-Paul Fargue*, Paris, 1959.

36) Pierre-Jean Jouve, 1887-1976. *Présences* (1912); *Vous êtes des hommes* (1915); *Tragiques* (1923); *Les Noces* (1928); *Sueur de Soung* (1933); *La scène capitale* (1935). *Résurrection des morts* (1938); *Chevaliers d'Apocalypse* (1939). *Le Don Juan de Mozart* (1942). Número especial dos *Cahiers du Sud*, CLXXXII, abril de 1939. J. Starobinski e outros: *Pierre-Jean Jouve, poète et romancier*. Neuchâtel, 1946.

37) André Salmon, 1881-1969. *Les Féeries* (1907); *Le Calumet* (1910); *Prikaz* (1919); *Le Livre et la Bouteille* (1920); *Ventes d'amour* (1921); *L'Age de l'Humanité* (1921); *Odeur de poésie* (1944). M. Cowley: "André Salmon and His Generation" (In: *Bookman*, LVI, 1923). M. Martin Du Gard: "André Salmon" (In: *Les Nouvelles Littéraires*, abril de 1925).

38) Cf. nota 260.

39) Blaise Cendrars, 1887-1961. *Séquences* (1912); *Pâques* (1912); *La prose du Transsibérien* (1913); *Profond aujourd'hui* (1917); *19 poèmes élastiques* (1919); *Du monde entier* (1919); *Kodak* (1924); *Moravagine* (1926) etc. T. Levesque: *Blaise Cendrars*. Paris, 1948. L. Parrot: *Blaise Cendrars*. Paris, 1948. J. Rousselot: *Blaise Cendrars*. Paris, 1955.

40) Aldo Palazzeschi, 1885-1974. *Poemi* (1909); *L'Incendiario* (1910); *Il codice di Perela* (1911); *Poesie* (1925); *Stampe dell'Ottocento* (1932); *Le Sorelle Materassi* (1934); *I Fratelli Cuccoli* (1948). A. Tilgher: "Aldo Palazzeschi" (In: *Ricognizioni*. Roma, 1924). G. Papini: *Stroncature*. 6.ª ed. Florença, 1924. Cl. Varese: *Cultura letteraria contemporanea*. Pisa, 1951.

41) Umberto Saba, 1883-1957. *Poesie* (1911); *Il Canzoniere* (1921); *Figure e Canti* (1926) *Tre composizioni* (1933); *Mediterranee*. (1947). G.A. Borgese: "Umberto Saba" (In: *La Vita e il Libro*, vol. III. Torino, 1913). P. Pancrazi: "Umberto Saba" (In: *Venti uomini*. Florença, 1922). G. De Benedetti: "Umberto Saba" (In: *Saggi critici*. Florença, 1929). A. Consiglio: *Studi di poesia*. Florença, 1934. F. Longobardi: "Umberto Saba" (In: *Belfagor* III, 1948).

42) Clemente Rebora, 1885-1957. *Canti anonimi* (1922); *Poesie religiose* (1936); *Curriculum vitae* (1956). G. Contini: "Clemente Rebora" (In: *Esercizi di lettura*. Florença, 1947).

43) Vincenzo Cardarelli, 1887-1959. *Prologhi* (1916); *Viaggi nel tempo* (1921); *Poesie* (1942, 1948). P. Pancrazi: *Ragguagli di Parnaso*. Bari, 1920. G. Contini: "Il caso Cardarelli" (In. *Esercizi di lettura*. Florença, 1947).

44) Cf. Tendências contemporâneas.

45) Emilio Cecchi, 1884-1966. *Pesci rossi* (1920); *L'osteria del cattivo tempo* (1927); *Qualque cosa* (1931); *Corse al trotto* (1937) etc. G. Ravegnani: *I contemporanei*. Torino, 1930. A. Gargiulo: "Emilio Cecchi" (In: *Nuova Antologia*, CCCXC, 1937).

46) Giovanni Comisso, 1895-1969. *Al vento dell'Adriatico* (1928); *Gente di mare* (1929).

47) Massimo Bontempelli, 1878-1960. *Viaggie scoperti* (1922); *Eva ultima* (1923); *La vita e la morte di Adria e dei suoi figli* (1930); *Il figlio di due madri* (1933); *Giro del sole* (1940). C. Bo: *Massimo Bontempelli*. Padova, 1943.

48) Camillo Sbarbaro, 1888-1967. *Resine* (1911); *Pianissimo* (1914); *Liquidazione* (1928). G. Boine: *Plausi e Botte*. Florença, 1918.

49) Dino Campana, 1885-1932. *Canti Orfici (1914)*. Edição por E. Falqui, Florença, 1952. C. Pariani: *Vita non romanzata di Dino Campana, Scrittore*. Florença, 1938. D. Gerola: *Dino Campana*. Florença, 1955.

50) Joaquim Teixeira de Pascoaes, 1879-1952. *Sombra* (1907); *Maranos* (1911); *Regresso ao Paraíso* (1912); *Painel* (1935); *São Paulo* (1934); *São Jerônimo* (1936); *Napoleão* (1940). J. do Prado Coelho: *A Poesia de Teixeira de Pascoaes*. Coimbra, 1945. G. Battelli: *Teixeira de Pascoaes*. Coimbra, 1953. J.G. Simões: "Defesa da Poesia Moderna Contemporânea" (In: *Novos Temas*. Lisboa, 1938).

52) Mário de Sá-Carneiro, 1890-1916. *Dispersão* (1914); *Indícios de Ouro* (publ. 1937). Edição das Obras (com introdução por João Gaspar Simões), 2 vols. Lisboa, 1946. J.G. Simões: "Mário de Sá-Carneiro ou a Ilusão da Personalidade" (In: *O Mistério da Poesia*. Coimbra, 1931). Felic. Ramos: "Sá-Carneiro e a Poesia Nova" (In: *Eugênio de Castro e a Poesia Nova*. Lisboa, 1943).

53) Cf. "O Simbolismo", nota 69.

54) Fernando Pessoa, 1888-1935. Poesias, publicadas nas revistas: *Orfeu* (1915); *Portugal Futurista* (1915);*Centauro* (1916); *Atena* (1924, 1925); *Presença* (1927, 1939); *Mensagem* (1934). Edição completa por J.G. Simões e L. de Montalvor. 7 vols., Lisboa, 1942,1955. J.G. Simões: "Fernando Pessoa e as Vozes da Inocência" (In: *O Mistério da Poesia*. Coimbra, 1931). J.G. Simões: "Fernando Pessoa e a gênese dos seus heterônimos" (In: Novos Temas. Lisboa, 1938). A. Casais Monteiro: "Introdução à Poesia de Fernando Pessoa" (In. *Bulletin des études portugaises*, vol. 2, 1938). J.G. Simões: *Vida e Obra de Fernando Pessoa. História de uma Geração*. 2 vols., Lisboa, 1950. J. do Prado Coelho: *Diversidade e Unidade em Fernando Pessoa*. Lisboa, 1951. A. Casais Monteiro: *Fernando Pessoa, o Insincero* Verídico. Lisboa, 1954. J. de Entrambasaguas: *La poesia de Fernando Pessoa*. Madrid, 1955.

55) Guy-Charles Cros, 1879-1956. *Les fêtes quotidiennes* (1912); *Avec des mots* (1927). L. Levisohn: "Les Fêtes quotidiennes". *Poets of Modern France*. Nova York, 1918. P. de Gourmont: "Guy-Charles Cros" (In: *Petits crayons*. Paris, 1921). R. Johannet: "Guy-Charles Cros" (In: *Lettres*, março de 1925.)

56) Cf. "O Equilíbrio europeu", nota 162.

57) Ford Madox Ford (pseudônimo de Ford Hermann Hueffer), 1873-1939. *Collected Poems* (1913); *The Good Soldier* (1915); *On Heaven, and Poems Written in Active Service* (1918); *Some Do Not* (1924) *No More Parades* (1925); *A Man Could Stand Up* (1926); *The Last Post* (1928). D. Goldring: *The Last of the Pre-Raphaelites*. Londres, 1948. K. Young: *Ford Madox Ford*. Londres, 1956. R.A. Cassell: *Ford Madox Ford. A Study of his Novels*. Baltimore, 1962

58) G. Hughes: *Imagism and the Imagists*. Oxford, 1931. St. C. Coffman: *Imagism. A Chapter for the History of Modern Poetry*. Norman, Okla., 1951.

59) Hilda Doolittle (H.D.), 1886-1961. *Sea Garden* (1916); *Heliodora and other Poems*. (1924). H.P. Collins: *Modern Poetry*. Nova York, 1925.

60) Cf. "A Conversão do Naturalismo", nota 24.

61) Edith Soedergran, 1892-1923. *Landet som icke är* (1924). F. Böök: "Edith Soedergran" (In: *Resa kring svenska parnassen*. Estocolmo, 1926). G. Fidestroem: *Edith Soedergran*. Estocolmo, 1949.

62) José Juan Tablada, 1871-1945. *El Florilegio (1899, 1904); Al sol y bajo la luna* (1918); *Un dia* (1919); *El jarro de flores* (1921).

63) Jorge Carrera Andrade, 1903-1978. *Boletines de mar y tierra* (1930); *El tiempo manual* (1935); *Rol de la Manzana* (1935); *Registro del Mundo* (1940). B. Jarnés: Prólogo de *Rol de la Manzana*. Madrid, 1935.

64) Ezra Pound, 1885-1972. *A Lume Spento* (1908); *Personae* (1909); *Exultations* (1909); *Riposte* (1912); *Cathay* (1915); *Lustra* (1916); *Quia pauper amavi* (1918); *Pavannes and Divisions* (1918); *Personae* (1926); *Selected Poems* (1928); *A Draft of* XXX *Cantos* (1930); *Eleven New Cantos* (1934); *Make It New* (1934); *Jefferson and/or Mussolini* (1935); *Fifth Decade of Cantos* (1937); *Cantos* LII-LXXI (1940); *Pisan Cantos* (1948); *Section Rock-Drell de los Cantares* (*Cantos* 85-95) (1956). T.S. Eliot: Prefácio dos *Selected Poems* de Pound. Londres, 1928. R.P. Blackmur: "Ezra Pound" (In: *The Double Agent*. Nova York, 1935). A. Tate: "Ezra Pound" (In: *Reactionary Essays on Poetry and Ideas*. Nova York, 1936). A.S. Amdur: *The Poetry of Ezra Pound*. Cambridge, Mas., 1936. H. Kenner: *The Poetry of Ezra Pound*. Londres, 1951.

H.H. Watts: *Ezra Pound and the Cantos*. Chicago, 1952. L. Leary: *Motive and Method in the Cantos of Ezra Pound*. Nova York, 1954. H.C. Holthusen: "Versuch ueber Ezra Pound". (In: *Der unbehauste Mensch*. 2.ª ed. Munique, 1955). A. Rizzardi edit.: "Pound Symposium" (número especial da revista *Nuova Corrente*, Genova, 1956). C. Emery: *Ideas into Action. A Study of Pound's Cantos*. Miami, 1959. N. Stock: *Poet in Exile, Ezra Pound*, Manchester, 1964.

65) Amy Lowell, 1874-1925. *A Dome of Many-Colored Glass* (1912); *Sword Blades and Poppy Seed* (1914); *Men, Women and Ghosts* (1916); *Can Grande's Castle* (1918); *Pictures of the Floating World* (1919), etc. S.F. Damon: *Amy Lowell*. Boston, 1935.

66) Edgar Lee Masters, 1869-1950. *Spoon River Anthology* (1915); *Domesday Book* (1920); *The New Spoon River* (1924). B. Weirick: *From Whitman to Sandburg in American Poetry*. Nova York, 1924. H. Monroe: "Edgar Lee Masters" (In: *Poets and Their Art*. Chicago, 1926).

67) Carl Sandburg, 1878-1967. *Chicago Poems* (1915); *Cornhuskers* (1918); *Smoke and Steel* (1920); *Slabs of the Sunburnt West* (1922); *Good Morning, America* (1928); *The People, Yes* (1936); *Remembrance Rock* (1948). H. Hansen: *Carl Sandburg, the Man and His Poetry*. New York, 1925. H. Monroe: "Carl Sandburg" (In: *Poets and Their Art*. Chicago, 1926). K.W. Detzer: *Carl Sandburg. A Study in Personality and Background*. Nova York, 1941.

68) A. Soergel: *Dichtung und Dichter der Zeit*. Vol. II: *Im Banne des Expressionismus*. 6.ª ed. Leipzig, 1930. R. Samuel e R. Hinton Thomas: *Expressionism in German Life, Literature and the Theatre*. Nova York, 1939. F. Martini: *Was war Expressionismus?* Urach, 1955. W.H. Sokel: *The Writer in Extremis. Expressionism in Twentieth German Literature*. Stanford, 1959.

69) Theodor Daeubler, 1876-1934. *Das Nordlicht* (1910); *Der sternhelle Weg* (1915); *Hymne na Italien* (1916); *Das Sternenkind* (1917); *Mit silberner Sichel* (1917); *Hesperien* (1918); *Treppe zum Nordlicht* (1920); *Attische Sonette* (1924). C. Schmidt: *Theodor Daeublers Nordlicht*. Munique, 1916. G. Buschbeck: *Die Sendung Theodor Daeublers*. Viena, 1920.

70) Alfred Wolfenstein, 1888-1939. *Die gottlosen Jahre* (1914); *Menschlicher Kaempfer* (1919).

71) George Heym, 1887-1912. *Der ewige Tag* (1911); *Umbra Vitae* (1912). Edição completa (com biografia) por K.L. Schneider e G. Marten, Hamburgo, 1965, 1966. H. Greulich: *Georg Heym, Leben und Werke*. Berlim, 1931. H. Ellermann: *Georg Heym, Ernst Stadler, Georg Trakl: drei Fruenvollendete. Versuch ciner geistesgeschichtlichen Bibliographie*. Hamburgo, 1934. K. Mautz: *Die Dichtung Georg Heyms*. Frankfurt, 1961.

72) Ernst Stadler, 1883-1914. *Der Aufbruch* (1914). Edição por K.L. Schneider, 2 vols., Hamburgo, 1954. H. Naumann: *Ernst Stadler*. Berlim, 1920. H. Hestermann: *Ernst Stadler*. Berlim, 1929. 72-A) Jakob Hoddis, 1887-1942. *Weltende* (1918).

73) Paul Zech, 1881-1946. *Das schwarze Revier*(1913); *Die eiserne Bruecke* (1914); *Der feurige Busch* (1919); *Das Terzett der Sterne* (1920); *Gesammelte Gedichte* (1927). W. Omankowski: *"Paul Zech"* (In: *Die schoene Literatur*, XXVI, 1925).

74) August Stramm, 1874-1915. *Du* (1914); *Tropfblut* (1919); *Dichtungem* (1919). H. Walden: Introdução do vol. I de *Dichtungen*. Berlim, 1919. H. Jansen: *Der Westfale August Stramm als Hauptvertreter des dichterischen Fruehexpressionismus*. Berlim, 1928.

75) Ernst Barlach, 1870-1938. *Der tote Tag* (1912); *Der arme Vetter* (1918); *Die echten Sedemunds* (1920); *Der Findling* (1922); *Die Suendflut* (1924); *Der blaue Boll* (1927). W. Flemming: *Barlach, der Dichter*. Berlim, 1933. K.D. Carls: *Ernst Barlach. Das plastische, graphische und dichterische Werk*. Berlim, 1935. P. Fechter: *Ernest Barlach*. Munique, 1948.

76) Erwin Guido Kolbenheyer, 1878-1962. *Amor Dei* (1908); *Meister Joachin Pausewang* (1910); *DieKindheit des Paracelsus* (1917); *Das Gestirn des Paracelsus* (1921); *Das Dritte Reich des Paracelsus* (1925) etc. F. Koch: *Erwin Guido Kolbenheyer*. Kassel, 1929. C. Wandrey: *Kolbenheyer, der Dichter und der Philosoph*. Munique, 1934. B. Meder: *Guido Kolbenheyer*. Paris, 1941.

77) Otto Weininger, 1880-1904. *Geschlecht und Charakter* (1903); *Ueber die letzten Dinge* (1904). O. Baum: "Otto Weininger" (In: *Die Juden in der Deutschen Literatur*. edit. por G. Krojanker. Berlim, 1922).

78) Walter Rathenau, 1867-1922. *Von kommenden Dingen* (1911); *Zur Kritik der Zeit* (1912); *Mechanik des Geistes* (1913) etc. H. Kessler: *Walter Rathenau. Sein Leben und sein Werk*. Berlim, 1928.

79) Jitzchok Leibusch Peretz, 1852-1915. *Folksgeschichtn* (1903); *Chassidische Geschichtn* (1906); *Adam un Eva* (1909); *Bei Nacht aufn alten Markt* (1910); *Die gueldene Kette* (1910) etc. Edição completa em 18 vols., Buenos Aires, 1944. N. Maizil: *Jitzchok Leibusch Peretz, zain lebn un schafn*. Nova York, 1945. (Em iídiche). M. Samuel: *Prince of the Ghetto*. Nova York, 1948. S. Niger: *Jitzchok Leibusch Peretz*. Buenos Aires, 1952. (Em iídiche).

80) Martin Buber, 1878-1966. *Die Geschichten des Rabbi Nachman* (1906); *Die Legende des Baal Schem* (1908); *Drei Reden ueber das Judentum* (1911); *Daniel* (1913) etc. H. Kohn: *Martin Buber. Sein Werk und seine Zeit*. Hellerau, 1930.

81) Gustav Meyrinck, 1868-1932. *Das Wachsfigurenkabinett* (1908); *Des deutschen Spiessers* Wunderhorn (1913); *Der Golem* (1915); *Das gruene Gesicht* (1916); *Walpurgisnacht* (1917); *Der Engel vom westlichen Fenster* (1927). A. Zimmermann; *Gustav Meyrinck*. Hamburgo, 1917. H. E. Zornhoff: *Gustav Meyrinck und die metaphysische Dichtung*. Leipzig, 1918.

82) Franz Werfel, 1890-1945. *Der Weltfreund* (1911); *Wir sind* (1913); *Einander* (1915); *Die Troerinnen* (1915); *Gerichtstag* (1919); *Der Spiegelmensch* (1920); *Beschwoerungen* (1923); *Verdi* (1924); *Paulus unter den Juden* (1926); *Barbara* (1929); *Die vierzig Tage des Musa Dagh* (1933); *Schlaf und Erwachen* (1937); *Der veruntreute Himmel* (1939); *Das Lied der Bernadette* (1941); *Der Stern der Ungeborenen* (1946). R. Specht: *Franz Werfel*. Viena, 1926.

83) Reinhard Johannes Sorge, 1892-1916. *Zarathustra. Eine Impression* (1911); *Der Bettler* (1912); *Metanoeite* (1915); *Koenig David* (1916). M. Rockenbach: *Reinhard Johannes Sorge*. Munique-Gladbach, 1923. J.J. Nusspickel: *Reinhard Johannes Sorge als Dramatiker*, Münster, 1923.

84) Franz Kafka, 1883-1924. *Betrachtung* (1912); *Das Urteil* (1916); *Die Verwandlung* (1916); *Ein Landarzt* (1919); *In der Strafkolonie* (1919); *Der Prozess* (1925); *Das Schloss* (1926); *Amerika* (1927); *Beim Bau der chinesichen Mauer* (1931); *Beschreibung eines Kampfes* (1936); *Tagebuecher* (1937). Edição por M. Brod, 6 vols., Praga, 1934, 1937; Edição completa por M. Brod, 10 vols., Nova York, 1950,1953. F. Hoentzsch: *Gericht und Gnade in der Dichtung Franz Kafka*. (In: *Hochland*, maio de 1934). M. Brod: *Franz Kafka*. Praga, 1936. (2.ª ed. Zurique, 1948). A. Flores edit.: *The Kafka Problem. A Critical Anthology*. Berkeley, 1946. P. Godman: *Kafka's Prayer*. Nova York, 1947. Ch. Neider: *The Frozen Sea. A Study of Franz Kafka*. Oxford, 1948. M. Carrouges: *Franz Kafka*. Paris, 1948. P. Eisner: *Franz Kafka and Prague*, Nova York, 1950. I. Maione: *Franz Kafka*. Nápoles, 1952. H. Uyttersprot: *Beschouwingen over Franz Kafka*. (In: *Vlaamse Gids*, XXXVII, 8-10, 1954). W. Emrich: *Franz Kafka*, Bonn, 1958.

84-A) E. Goldstuecker: *Ueber die Prager Literatur am Anfang des 20. Iahrhunderts*. Dortmund, 1965.

85) Max Brod, 1884-1968. *Tycho Brahes Weg zu Gott* (1916); *Reubeni, Fuerst der Juden* (1925); *Das Zauberreich der Liebe* (1928). F. Weltsch edit.: *Max Brod, Dichter, Denker, Helfer*. Moravska--Ostrava, 1934.

86) Robert Walser, 1878-1956. *Der Gehilfe* (1908); *Jakob von Gunten* (1909) etc. Edição das obras por C. Seelig, 5 vols., Genebra, 1953, 1956.

86-A) Bruno Schulz, 1893-1942. *As lojas de canela* (1934); (mais conhecido sob o título da tradução francesa: *Traité des mannequins*).

87) Hermann Stehr, 1864-1940. *Der begrabene Gott* (1905): *Drei Naechte* (1909); *Der Heiligenhof* (1917); *Gudnatz* (1921); *Peter Brindeisener* (1924); *Nathanael Maechler* (1929); *Meister Cajetan* (1931). H. Wocke: *Hermann Stehr*. Berlim, 1922. W. Koehler: *Hermann Stehr. Geschichte seines Lebens und seines Werkes*. Berlim, 1927. W. Milch: *Hermann Stehr*. Berlim, 1934.

88) Karel Capek-Chod, 1860-1927. *Karel Lén, o vingador* (1908); *A Turbina* (1916); *Antonin Vondrejc* (1918); *Jindra, pai e filho* (1920); *Vilém Rozkoc* (1924). H. Jelinek: *Études tchécoslovaques*. Paris, 1927, F. Kovarna: *Karel Capek-Chod*. Praga, 1936. (Em tcheco).

89) Federigo Tozzi, 1883-1920. *Bestie* (1917); *Con gli occhi chiusi* (1919); *Tre croci* (1920); *Il Podere* (1921). G.A. Borgese: "Federigo Tozzi". (In: *Tempo di edificare*. Milão, 1923). T. Rosina: *Federigo Tozzi*. Gênova, 1935. P. Cesarini: *Vita di Federigo Tozzi*. Adria, 1935. E. De Michelis: *Saggio su Tozzi*. Florença, 1936. M. Olobardi: *Saggi sul Tozzi e sul Pea*. Pisa, 1940.

90) Renato Serra, 1884-1915. *Le Lettere* (1914); *Esame di coscienza di un letterato* (1918): *Epistolario* (1934); *Scritti critici* (1938). V. Cian: *Renato Serra*. Torino, 1927.

91) Giovanni Boine, 1887-1917. *Il Peccato* (1914); *Discorsi militari, Frantumi, Plausi e Botte* (1921). G.V. Amoretti: *Giovanni Boine e la letteratura contemporanea*. Leipzig, 1922.

92) Carlo Michelstaedter, 1887-1910. Dialogo della salute, Il prediletto punto di appoggio dela *dialettica socratica, Persuasione* (1925). C. Pellizzi: "Carlo Michelstaedter" (In: *Gli spiriti della vigilia*. Florença, 1924).

93) Francesco Gaeta, 1879-1927. *Reviviscenze* (1900); *Poesie d'amore* (1920); *Poesia* (edit. Por B. Croce; 1928). A. Tilgher: "Francesco Gaeta" (In: *Ricognizioni*. Roma, 1924). B. Croce: "Francesco Gaeta" (In: *La Letteratura della Nuova Italia*. 3.ª ed. vol. IV. Bari, 1929). G. Solinari: *Studio sulla poesia di Francesco Gaeta*. Todi, 1939.

94) Scipio Slataper, 1888-1915. *Il mio Carso* (1912). G. Stuparich: *Scipio Slataper*. Roma, 1922.

95) Ernest Psichari, 1883-1914. *Terres de soleil et de sommeil* (1908); *L'appel des armes* (1912); *Le Voyage du Centurion* (1916). A. Goichon: *Ernest Psichari*. 2.ª ed. Paris, 1925. H. Massis: *Notre ami Psichari*. Paris, 1936.

96) Alain-Fournier (pseudônimo de Henri Fournier), 1882-1915. *Le Grand Meaulnes* (1912). I Isab. Rivière: *Images d'Alain Fournier*. Paris, 1938. M. Arland: "Alain Fournier et le Grand Meaulnes" (In: *Nouvelle Revue Française*, novembro de 1938). E. Gibson: *The Quest of Alain-Fournier*. Londres, 1953.

97) Charles Péguy, 1873-1914. (Cf. "O Equilíbrio Europeu", nota 54). *Jeanne d'Arc* (1897); *Notre Patrie* (1905); *De la situation faite au parti intellectuel dans le monde moderne* (1906); *Le Mystère de la Charité de Jeanne d'Arc* (1910); *Notre jeunesse* (1910); *Victor Marie comte Hugo* (1910); *Un nouveau théologien*, M. *Fernand Laudet* (1911); *Le Porche du Mystère de la Deuxième Vertu* (1911); *Le Mystère des Saints Innocents* (1912); *L'Argent* (1912); *La Tapisserie de Sainte Geneviève et de Jeanne d'Arc* (1912); *La Tapisserie de Notre Dame* (1913); *Eve* (1914). Edição das obras completas, Nouvelle Revue Française, 2.ª ed., 15 vols., Paris, 1934. E.R. Curtius: "Charles Péguy" (In: *Die literarischen Wegbereiter des modernen Frankreich*. Potsdam, 1918). J. Van Nijlen: *Charles Péguy*. Leiden, 1919. J. e J. Tharaud: *Notre cher Peguy*. 2 vols. Paris, 1926. E. Monnier, M. Peguy e G. Izard: *La pensée de Charles Péguy*. Paris, 1931. M. Knell: *Charles Péguy*. Münster, 1934. D. Rops: *Péguy*. 2.ª ed. Paris, 1935. D. Halery: *Charles Péguy et les Cahiers de la Quinzaine*. 2.ª ed. Paris, 1941. R. Rolland: *Charles Péguy*. 2 vols. Paris, 1945. J. Roussel: *Mesure de Péguy*. Paris, 1946. J. Delaporte: *Connaissance de Péguy*. 2 vols. Paris, 1946. B. Guyon: *L'Art de Péguy*. Paris, 1949. R. Johannet: *Vie et mort de Péguy*. Paris, 1950. B. Suyan: *Charles Péguy*. Paris, 1960.

98) Georg Trakl, 1887-1914. *Gedichte* (1913); *Sebastian im Traum* (1914); *Dichtungen* (1919). Edição completa por W. Schneditz, 3 vols., Salzburg, 1949,1951. M. Baythal: *Trakl's Lyrik*. Frankfurt, 1928. W. Riemerschmid: *Georg Trakl*. Viena, 1947. E. Lachmann: *Kreuz und Abend. Eine Interpretation der Dichtungen Georg Trakls*. Salzburg, 1954. Th. Spoerri: *Georg Trakl. Strukturen in Persoenlichkeit und Werk*. Berna, 1954. M. Heidegger: "Georg Trakl. Eine Eroerterung" (In: *Merkur*, LXI, 1955).

99) A.G. Brinckmann: *Spaetwerke grosser Meister*. Berlim, 1925.

100) Piero Jahier, 1884-1966. *Canti di soldati* (1919); *Con me e con gli Alpini* (1919). G. Prezzolini; "Piero Jahier" (In: *Amici*. Florença (1922). A. Gargiulo: "Piero Jahier". (In: *Italia Letteraria*. 2/11/1930. 29/5/1932).

101) Giuseppe Antonio Borgese, 1882-1952. *Rubé* (1921); *Storia della critica romantica in Italia* (1920). E. Palmieri: *Interpretazione del mio tempo*. *Borgese*. Nápoles, 1927. E. Roditi: "G.A. Borgese" (In: *Sewanee Review*, L., 1942).

102) Jaroslav Hasek, 1882-1923. *As aventuras do soldado Svejk* (1920). Obras completas, 20 vols., Praga, 1955. E.A. Langen: *Jaroslav Hasek*. Praga, 1928. (Em tcheco.) P. Selves: Introdução de tradução inglesa de *The Good Soldier Svejk*. Londres, 1930. Zd. Ancik: *Jaroslav Hasek*. Praga, 1961. S. Vostokova: *Jaroslav Hasek*. Moscou, 1964.

103) Henri Barbusse, 1873-1935. *Pleureuses* (1895); *L'Enfer* (1908); *Le Feu. Journal d'une escouade* (1916); *Clarté* (1919) etc. H. Hertz: *Henri Barbusse. Son Oeuvre*. Paris, 1919. L. Spitzer: *Studien zu Henri Barbusse*. Bonn, 1920. J. Duclos e J. Fréville: *Henri Barbusse*. Paris, 1946.

104) Jean-Marc Bernard, 1881-1915. *Sub Tegmine Fagi* (1913); *Oeuvres* (edit. por H. Clouard e H. Martineau; 1923).

105) Isaac Rosenberg, 1890-1918. Edição das poesias por G. Bottomley e D. Harding, Londres, 1955. D. Harding: "Aspects of the Poetry of Isaac Rosenberg" (In: *Scrutiny*, III/4, 1935).

106) Siegfried Sassoon, 1886-1967. *The Old Huntsman and Other Poems* (1917); *Counter-Attack and Other Poems* (1918); *War Poems* (1919); *Satirical Poems* (1926); *Memoirs of a Fox-Hunting Man* (1928). A. Bushnell: "Siegfried Sassoon" (In: *The Poetry Review*, 1944).

107) Wilfred Owen, 1893-1918. *Poems* (1921). Edição (com introdução por C. Day Lewis), Londres, 1963.

108) P. Polonski: *La literatura russa de la época revolucionária*. (Tradução espanhola.) Madrid. 1933. D.S. Mirsky: "Russia" (In: *Tendencies of the Modern Novel*, 2.ª ed. Londres, 1936). Gl. Struve: *25 Years of Soviet Russian Literature* (1918-1943). Londres, 1944. A.I. Metchenko e A.M. Polyak ed.: *História da literatura soviética*. 2 vols. Moscou, 1962. (Em russo).

109) Alexei Nikolaievitch Tolstoi, 1882-1945 *O Coxo* (1914); *O Homem Simples* (1915); *O Dia de Trabalho do Tzar Pedro* (1917); *A Morte de Danton* (1919); *Via Dolorosa* (1921-1922); *A Infância de Nikita* (1922); *Aelita* (1924); *A Conspiração da Imperatriz* (1924); *As Aventuras de Nezvorov* (1925); *Asev* (1926); *Pedro, o Grande* (1929,1934) etc. R. Misser: *A. N. Tolstoi*, Moscou, 1939. (Em russo.) V. Chtcherbina: *A. N. Tolstoi*. Moscou, 1951. (Em russo).

110) Veniamin Alexandrovitch Kaverin, 1902-1989. *Os Vendedores de Escândalo ou As Noites na Ilha Vasili* (1927). *O Artista Anônimo* (1931); *A Satisfação dos Desejos* (1935).

111) Vsevolod Viatcheslavovitch Ivanov, 1895-1963. *Partisãs* (1921); *Trem Blindado N.º 1469* (1922); *Ventos Coloridos* (1922). *Areia Azul* (1923); *Aço Norte* (1925); *O Sopro do Deserto* (1927); *Aventuras de um Faquir* (1935). M. Gelfand: "A evolução do escritor Ivanov" (In: *Revolucia i Kultura*. XXII, 1928). (Em russo.) L. M. Clyak e E. B. Trager: "V.V. Ivanov" (In: *Literatura século XX*. Moscou, 1934). (Em russo).

112) Cf. "A Conversão do Naturalismo", nota 47.

113) Lev Natanovitch Luntz, 1901-1924. *Fora da Lei* (1924). M. Gorki: Prefácio à edição de *Fora da Lei*. Petersburgo, 1925.

114) Konstantin Alexandrovitch Fedin, 1892-1977. *Cidades e Anos* (1924); *Os Irmãos* (1928); *O Rapto de Europa* (1934); *Alegrias da Mocidade* (1946); *Um Verão Incomum* (1950). M. Dobrynin: "A evolução literária de Fedin" (In: *Krasmaja,* novembro de 1929). (Em russo).

115) Artem Vesely, 1899-1938. *A Terra Natal* (1927); *Rússia Lavada em Sangue* (1928); versão definitiva (1932).

116) Neverov (pseudônimo de Alexei Sergeievitch Skobelev), 1885-1923. *Tachkent, a Cidade Cheia de Pão* (1923). N. Fatov: *A. S. Neverov. Sua Vida e Sua Obra.* Moscou, 1926. (Em russo).

117) Isaak Emanuelovitch Babel, 1894-1941. *Contos de Odessa* (1924); *Cavalaria Vermelha* (1926); *Contos Judeus* (1927). B.P. Kosmin: *Autores Contemporâneos.* Moscou, 1928. (Em russo.) A. Kaun: "Babel, Voice of the New Russia" (In: *Menorah Journal*, XV, 1928). L. Trilling: Introdução de *Collected Stories.* Nova York, 1955.

118) Michael Afanassievitch Bulgakov, 1891-1936. *Diabruras* (1925); *A Guarda Branca* (1925); *Os Dias da Família Turbin* (1926); *A Fuga* (1926). E. LO Gatto: "Uno scrittore sovietista neo-borghese" (In: *Rivista di letterature slave.* IX, 1929).

119) Iuri Karlovitch Oliecha, 1899-1960. *Inveja* (1926). J.M. Elsberg: *A Crise dos Simpatizantes e da Intelligentzia atual.* Leningrado, 1930. (Em russo.) GI. Struve: *25 Years of Soviet Russian Literature.* Londres, 1944.

120) Liviu Rebreanu, 1885-1943. *Ion* (1920); *Padurea spanzuratilor* (1922); *Ciuleandra* (1927).

121) Rudolf Medek, 1890-1930. *O Dragão de Fogo* (1921); *Grandes Dias* (1924); *Ilha na Tempestade* (1925).

122) Sergei Alexandrovitch Jessenin, 1895-1925. *Camarada Inonia* (1918); *Sanfona* (1920); *Confissão de um Malandro* (1921); *Pugatchev* (1922); *Taverna Moscou* (1924). Edição da Editora do Estado, 4 vols., Moscou, 1926,1927. G. Lelevitch: *Sergei Jessenin.* Moscou, 1926. (Em russo.) F. De Graaf: *Serge Jessenin. Sa vie et son oeuvre.* Leiden, 1933.

123) Vladimir Vladimirovitch Maiakovski, 1893-1930. *Vladimir Maiakovski* (1912); *Guerra e Mundo* (1916); *Mistério Cômico* (1918); *Tudo Escrito por Maiakovski* (1919); *150.000.000* (1920); *Maiakovski Sorri, Maiakovski Ri, Maiakovski Zomba* (1923); *Vladimir Ilitch Lenin* (1924); *Tudo Bem* (1927). D. Burlyuk, A. Kaun e outros: *Vladimir Maiakovski*, 1894-1930. Nova York, 1940. B.M. Eichenbaum: *Maiakovski.* Moscou, 1940. (Em russo.) V. Perzov: *Maiakovski. Biografia e Crítica.* Moscou, 1940. (Em russo.) I. Sventov: *Maiakovski como Satírico.* Moscou, 1941. (Em russo.) H. Marshall: *Maiakovski and his poetry.* Londres, 1941. E. Triolet: *Maiakovski, poète russe.* 2.ª ed., Paris, 1945. V. I. Koslovski: *Vladimir Vladimirovitch Maiakovski.* Moscou, 1950. (Em russo.) V. Persov: *Maiakovski, vida e obra.* 2 vols. Moscou, 1958 (Em russo).

124) B. Diebold: *Anarchie im Drama.* 3.ª ed. Frankfurt, 1925.

125) Fritz von Unruh, 1885-1970. *Offiziere* (1912); *Louis Ferdinand, Prinz von Preussen* (1913); *Vor der Entscheidung* (1914; publ. 1919); *Ein Geschlecht* (1916; publ. 1918); *Platz* (1920); *Stuerme* (1922). R. Meister: *Fritz von Unruh.* Berlim, 1925. A. Kronacher: *Fritz von Unruh.* Nova York, 1946.

126) Walter Hasenclever, 1890-1940. *Der Sohn* (1913); repres. (1916); *Antigone* (1917): *Der politische Dichter* (1919). F.W. Chandler. *Modern Continental Playwrights.* Nova York, 1931.

127) Ernst Toller, 1893-1939. *Die Wandlung* (1919); *Masse Mensch* (1920); *Masahinenstuermer* (1922); *Der deutsche Hinkemann* (1923); *Schwalbenbuch* (1923) etc. P. Singer: *Ernst Toller.* Berlim, 1924. W.A. Willibrand: *Ernst Toller, Product of Two Revolutions.* Norman, Okla., 1941.

128) Cf. "A conversão do naturalismo", nota 108.

129) Georg Kaiser, 1878-1945. *Rektor Kleist* (1905); *Die Buerger von Calais* (1914); *Europa* (1915); *Von Morgens bis Mitternachts* (1916); *Die Koralle* (1918); *Gas I* (1918); *Der Brand im Opernhaus* (1919); *Hoelle, Weg, Erde* (1919); *Gas II* (1920); *Die Flucht nach Venedig* (1922); *Gilles und Jeanne* (1923); *Nebeneinander* (1923); *Kolportage* (1924); *Der Soldat Tanaka* (1940); *Das Floss der Medusa* (1943); *Pygmalion* (1944); *Bellerophon* (1944) etc., etc. B. Diebold: *Der Denkspieler Georg Kaiser.* Frankfurt, 1924. M. Freyhan: *Georg Kaisers Werk.* Berlim, 1926. M.J. Fruchter: *The Social Dialectic in George Kaiser's Dramatic Works.* Londres, 1933. C.A. Fivian: *Georg Kaiser und seine Stellung im Expressionismus.* Munique, 1947. W. Paulsen: *Georg Kaiser.* Tübingen, 1960.

130) Fernand Crommelynck, 1887. *Le sculpteur de masques* (1913); *Le cocu magnifique* (1921); *Tripes d'or* (1930) etc. H. Krains: *Portraits d'écrivains belges.* Bruxelas, 1930.

131) Paul Raynal, 1885-1971. *Le Tombeau sous l'arc-de-Triomphe* (1924). A.J. Dickman: *Paul Raynal, Cornelian and Symbolic Theatre.* (In: University of Wyoming Publications, IV, 1938).

132) Cf. Tendências Contemporâneas.

133) Sean O'Casey, 1884-1964. *Shadow of a Gunman* (1923); *Juno and the Peacock* (1924); *The Plough and the Stars* (1926); *Silver Tassie* (1928); *Within the Gates* (1933); *The Star Turns Red* (1939); *Red Roses for Me* (1942). *Cock-a-Doodle Dandy* (1949); *The Bishop's Bonfire* (1955). A.E. Malone: *The Irish Theatre*. Nova York, 1929. W. Starkie: "Sean O'Casey" (In: *The Irish Theatre*, Londres. 1939). D. Krause: *Sean O'Casey, the Man and his Work*, Londres, 1964.

134) Cf. nota 222.

135) Johannes Anker Larsen, 1874-1957. *De vises sten* (1923) etc.

136) Dan Andersson, 1888-1920. *Svarta ballader* (1917); *De tre hemloesa* (1918); *David Ramms arv* (1919). Edição (com introdução por T. Fogelquist), 5 vols. Estocolmo, 1922,1930 W. Bernhard: *En bok om Dan Andersson*. Estocolmo, 1941. A.M. Adstedt: *Dan Andersson en levnadsteckning*. Estocolmo, 1941.

137) Kurt Heynicke, 1891-1985. *Rings fallen Sterne* (1917); *Gottes Geigen* (1918); *Das namenlose Angesicht* (1919); *Die Hohe Ebene* (1921); *Traum im Diesseits* (1932).

138) Gerrit Engelke, 1898-1918. *Rythmus des neuen Europa* (1921). J. Kneip: Prólogo do volume citado.

139) Cf. nota 36.

140) Klabund (pseudônimo de Alfred Henschke), 1891-1928. *Morgenrot, Klabund!* (1912); *Moreau* (1915); *Die Himmelsleiter* (1916); *Mohammed* (1917); *Das heisse Herz* (1922); *Die Harfenjule* (1927). H. Grothe: *Klabund; Leben und Werk eines Poeten*. Berlim, 1933.

141) Emil Boennelycke, 1893-1953. *Margrethe Mendel* (1921); *Udvalgte Digte* (1922); *Kjoebenhavenske Poesies* (1927).

142) Jiří Wolker, 1900-1924. *A Hora Difícil* (1922). V. Nezval: *Wolker*. Praga, 1925. Z. Kalista: *Camarada Wolker*. Praga, 1933. (Em theco).

143) Leonhard Frank, 1882-1961. *Die Raeuberbande* (1914); *Die Ursache* (1916); *Der Mensch ist gut* (1918); *Der Buerger* (1924); *Im letzten Wagen* (1925); *Karl und Anna* (1926); *Das Ochsenfurter Maennerquartett* (1927); *Bruder und Schwester* (1929); *Die Traumgefaehrten* (1936). W.A. Berendsohn: *Die humanistische Front*. Zurique, 1946. P.C.H. Lueth: *Literatur als Geschichte*. vol. I. Mainz, 1947. H. Jobst e Ch. Frank: *Leonhard Frank*. Munique, 1962.

144) Johannes Robert Becher, 1891-1958. *An Europa* (1916); *Verbruederung* (1916); *Das neue Gedicht* (1918); *An Alle* (1919); *Hymnen* (1924); *Neue Gedichte* (1933); *Dank an Stalingrad* (1943). *Muenchen in meinem Gedicht* (1946); *Heimkehr* (1946).

145) Cf. nota 74.

146) Hanns Johst, 1890-1978. *Wegwaerts* (1916); *Der junge Mensch* (1916); *Der Einsame* (1917); *Mutter* (1921); *Thomas Paine* (1927); *Schlageter* (1933). S. Casper: *Der Dramatiker Hanns Johst*. Munique, 1935.

147) Dezsoe Szabó, 1879-1945. *A Aldeia Agitada pela Tempestade* (1919); *A Vida Maravilhosa* (1921); *Socorro!* (1925); *Cristo em Koloszvár* (1932). J. Reményi: "Dezsoe Szabó, Hungarian Novelist and Pamphleteer" (In: *Slavonic Review*, XXIV, 1946).

148) Milo Urban, 1904-1982. *O Chicote Vivo* (1927); *Nevoeiro na Aurora* (1930); *Na Seia* (1940).

149) Gottfried Benn, 1886-1956. *Morgue* (1912); *Gehirne* (1916); *Fleisch* (1917); *Schutt* (1919); *Gesammelte Gedichte* (1927); *Das Unaufhoerliche* (1931); *Statische Gedichte* (1948); *Der Ptolemaer* (1949); *Doppelleben* (1951). E. Vietta: "Auseinandersetzung mit Benn". (In: *Die Literatur*, XXXVII, 1934). M. Rychner: *Gottfried Benn*. Zurique, 1943. E. Guerster-Steinhausen: "Gottfried Benn, ein Abenteuer der geistigen Verzweiflung" (In: *Neue Rundschau*, primavera de 1947). P. Garnier: "Un demi-siècle allemand, vécu par un intellectuel". (In: *Critique*, 1954). F. Lion: "Gottfried Benn" (In: *Deutsche Literatur im Zwanzigsten Jahrhundert*, edit. por H. Friedmann e O. Mann. Heidelberg. 1954). E. Buddeberg: *Gottfried Benn*. Stuttgart, 1961. W. Lenning: *Gottfried Benn*. Hamburgo, 1963.

150) Paul van Ostayen, 1896-1928. *Music Hall* (1916); *Het Sienjaal* (1918); *Bezette Stad* (1921); *Het eerste Boek van Schmoll* (1929). Edição completa, 4 vols., Antuérpia, 1902,1953. G. Burssens: *Paul van Ostayen*. Antuérpia, 1935 (2.ª ed., Bruxelas, 1958). M.A. Bellemans: *Poëtiek van Paul van Ostayen*. Antuérpia, 1939. E. Schoonhoven: *Paul van Ostayen, introduction à sa poétique*. Bruxelas, 1951.

151) Pär Lagerkvist, 1891-1974. *Angest* (1916); *Den svara stunden* (1918); *Kaos* (1919); *Det eviga leendet* (1920); *Himlens hemlighet* (1921); *Den osynlige* (1923); *Hjaertats sanger* (1926); *Gaest hos verkligheten* (1926); *Det besegrade livet* (1927); *Han som fick leva om sitt liv* (1928); *Boedeln* (1933); *Seger i moerkret* (1939); *Dvaergen* (1944); *Barabbas* (1950). G. M. Bergman: *Pär Lagerkvists dramatik*. Estocolmo, 1928. G. Fredén: *Pär Lagerkvist*. Estocolmo, 1934. E. Hoernstroem: *Pär Lagerkvist*. Estocolmo, 1946. J. Mjoeberg: *Livsproblemet hos Lageskvist*. Estocolmo, 1951.

152) Hendrik Marsman, 1899-1940. *Verzen* (1923); *Paradise regained* (1927); *De Witte Vrouwen* (1930); *Porta Nigra* (1934); *Tempel en Kruis* (1939). Edição, 3 vols. (com introdução por N.P. van Wyk Louw). Londres, 1943. G. Stuiveling: *Steekproeven*. Amsterdã, 1950.

153) Juljan Tuwim, 1894-1953. *Espiar a Deus* (1918); *Sócrates Dançando* (1920); *O Sétimo Outono* (1921); *Palavras em Sangue* (1926); *Feira de Rima*s (1934); *Bíblia Cigana* (1935); *Seleção de Escritos* (1942). K. Czachowski: *Panorama da literatura polonesa contemporânea.* Vol. III. Warssowa, 1936. (Em polonês).

154) R. Huelsenbeck: *En avant Dada. Geschichte des Dadaismus.* Hannover, 1920. G. Ribemont-Dessaignes: "Histoire de Dada". (In: *Nouvelle Revue Française,* junho-julho 1931). R. Motherwell: *The Dada Painters and Poets.* Nova York, 1953. W. Verkauf: *Dada. Monographie einer Bewegung.* Zurique, 1957.

155) Richard Huelsenbeck, 1892-1974. *Phantastiche Gebete* (1919); *Verwandlungen* (1920); *En avant Dada* (1920).

156) Hans Arp, 1888-1966. *Der Pyramidenrock* (1924).

157) Hugo Ball, 1886-1927. *Zur Kritik der deutschen Intelligenz* (1919); *Byzanthinisches Christentum* (1924); *Die Flucht aus der Zeit* (1927). E. Hennings-Ball: *Hugo Ball's Weg zu Gott.* Munique, 1929.

158) Tristan Tzara, 1896-1963. *La première aventure céleste de M. Antipyrine* (1916); *Vingt-cinq poèmes* (1918); *Cinéma Calendrier du Coeur Abstrait* (1920); *De nos oiseaux* (1923); S*ept Manifestes Dada* (1924); *L'homme approximatif* (1930); *Le Coeur à gaz* (1938); *La Fruite* (1947).

159) Pierre Albert-Birot, 1876-1967. *Trente et un poèmes de poche* (1917); *Poèmes quotidiens* (1919); *La Joie des sept couleurs* (1919).

160) Vicente Huidobro, 1893-1947. *Horizon carré* (1917); *Tour Eiffel* (1918); *Hallalí* (1918); *Ecuatorial* (1918); *Saisons choisies* (1921); *Automne regulier* (1925); *Altazor* (1931). H.A. Holmes: *Vicente Huidobro and Creationism.* Nova York, 1933.

161) Jorge Luis Borges, 1899-1986. (Cf. "Tendências Contemporâneas"). *Fervor de Buenos Aires* (1923); *Luna de enfrente* (1925); *Historia Universal de la infamia* (1935); *Ficciones* (1944); *El Aleph* (1949). J.L. Ríos Patrón: *Jorge Luis Borges.* Buenos Aires, 1955. C. Fernández Moreno: *Esquema de Borges.* Buenos Aires, 1958. M.A. Bellemans: *Poëtiek van Paul van Ostayen.* Antuérpia, 1939. E. Schoonhoven: *Paul van Ostayen, introduction à sa poétique.* Bruxelas, 1951.

162) M. de la Peña: *El Ultraismo en España.* Madrid, 1925.

163) Antonio Espina, 1891-1972. *Umbrales* (1918); *Signario* (1923); *Pájaro Pinto* (1927). A. Valbuena Prat: *La poesía española contemporánea.* Madrid, 1930.

164) Guillermo de Torre, 1900-1971. *Hélices* (1924); *Literaturas europeas de vanguardia* (1925).

165) Mauricio Bacarisse, 1895-1931. *El esfuerzo* (1917); *El Paraíso desdeñado* (1928); *Mitos* (1929); *Los terribles amores de Agliberto y Celedonia* (1931). A. Valbuena Prat: *La poesía española contemporánea.* Madrid, 1930.

166) Cf. nota 283.

167) Cf. *"Tendências Contemporâneas".*

168) Ramón Gómez de la Serna, 1888-1953. *El Rastro* (1915); *El Circo* (1917); *Disparates* (1921) *Caprichos* (1925) etc., etc. M. Pérez Ferrero: *Vida de Ramón,* Madrid, 1935.

169) Oliverio Girondo, 1891-1967. *Veinte poemas para ser leídos en el tranvía* (1922).

170) León de Greiff, 1895-1976. *Tergiversaciones, Primer Mamotreto* (1925); *El libro de los signos. Segundo mamotreto* (1930); *Variaciones* alrededor *de nada* (1936).

171) Miguel Angel Osorio (pseudônimos: Ricardo Arenales, Porfírio Barba-Jacob), 1880-1942. *Rosas negras* (1923); *Canciones y elegias* (1932); *Poemas intemporales* (1944).

172) Carlos Pellicer, 1897-1977. *Colores en el mar y otros poemas* (1921); *Piedra de sacrifícios* (1924); *Seis, siete poemas* (1924); *Hora y 20* (1927); *Camino* (1929); *Hora de Junio* (1937); *Recinto* (1941).

173) Juan Parra del Riego, 1894-1925. *Himno del cielo y de los ferrocariles* (1923); *Blanca Luz* (1925); *Polirritmos* (1925).

174) Alberto Hidalgo, 1897-1967. *Panoplia lírica* (1917); *Descripción del cielo* (1927); *Actitud de los años* (1933).

175) Ramón López Velarde, 1888-1921. *La sangre devota* (1916); *Zozobra* (1919); *El son del corazón* (1932). Edição: *Poesias escogidas* (com estudo crítico), por X. Villaurrutia, México, 1940. B. Dromundo: *Vida y pasión de Ramón López Velarde.* México, 1954.

176) César Vallejo, 1898-1938. *Los heraldos negros* (1918); *Trilce* (1922); *Poemas humanos* (1939); *España, aparta de mi este cáliz* (1940); *El Tungsteno* (1931). Edição: Antologia de César Vallejo (com prólogo) por X. Abril, Buenos Aires, 1942. J.C. Mariátegui: "El Proceso de la Literatura" (In: *Siete Ensayos de Interpretación de la Realidad Peruana.* Lima, 1928). C. Meléndez: "Muerte y Resurrección de César Vallejo" (In: Revista *Iberoamericana,* 1944). F. Izquierdo Ríos: *Vallejo y su tierra.* Lima, 1949. L. Monguio: *César Vallejo. Vida y obra.* Nova York, 1952. A. Samaniego: *César Vallejo, su poesía.* Lima, 1954.

177) M. da Silva Brito: *História do modernismo brasileiro.* I. 2.ª ed. Rio de Janeiro, 1964.

178) Cf. "O Equilíbrio europeu", nota 112.

179) Mário de Andrade, 1893-1945. *Pauliceia Desvairada* (1922); *Macunaíma* (1928); *Remate de Males* (1930); *Poesias* (1941); *Lira Paulistana* (1946) etc., etc. Obras completas, 20 vols., São Paulo, 1944 e segs.

Homenagem a Mário de Andrade. (*Revista do Arquivo Municipal de São Paulo*, VI, 1946). M. Cavalcanti Proença: *Roteiro de Macunaíma*. São Paulo, 1955.

179-A) Oswald de Andrade, 1890-1954. *Memórias sentimentais de João Miramar* (1924); *Pau-Brasil* (1925); *Serafim Ponte Grande* (1934); *Escada Vermelha* (1934); *Marco Zero* (1943) etc.

180) Manuel Bandeira, 1886-1968. *A Cinza das Horas* (1917); *Carna*val (1919); *Ritmo Dissoluto* (1924); *Libertinagem* (1930); *Estrela da Manhã* (1936) etc. Poesias completas, 64.ª ed., Rio de Janeiro, 1954. *Homenagem a Manuel Bandeira*. Rio de Janeiro, 1936. A. Casais Monteiro: *Manuel Bandeira*. Lisboa, 1943. Emanuel de Moraes: *Manuel Bandeira*. Rio de Janeiro, 1963.

181) Gertrude Stein, 1874-1946. *Three Lives* (1909); *Tender Buttons* (1914); *Geography and Plays* (1922); *The Making of Americans* (1925) *Useful Knowledge* (1928); *The Autobiography of Alice B. Toklas* (1933); *Four Saints in Three Acts* (1934); *Everybody's Autobiography* (1937). *Unpublished Writings* (1952). B. Imbs: *Confessions of Another Young Man*. Nova York, 1936. W.G. Rogers: *When This You See Remember Me*. *Gertrude Stein in Person*. Nova York, 1948. D. Sutherland: *Gertrude Stein. A Biography of her Work*. New Haven, 1952.

182) Cf. "O Equilíbrio Europeu", nota 250.

183) Elinor Hoyt Wylie, 1885-1928. *Nets to catch the Wind* (1921); *Angels and Earthly Creatures* (1928). Edição: Collected Poems, por W.R. Benét, Nova York, 1932. N. Hoyt: *Elinor Wy'lie*. Indianapolis, 1935.

184) Cf. "O Equilíbrio Europeu", nota 253.

185) Cf. nota 66.

186) Cf. nota 218.

187) Sherwood Anderson, 1876-1941. *Windy McPherson's Son* (1916); *Marching Men* (1917); *Winesburg, Ohio* (1919); *Poor White* (1920); *The Triumph of the Egg* (1921); *Many Marriages* (1923); *Horses and Men* (1923); *A Story Teller's Story* (1924); *Dark Laughter* (1925); *Beyond Desire* (1932); *Death in the Woods* (1933); *Kit Brandon* (1936). C.B. Chase: *Sherwood Anderson*. Nova York, 1927. N.B. Fagin: *The Phenomenon of Sherwood Anderson*. Nova York, 1927. J. Schevill: *Sherwood Anderson. His Life and Work*. Nova York, 1951. I. Howe: *Sherwood Anderson*. Londres, 1951.

188) Cf. "Do Realismo ao Naturalismo", nota 64.

189) David Herbert Lawrence, 1885-1930. *The White Peacock* (1911); *Sons and Lovers* (1913); *The Prussian Officer and Other Stories* (1914); *The Rainbow* (1915); *Look! We Have Come Through!* (1917); *Women in Love* (1921); *England, My England and Other Stories* (1922); *Aarons Rod* (1922); *Kangaroo* (1923); *Birds, Beasts and Flowers* (1923); *The Plumed Serpent* (1926); *Lady Chatterley's Lover* (1928); *The Woman Who Rode Away and Other Stories* (1928). J.M. Murry: *Son of Woman*. Londres, 1931. T.S. Eliot: *After Strange Gods*. Nova York, 1934. H. Kingsmill: *The Life of D.H.Lawrence*. Londres, 1938. R. Aldington: *Portrait of a Genius, But... The Life of D.H.Lawrence*. Londres, 1950. A. West: *David Herbert Lawrence*. Londres 1951. W. Tiverton: *David Herbert Lawrence and Human Existence*. Londres, 1951. H. Th. Moore: *The Life and Works of D. H. Lawrence*. Nova York, 1951. F.R. Leavis: *David Herbert Lawrence, Novelist*. Londres, 1955.

190) Sigmund Freud, 1856-1939. *Die Traumdeutung* (1900); *Psychoanalytische Studien na Werken der Dichtung und Kunst* (1924) etc., etc. F. Wittels: *Freud. L'homme, la doctrine, l'école*. 2.ª ed., Paris, 1929. E. Jones: *Sigmund Freud. Life and Work*. vols. I, II. Londres, 1952, 1954. F.J. Hoffman: *Freudianism and the Literary Mind*. Nova Orleans, 1946. L. Trilling: "Freud and Literature" (In: *The Liberal Imagination*. Nova York, 1950).

191) Cf. "Simbolismo", nota 115.

192) Stefan Zweig, 1881-1942. *Jeremias* (1917); *Amok* (1922); *Verwirrung der Gefuehle* (1925); *Joseph Fouché* (1929); *Marie Antoinette* (1932); *Triumph und Tragik des Erasmus von Rotterdam* (1934) etc. H. Arens: *Stefan Zweig sein Leben, sein Werk*. Zurique, 1949.

193) Ragnhild Joelsen, 1875-1908. *Rikka Gan* (1904); *Hollases Kroenike* (1906); *Ve's Mor* (1909).

194) Margit Kaffka, 1880-1918. *Cores e Anos* (1912); *Anos de Maria* (1913); *Etapas* (1917); *O Formigueiro* (1918). M. Radnóti: *Margit Kaffka*. Budapeste, 1934. (Em húngaro).

195) Katherine Mansfield (pseudônimo de Kathleen Beauchamp), 1888-1923. *In a German Pension* (1911); *Bliss and Other Stories* (1920); *The Garden Party and Other Stories* (1922); *The Doves'Nest and Other Stories* (1923); *Journal* (1927). J. Middleton Murry e R.E. Mantz: *The Life of Katherine Mansfield*. Londres, 1933. K. Früs: *Katherine Mansfield. Life and Stories*, Kjoebenhavn, 1946. S. Berkman: *Katherine Mansfield. A Critical Study*. New Haven, 1951. A. Alpers: *Katherine Mansfield. A Biography*. Nova York, 1953.

196) Cf. "O Equilíbrio Europeu", nota 211.

197) Cf. nota 181.

198) James Joyce, 1882-1941. *Chamber Music* (1907); *Dubliners* (1914); *A Portrait of the Artist as a Young Man* (1916); *Ulysses* (1922); *Finnegans Wake* (1939). St. Gilbert: *James Joyce's Ulysses*. Nova York, 1930. (2.ª

ed., Londres, 1952). H. Gorman: *James Joyce*. Nova York, 1939. H. Levin: *James Joyce. A Critical Introduction*. Norfolk, Conn. 1941. E. Wilson: "James Joyce" (In: *Axel's Castle*. 2.ª ed. Nova York, 1943). R.M. Kain: *Fabulous Voyager. James Joyce's Ulysses*. Chicago, 1947. W.Y. Tindall: *James Joyce. His Way of Interpreting the Modern World*. Nova York, 1950. Kr. Smidt: *James Joyce and the Cultic Use of Fiction*. Oslo, 1955. M. Magalaner e R.M. Kain: *Joyce, the Man, the Work, the Reputation*. Nova York, 1956. H. Kenner: *Dublin's Joyce*. Londres, 1956.

199) M. Praz: *La crisi dell'eroe nel romanzo vittoriano*. Florença, 1952.

200) Cf. "Do Realismo ao Naturalismo", nota 164.

201) Luigi Chiarelli, 1880-1947. *La maschera e il volto* (1916); *La scala di seta* (1917); *Le lacrime e le stelle* (1918); *Fuochi d'artifizio* (1923). A. Lanocita: "Luigi Chiarelli" (In: *Scrittori del tempo nostro*. Milão, 1928). A. Tilgher: "Il teatro del grottesco" (In: *Studi sul teatro contemporaneo*. 3.ª ed. Roma, 1928).

202) Luigi Pirandello, 1867-1936. Ficção: *Beffe della morte e della vita* (1902/1903); *Il fu Mattia Pascal* (1904); *Bianche e nere* (1904); *Erma bifronte* (1906); *La vita nuda* (1910); *Terzetti* (1913); *I vecchi e i giovani* (1913); *Le due maschere* (1914); *La Trappola* (1915); *Si gira* (1915); *Erba del nostro orto* (1915); *E domani, lunedi...* (1919); *Um cavallo nella luna* (1920); *Il carnevale dei morti* (1921); *Uno, nessuno e centomila* (1926); *Novelle per un anno* (14 vols., 1922/1939). Teatro: *La ragione degli altri* (1915); *Liolà* (1916); *Pensaci, Giacomino* (1916); *Il piacere dell'onestà* (1917); *Ma non è uma cosa seria* (1918); *Così è se vi pare* (1918); *L'uomo, la bestia e la virtù* (1919); *Tutto per bene* (1920); *Come prima, meglio di prima* (1921); *Sei personnaggi in cerca d'autore* (1921); *Enrico IV* (1922); *Vestire gli ignudi* (1922); *Ciascuno a suo modo* (1924); *Questa sera si recita a soggetto* (1930); *Come tu mi vuoi* (1930); *Quando si è qualcuno* (1933), etc. Edição das obras completas, 51 vols., Milão, 1935-1939. F. Pasini: *L'opera di Luigi Pirandello*. Trieste, 1927. B. Crémieux: *Henri IV et la dramaturgie de Pirandello*. Paris, 1928 I. Siciliano: *Il teatro di Pirandello ovvero i Fasti dell'artificio*. Torino, 1928. A. Tilgher: *Studi sul teatro contemporaneo*. 3.ª ed. Roma 1928. D. Vittorini: *The Drama of Luigi Pirandello*. Philadelphia, 1935. W. Starkie: *Luigi Pirandello*. 2.ª ed. Nova York, 1937. B. Croce: "Luigi Pirandello" (In: *La Letteratura della Nuova Italia*. vol. VI. Bari, 1945). A. Janner: *Luigi Pirandello*. Florença, 1948. A. Di Pietro: *Pirandello*. 2.ª ed. Milão, 1951. L. MacClintock: *Pirandello and his Age*. Bloomington, 1952. C. Guasco: *Ragione e mito nell'arte di Luigi Pirandello*. Roma, 1954. G. Dumur: *Pirandello*. Paris, 1955. L. Ferrante: *Pirandello*, Florença, 1958.

203) Pier Maria Rosso di San Secondo, 1887-1956. *Marionette, che passione!* (1918); *La bella addormentata* (1919); *L'ospite desiderato* (1921); *La roccia e i monumenti* (1923); *L'avventura terrestre* (1925); *La Scala* (1925); *Una cosa di carne* (1926); *Tra vestiti che ballano* (1927); *Luce del nostro cuore* (1932). A. Tilgher: "Il teatro di Rosso di San Secondo" (In: *Studi sul teatro contemporaneo*. 3.ª ed. Roma, 1928).

204) Jacinto Grau, 1877-1958. *Don Juan de Carillana* (1913); *El conde Alarcos* (1917); *El hijo pródigo* (1918); *Señor de Pigmalión* (1921); *El burlador que no se burla* (1930) etc. E. Estéves Ortega: *"El teatro moderno de Jacinto Grau"* (In: *Nuevo Escenario*, 1928).

205) Cf. nota 133.

206) Cf. "O Equilíbrio Europeu", nota 211.

207) Cf. "O Equilíbrio Europeu", notas 206 e 210.

208) Dorothy Richardson, 1873-1957. *Pilgrimage* (*Pointed Roofs*, 1915; *Backwater*, 1916; *Honeycomb*, 1917; *The Tunnel*, 1919; *Interim*, 1919; *Deadlock*, 1921; *Revolving Lights*, 1923; *The Trap*, 1925; *Oberland*, 1927; *Dawn's Left Hand*, 1931; *Clear Horizon*, 1935; *Dimple Hill*, 1938). J.C. Powys: *Dorothy Richardson*. Londres, 1931.

209) Agnes von Krusenstjerna, 1894-1940. *Tony vaexer up* (3 vols., 1922, 1926); *Froeknarna von Pahlen* (7 vols., 1930/35); *Fattigadel* (4 vols., 1935, 1938). Edição completa por G. Edfeldt, 19 vols., Estocolmo, 1944, 1946. S. Ahlgren: *Krusenstjernastudier*. Estocolmo, 1941. O. Lagercrantz: *Agnes von Krusenstjerna*. Estocolmo, 1951.

210) May Sinclair, 1879-1946. *The Divine Fire* (1904); *The Three Sisters* (1914); *Mary Olivier* (1919); *The Life and Death of Harriet Frean* (1922); *Anne Severn and the Fieldings* (1922).

211) Virginia Woolf, 1882-1941. *The Voyage Out* (1915); *Jacob's Room* (1922); *Mrs. Dalloway* (1925); *To the Lighthouse* (1927); *Orlando* (1928); *The Waves* (1931); *The Years* (1937); *Between the Acts* (1941). W. Holtby; *Virginia Woolf. Londres*, 1932. D. Daiches: *Virginia Woolf*. Norfolk Conn., 1942. R.L. Chambers: *The Novels of Virginia Woolf Londres*, 1947. B. Blackstone: *Virginia Woolf. A Commbentary*. Londres, 1949. M. Chastaing: *Le philosophie de Virginia Woolf*. Paris, 1951. A. Pippett: *The Moth and the Star. A Biography of Virginia Woolf. Londres*, 1955.

212) J.K. Johnstone: *The Bloomsbury Group*. Nova York, 1954.

213) Lytton Strachey, 1880-1932. *Landmarks in French Literature* (1912); *Eminent Victorians* (1918); *Queen Victoria* (1921); *Elizabeth and Essex* (1928). B.H. Lehman: *"The Art of Lytton Strachey"* (In: *Essays in*

Criticism, University of California. Vol. I. Los Angeles, 1929.) CI. Bower-Shore: *Lytton Strachey, an Essay.* Londres, 1933.

214) Edith Sitwell, 1887-1964. *Clown's House* (1918); *Wooden Pegasus* (1920); *Façade* (1922); *Bucolic Comedies* (1923); *Troy Park* (1925); *Rustic Elegies* (1927); *Gold Coast Customs and Other Poems* (1930); *Green Long and Other Poems* (1944); *The Shadow of Cain* (1947); *Collected Poems* (1957). R. L. Mégroz: *The Three Sitwells.* Londres, 1927. C. M. Bowra: *Edith Sitwell.* Londres, 1947. J. Lehmann: *Edith Sitwell.* Londres, 1952.

215) Aldous Huxley, 1894-1963. *Crome Yellow* (1921); *Antic Hay* (1923); *Those Barren Leaves* (1925); *Point Counter Point* (1928); *Brave New World* (1932); *Eyeless in Gaza* (1936), etc. R. B. Lloyd: *The Undisciplined Life. A Study of Aldous Huxley's Recent Works.* Londres, 1931. A. Henderson: *Aldous Huxley.* Londres, 1935. D. S. Savage: *Mysticism and Aldous Huxley.* Londres, 1947.

216) G.K. Anderson e E.L. Walton: "The War and the Waste Landers" (In: *This Generation.* Chicago, 1939.)

217) Cf. "O Equilíbrio Europeu", nota 251.

218) Henry Louis Mencken, 1880-1956. *A Book of Prefaces* (1917, 1924, 1928); *Prejudices* (1919, 1927); *The American Language* (1928). I. Goldberg: *The Man Mencken.* Nova York, 1925. E. Kemler: *The Irreverent Mr. Mencken.* Nova York, 1950. W. Manchester: *Disturber of Peace. The Life of Henry Louis Mencken.* Nova York, 1951.

219) Ludwig Lewisohn, 1883-1955. *Up Stream* (1922); *The Case of Mr. Crump* (1926); *The Island Within* (1928); *Expression in America* (1932).

220) Joseph Hergesheimer, 1880-1954. *Three Black Pennys* (1917); *Java Head* (1919); *Linda Condon* (1919); *Cytherea* (1922); *Tampico* (1926); *The Party Dress* (1929) *Limestone Tree* (1931). J.B. Cabell: *Joseph Hergesheimer.* Nova York, 1921.

221) Francis Scott Fitzgerald, 1896-1940. *This Side of Paradise* (1920); *Tales of the Jazz Age* (1922); *The Beautiful and Damned* (1922); *The Great Gatsby* (1925); *Tender is the Night* (1934); *The Last Tycoon* (1941); *The Crack-up* (1945). W. Troy: "The Authority of Failure" (In: *Forms of Modern Fiction,* edit. por W. O'Connor. Minneapolis, 1948.) A. Mizener: *The Far Side of Paradise. A Biography of Scott Fitzgerald.* Boston, 1951. A. Kazin, edit.: *Francis Scott Fitzgerald. The Man and his Work.* Nova York, 1951. A. Turnbull: *Scott Fitzgerald.* Londres, 1961. W. Goldhurst: *Francis Scott Fitzgerald and his Contemporaries.* Nova York, 1963.

222) Eugene O'Neill, 1888-1953. (Cf. nota 134 e "Tendências Contemporâneas", nota 371.) *The Long Voyage Home* (1917); *The Moon of the Caribbees* (1918): *Beyond the Horizon* (1920): *Emperor Jones* (1921); *The Hairy Ape* (1922); *Anna Christie* (1922); *Marco Millions* (1924); *All God's Chillun Got Wings* (1924); *Desire under the Elms* (1924); *The Great God Brown* (1926); *Lazarus Laughed* (1926); *Strange Interlude* (1928); *Mourning Becomes Electra* (1931); *Days Without End* (1934); *The Iceman Cometh* (1945). J.T. Shipley: *The Art of Eugene O'Neill.* Seattle, 1928. B.H. Clark; *Eugene O'Neill, the Man and his Plays.* Nova York, 1933 (2.ª ed. 1947). S. K. Winter: *Engene O'Neill, a Critical Study.* Nova York, 1934. R.D. Skinner: *Eugene O'Neill, Nova York,* 1935. A. e B. Gelb: *O'Neill.* Nova York, 1962.

223) U. Ellis-Fermor: "Jacobean Dramatic Technique" (In: *The Jacobean Drama.* Londres, 1936.)

224) Sinclair Lewis, 1885-1951. *Main Street* (1920); *Babbitt* (1922); *Arrowsmith* (1925); *Mantrap* (1926); *Elmer Gantry* (1927); *Dodsworth* (1929) *Ann Vickers* (1933); *Kingsblood Royal* (1947). V.L. Parrington: *Sinclair Lewis.* Nova York, 1927. C. Van Doren: *Sinclair Lewis.* Nova York, 1933. Al. Ortiz: *Sinclair Lewis, un espíritu libre frente a la sociedad americana.* Buenos Aires, 1949. M. Schorer: *Sinclair Lewis, an American Life.* Nova York, 1961.

225) John O'Hara, 1905-1970. *Appointment in Samarra* (1934); *The Doctor's Son and Other Stories* (1935). *Butterfield* 8 (1935); *A Rage to Live* (1949). E. Wilson: *Classics and Commercials.* Nova York, 1951.

226) Robinson Jeffers, 1887-1962. *Tamar and Other Poems* (1924); *Roan Stallion and Other Poems* (1925); *Cawdor and Other Poems* (1926); *Solstice and other Poems* (1935); *Medea* (1947); *The Double Ax and Other Poems* (1948); *the Beginning and the End* (1963). L.C. Powell: *Robinson Jeffers, the Man and his Work,* 2.ª ed. Los Angeles, 1940.

227) Wallace Stevens, 1879-1955. *Harmonium* (1923); *Ideas of Order* (1935); *The Man with the Blue Guitar* (1937); *Transport to Summer* (1947). R.P. Blackmur: "*Examples of Wallace Stevens*" (In: *The Double Agent.* Nova York, 1935). W. Van O'Connor: *The Shaping Spirit. A Study of Wallace Stevens.* Chicago, 1951.

228) M. Cowley: *Exiles Return. A Narrative of ideas.* Nova York, 1934. H. E. Stearns: *The Street I Know.* Nova York, 1935.

229) Ernest Walsh, 1895-1926. *Poems and Sonnets* (1934). H. Monroe: "Ernest Walsh." (In: Poetry, janeiro de 1933).

230) Emanuele Carnevali, 1897-1942. *An Hurried Man* (1925).

231) Cf. nota 8.

232) Cf. nota 181.

233) Edward Estlin Cummings, 1894-1962. *The Enormous Room* (1922); *Tulips and Chimneys* (1923); *is 5* (1926); *him* (1927); *Viva* (1931); *Cimi* (1933); *Collected Poems* (1938); *Fifty Poems* (1940); *Poems*, 1923-1954 (1955); *Collected Poems*, (1964). R. P. Blackmur: "Notes on E. E. Cummings' Language" (In: *The Double Agent.* Nova York, 1935.) Commings Number da revista *Harvard Wake*, 5, Primavera de 1946. N. Friedman: *E. E. Cummings, the Art of his Poetry.* Baltimore, 1960.

234) Ernest Hemingway, 1898-1961. *In Our Time* (1924); *The Sun Also Rises* (1926); *Men Without Women* (1927); *A Farewell to Arms* (1929); *Death in the Afternoon* (1932); *The Green Hills of Africa* (1935); *To Have and Have Not* (1937); *The Fifth Column and the First Forty Nine Stories* (1938); *For Whom the Bell Tolls* (1940). *Across the River and into the Trees* (1950); *The Old man and the Sea* (1952). L. Kirstein: "The Canon of Death" (In: *Hound and Horn.* VI. 1933). E. Wilson: "Hemingway, Gauge of Morale" (In: *The Wound and the Bow.* 6. ed. Cambridge, Mass. 1941.) R.P. Warren: "Hemingway". (In: *Kenyon Review*, IX, 1947.) J.K.M. McCaffery edit.: *Ernest Hemingway, the Man and his Work.* Cleveland, 1950. H. Levin: "Observations on the Style of Ernest Hemingway" (In: *Kenyon Review*, XIII, 1951.) C. Baker: *Hemingway. The Writer as Artist.* Princeton, 1952. J. Atkins: *The Art of Ernest Hemingway.* Londres, 1952. Ph. Young: *Hemingway.* Nova York, 1952. C. Baker ed.: *Hemingway and his Critics.* Princeton, 1961.

235) Cf. "O Equilíbrio Europeu", nota 162.

236) Cf. nota 64.

237) Oswald Spengler, 1880-1936. *Der Untergang des Abendlandes* (1918-1920); *Preussentun und Sozialismus* (1919); *Der Mensch und die Technik* (1933); *Jahre der Entscheidung* (1933). M. Schroeter: *Der Streit um Spengler.* Munique, 1925. W. Rehm: *Der Untergang Roms im abendlaendischen Denken. Gin Reitrag zur Geschichtschreibung und zum Dekadenzproblem.* Leipzig, 1930.

238) N. Foerster (ed.): *Humanism and America. Essays on the Outlook of Modern Civilisation.* Nova York, 1930. Chr. Richard: *Le mouvement humaniste en Amérique.* Paris, 1934.

239) Irving Babbitt, 1865-1933. *The New Laokoon* (1910); *The Masters of French Criticism* (1912); *Rousseau and Romanticism* (1919); *Democracy and Leadership* (1924). F.E. Mc Mahon: *The Humanism of Irving Babbitt. Nova York*, 1931. F. Manchester e O. Shepard edit.: *Irving Babbitt, Man and Teacher.* Nova York, 1941.

240) Stuart Pratt Sherman, 1881-1926. *On Contemporary Literature* (1917); *Matthew Arnold, How to Know Him* (1917); *Americans* (1922); *Points of View* (1924). J. Zeitlin e H. Woodbridge: *The Life and Letters of Stuart Pratt Sherman.* 2 vols. Nova York, 1929.

241) Paul Elmer More, 1864-1937. *Platonism* (1917); *The Catholic Faith* (1931); *Shelburne Essays* (1904, 1921). R. Schafer: *Paul Elmer More and American Criticism.* New Haven, 1935.

242) G. Williamson: *The Donne Tradition.* Cambridge, Mass., 1930.

243) Cf. "O simbolismo", nota 81.

244) Thomas Stearns Eliot, 1888-1965 (Cf. "Tendências Contemporâneas"). *Prufrock and Other Observations* (1917); *Poems* (1919); *Poems* (1920); *The Sacred Wood* (1920); *The Waste Land* (1922); *For Lancelot Andrewes* (1928); *Dante* (1929); *Marina* (1930); *Ash-Wednesday* (1930); *After Strange Gods* (1934); *Elizabethan Essays* (1934); *Murder in the Cathedral* (1935); *The Family Reunion* (1939); *Four Quartets* (1944); *The Cocktail Party* (1951) etc. H.R. Williamson: *The Poetry of T. S. Eliot.* Nova York, 1932. F. O. Matthiessen: *The Achievement of T. S. Eliot. Boston,* 1935 (3.ª ed., 1948). Cl. Brooks: *Modern Poetry and the Tradition.* Chapel Hill, 1939. H. Gardner: *The Art of T. S. Eliot.* Londres, 1949. E. Drew: *T. S. Eliot, the Design of his Poetry.* Nova York, 1949. R.H. Robbins: *The T. S. Eliot Myth.* Nova York, 1951. D.E.S. Maxwell: *The Poetry of T. S. Eliot.* Londres, 1952. G. Williamson: *A Reader's Guide to T.S. Eliot.* Londres, 1955. H. Kenner: *The Invisible Poet. T. S. Eliot.* Londres, 1960.

245) Marianne Moore, 1887-1972. *Poems* (1920); *Observations* (1924); *Selected Poems* (1935); *What Are Years* (1941); *Nevertheless* (1944). T.S. Eliot: Prólogo da edição dos *Selected Poems*, Nova York, 1935. R.P. Blackmur: *"The Method of Marianne Moore"* (In: *The Double Agent.* Nova York, 1935). M.D. Zabel: "A Literalist of the Imagination" (In: M. D. Zabel edit: *Literary Opinion in America.* Nova York, 1937). K. Burke: "Motives and Motifs in the Poetry of Marianne Moore" ("In. *Accent*, Primavera de 1942).

246) Ivor Armstrong Richards, 1893-1979. *Principles of Literary Criticism* (1924); *Practical Criticism* (1929).

247) Cf. "Tendências contemporâneas".

248) Cf. "Tendências contemporâneas".

249) Boris Leonidovitch Pasternak, 1890-1960. *Contra os Obstáculos* (1917); *Irmã Vida* (1922); *Tema com variazioni* (1923); *Tenente Schmidt* (1926); *O ano de 1905* (1927); *Spektorski* (1927); *O Segundo nascimento* (1932); *Doutor Jivago* (1958). R. Jacobson: *"Randbemerkungn zur Prosa des Dichters Pasternak".* (In: *Slavische Rundschau*, VII, 1935). P. Antokolski: A *prova do tempo.* Moscou, 1945. (Em russo.) J.M. Cohen:

"The Poetry of Boris Pasternak" (In: *Horizon*, XII, 1945). C.M. Bowra: "Boris Pasternak". (In: *The Creative Experiment*. Londres, 1949.) C.L. Wrenn: "Boris Pasternak". (In: *Oxford Slavonic Papers*, 2, 1951). R. Payne: *Les trois mondes de Leonard Pasternak*. Paris, 1963.

250) Alexander Ignatievitch Tarasov-Rodionov, 1885-1938. *Chocolate* (1922); fevereiro de 1917 (1928).

251) Lydia Nikolaieyna Sejfullina, 1889-1956. *Os Contraventores da Lei* (1921); *Humo* (1923); *Virineia* (1926).

252) Fedor Vassilievitch Gladkov, 1883. *Cimento* (1926); *O Sol Ébrio* (1930); *Energia* (1933) W. Leppmann: *Fedor Gladkov* (In: Osteuropa, VI, 1929).

253) Boris Pilniak (pseudônimo de Boris Andreievitch Wogau), 1883-1958

O Ano Nu (1922); *Máquinas e Lobos* (1925); *O Volga Desemboca no Mar Cáspio* (1930); *Frutas Maduras* (1938). W. Leppmann: "Boris Pilniak" (In: Osteuropa, VI, 1929). B. P. Kosmin: *"Boris Pilniak"*. (In: *Escritores da Época Contemporânea*. Vol. II. Moscou, 1937) (Em russo).

254) Leonid Maximovitch Leonov, 1899-1994. (Cf. "Tendências contemporâneas"). *O Fim de um Homem Mesquinho* (1924); *Toupeiras* (1925); *O Ladrão* (1928); *Sot* (1931); *Skutarevsky* (1932); *O caminho Para o Oceano* (1936); *Invasão* (1942); *A Conquista de Velikoshumsk* (1944). V. Kirpotin: *Os Romances de Leonid Leonov*. Moscou, 1935. (Em Russo.) I.M. Nusinov: *Leonid Leonov*. Moscou, 1935. (Em russo).

255) Gabrielle-Sidonie Colette, 1873-1954. *Claudine à l'école* (1900); *Claudine à Paris* (1901); *Claudine en ménage* (1902); *Claudine s'en va* (1903); *La vagabonde* (1901); *L'envers du music-hall* (1913); *Chéri* (1920); *La fin de Chéri* (1926); *La chatte* (1933). J. Larnac: *Colette, sa vie, son oeuvre*. Paris, 1927. M. Le Hardouin: *Colette*. Paris, 1956.

256) Jean Giraudoux, 1882-1944. *Suzanne et le Pacifique* (1921); *Siegfried et le Limousin* (1922); *Juliette au pays des hommes* (1924); *Bella* (1926); *Amphitryon* (1929); *La guerre de Troie n'aura pas lieu* (1935); *La folle de Chaillot* (1946) etc. J. Houlet: *Le théâtre de Giraudoux*. Paris, 1945. F. Toussaint: *Jean Giraudoux*. Paris, 1953. V.-H. Debidour: *Giraudoux*. Paris, 1955.

257) Saint-John Perse (pseudônimo de Alexis Léger), 1887-1975. *Éloges* (1910); *Anabase* (1924); *Exil* (1945); *Vents* (1946). T.S. Eliot: Prefácio da tradução inglesa de *Anabase*. Londres, 1930. M. Saillet: *Saint-John Perse*. Paris, 1953. P. Guerre: *Saint-John Perse et l'homme*. Paris, 1955. Chr. Murciaux: *Saint-John Perse*, Paris, 1961.

258) Jean Cocteau, 1889-1963. *La Danse de Sophocle* (1912); *Le Potomak* (1919); *Le Cap de Bonne Espérance* (1919); *Le Boeuf sur le Toit* (1920); *Escales* (1921); *Vocabulaire* (1922). *Plain-chante* (1923); *Thomas l'Imposteur* (1924); *Opéra* (1925-1927); *Orphée* (1927); *Oedipe Roi* (1928); *Les enfants terribles* (1929); *La voix humaine* (1930); *La machine infernale* (1930); *Les parents terribles* (1938); *Les monstres sacrés* (1940); *L'Aigle à deux têtes* (1946); *Poésies* (1948). CI. Mauriac: *Jean Cocteau ou La vérité du mensonge*, Paris, 1945. R. Lannes: *Jean Cocteau*. Paris, 1945. P. Dubourg: *Dramaturgie de Jean Cocteau*. Paris, 1954. M. Crosland: *Jean Cocteau*. Londres, 1955.

259) W. Benjamin: "Der Surrealismus" (In: *Die literarische Welt*, 1927, V/VII). G. Mangeot: *Histoire du Surréalisme*. Bruxelas, 1935. H. E. Read: *Surrealism*. Londres, 1936. M. Raymond: *De Baudelaire au Surréalisme*. 2.ª ed. Paris, 1940 G. Lemaitre: *From Cubism to Surrealism in French Literature*. Cambridge, Mass., 1941. M. Nadeau: *Histoire du Surréalisme*. Paris, 1945.

260) Raymond Roussel, 1877-1933. *La Doublure* (1896); *La Vue* (1903); *Impressions d'Afrique* (1910); *Locus Solus* (1914). M. Leiris: "Raymond Roussel" (In: *Nouvelle Revue Française*, XLIV, 1935). J. Ferry: *Étude sur Raymond Roussel*. Paris, 1961.

261) A. Béguin: *L'âme romantique et le rêve. Essai sur le romantisme allemand et la poésie française*. 2 vols. Marseille, 1937.

262) Cf. "Do Realismo ao Naturalismo", nota 151.

263) Cf. "Tendências contemporâneas".

264) Philippe Soupault, 1897-1990. *Rose des vents* (1920); *Les champs magnetiques* (com A. Breton; 1921); Westwego (1922); Wang-Wang (1924); *Poésies complètes* (1937). H.I. Dupry: "Philippe Soupault ou la poésie spontanée" (In: *Renaissances*, XII, 1945).

265) Antonin Artaud, 1896-1948. *L'Ombilic des Limbes* (1924); *Héliogabale* (1934); *Le Théâtre et son double* (1938-1945); *Van Gogh ou le suicidé de la Société* (1948); *Les Tarahumaras* (1955); *Vie et mort de Satan le Feu* (1955).

266) Louis Aragon, 1897-1982. *Feu de joie* (1920); *Anicet ou le panorama* (1921); *Le libertinagem* (1924); *Le paysan de Paris* (1926); *Traité de style* (1928); *Persécuteur persécuté* (1931); *Les cloches de Bâle* (1934); *Hourra l'Oural* (1934); *Les beaux quartiers* (1936); *Crève Coeur* (1941); *Les voyageurs de l'Impériale* (1942); *Aurélien* (1947); *Les Communistes* (1949); *La Semaine Sainte* (1960). Cl. Roy: *Aragon*. Paris, 1945. R. Garaudy: *L'Itinéraire d'Aragon*. Paris, 1961.

267) Robert Desnos, 1897-1945. *Corps et biens* (1930): *La Liberté ou l'amour* (1931).

268) René Crevel, 1900-1935. *Mon corps et moi* (1925); *La mort difficile* (1926); *Étes vous fou?* (1929); *Le clavecin de Diderot* (1932).

269) André Breton, 1896-1966. *Mont de piété* (1919); *Champs magnétignes* (com Ph. Soupault: 1921); *Clair de terre* (1923); *Manifeste du Surréalisme. Poisson soluble* (1924); *Introduction au discours sur le peu de réalité* (1927); *Nadja* (1928); *Second Manifeste du Surréalisme* (1930); *L'Immaculée Conception* (com P. Eluard; 1930); *Les vases communicants* (1932); *Le revolver à cheveux blancs* (1932); *Trajectoire du rêve* (1938). J. Gracq.: *André Breton.* Paris, 1948. CI. Mauriac: *André Breton.* Paris, 1949. M. Carrouges: *André Breton et les données fondamentales du surréalisme.* Paris, 1950.

270) Conrad Aiken, 1889-1973. *The Charnel Rose* (1918); *Priapus and the Pool* (1922,1925); *The Pilgrimage of Festus* (1923); *Preludes to Memnon* (1931); *Brownstone Eclogues* (1942). H. Peterson: *Melody of Chaos.* Nova York, 1931.

270-A) Nathanael West, 1906-1940. *Miss Lonelyheart* (1933); *The Day of the Locust* (1939).

270-B) Djuna Barnes, 1892-1982. *Nightwood* (1936).

271) Herbert Edward Read, 1893-1968. *Collected Poems*, 1913-1925 (1926); *Collected Poems*, 1914-1934 (1935); *Collected Poems* (1946).

272) Joaquim Folguera, 1893-1919. *Poemas de neguit* (1915); *El Poema Espars* (1917); *Poemas* (4 vols., 1919-1921).

273) Vitezlav Nezval, 1900-1957. *Pantomima* (1924); *O Pequeno Roseiral* (1927); *Poemas da Noite* (1930); *Praga na Chuva* (1936); *O Coveiro Absoluto* (1937); *Cinco Minutos Atrás da Cidade* (1939); *Quadros Históricos* (1940); *Contos da Paz* (1950). F. Soldan: *Nezval e a última Geração.* Praga, 1933. (Em tcheco.) L. Kratochvil: *Wolkel e Nezval.* Praga, 1936. (Em tcheco).

274) Fr. de Onis: *Antologia de la poesia española y hispano-americana*, 1882-1932, Madrid, 1932. J.J. Domenchina: *Antologia de la poesía española contemporanea.* México, 1941.

275) Cf. "Tendências Contemporâneas".

276) Cf. "Tendências Contemporâneas".

277) Cf. "Tendências Contemporâneas".

278) José Moreno Villa, 1887-1955. *Carba* (1913); *El pasajero* (1914); *Luchas de Pena y Alegria* (1915); *Evoluciones* (1918); *Colección* (1924); *Carambas* (1931); *Puentes que no acaban* (1933); *Salón sin muros* (1938); *Puertu Severa* (1942).

279) Fernando Villalón Daoiz y Halcón, Conde de Miraflores, 1881-1930. *Andalucía la Baja* (1927); *Romances del 800* (1929).

280) W. Worringer: *Formprobleme der Gotik.* Munique, 1911.

281) Fr. Ichaso: *Góngora y la nueva poesía.* Habana, 1927.

282) Dámaso Alonso, 1898-1990. (Cf. "Tendências Contemporâneas".) *Poemas puros, Poemillas de la ciudad* (1921); *El viento y el verso* (1925); *Hijos de la ira* (1944); *Hombre y Diós* (1955).

283) Gerardo Diego, 1896-1987. *El romancero de la novia* (1920); *Imagen* (1922); *Fábula Equis y Zeda* (1922); *Soria* (1923); *Manual de Espumas* (1924); *Versos humanos* (1925); *Viacrucis* (1931); *Poemas Adrede* (1932). Dam. Alonso: "La poesía de Gerardo Diego" In: *Ensayos sobre poesía española*, 2.ª ed. Buenos Aires, 1946. A. Gallego Morell: *Vida y poesía de Gerardo Diego.* Barcelona, 1956.

284) Federico García Lorca, 1899-1936. Poesias: *Livro de Poemas* (1921); *Canciones* (1937); *Romancero gitano* (1928); *Poema del Cante Jondo* (1931); *Llanto por la muerte de Ignacio Sánchez Mejías* (1935); *Obras* (1938); *Poeta en Nueva York* (1940). Teatro: *Mariana Pineda* (1928); *La Zapatera Prodigiosa* (1930): *Bodas de sangre* (1933); *Yerma* (1934); *Rosita* (1935); *Así que pasan los años* (1936). Edição das Obras Completas por G. de Torre, 8 vols., Buenos Aires, 1938-1942. E. del Río: *Federico García Lorca.* Nova York, 1941. E. Honig: *García Lorca.* Norfolk, conn., 1944. A. de La Guardia: *García Lorca. Persona y creación.* 2.ª ed. Buenos Aires, 1945. J.A. Crow: *Federico García Lorca.* Los Angeles, 1945. G. Díaz Plaja: *Federico García Lorca, Estudio Crítico.* Buenos Aires, 1948. J.M. Flys: *El lenguaje poético de García Lorca.* Madrid, 1955. J.L. Schonberg: *García Lorca. L'homme-l'oeuvre.* Paris, 1957.

285) Rafael Alberti, 1902-1999. *Marineiro en Tierra* (1925); *Cal y Canto* (1929); *Sobre los Angeles* (1929); *Consignas* (1933); *13 Bandas y 48 Estrellas, Poema del Mar Caribe* (1935); *Poesias* (1935); *Poesías* (1940); *Entre el clavel y la Espada* (1941); *Pleamar* (1946); *Arion* (1948). P. Salinas: "La poesía de Rafael Alerti" (In: *Literatura Española, Siglo XX.* México, 1941.) C Proll: "The Surrealist Elementa in Rafael Albert" (In: *Bulletin of Hispanic Studies*, XVII, 1940.) E. Proll: "Popularismo and Barroquismo in the Poetry of Rafael Alberti" (In: *Bulletin of Hispanic Studies*, XIX, 1942.)

ÍNDICE ONOMÁSTICO

AIKEN, Conrad (1889-1973), poeta norte-americano, 235

ALAIN-FOURNIER (pseudônimo de Henri Fournier) (1882-1915), romancista francês, 121, 122, 131

ALBERT BIROT, Pierre (1876-1967), poeta francês, 158

ALBERTI, Rafael (1902-1999), poeta espanhol, 61, 165, 238, 239, 241, 245, 246

ALONSO, Dámaso (1898-1990), crítico e poeta espanhol, 239, 240

ANDERSON, Sherwood (1876-1941), romancista e contista norte-americano, 169, 170, 171, 173, 201,204

ANDERSSON, Dan (1888-1920), romancista sueco, 149

ANDRADE, Mário de (1893-1945), poeta, romancista, contista e crítico brasileiro, 167

ANDRADE, Oswald de (1890-1954), poeta e romancista brasileiro, 167

ANKER LARSEN, Johannes (1874-1957), romancista dinamarquês, 149

APOLLINAIRE, Guillaume (pseudônimo de Wilhelm Apollinaris de Kostrowitzky) (1880-1918), poeta francês, 31, 42, 48, 56, 57, 60, 62, 66, 68, 69, 70, 72, 73, 74, 75, 78, 82, 83, 86, 91, 131, 154, 157, 158, 159, 161. 163, 167, 206, 219, 228, 230, 236

ARAGON, Louis (1897-1982), poeta e romancista francês, 158, 159, 161, 230, 231, 234, 236, 240

ARP, Hans (1888-1966), poeta alemão, 157, 159

ARTAUD, Antonin (1896-1948), poeta e crítico francês, 233, 234

BABBITT, Irving (1865-1933), crítico norte-americano, 170, 196, 201, 202, 214, 215

BABEL, Isaak Emanuelovitch (1894-1941), contista russo, 139

BACARISSE, Mauricio (1895-1931), poeta espanhol, 163

BALL, Hugo (1886-1927), escritor alemão, 157, 158

BANDEIRA, Manuel (1886-1968), poeta brasileiro, 167

BARBA-JACOB, Porfírio v. OSORIO, Miguel Angel
BARBUSSE, Henri (1873-1935), romancista francês, 30, 133
BARLACH, Ernst (1870-1938), escultor e dramaturgo alemão, 109, 118
BARNES, Djuna (1892-1982), romancista norte-americana, 235
BECHER, Johannes Robert (1891-1958), poeta alemão, 151
BENN, Gottfried (1886-1956), poeta alemão, 106, 108, 153, 154
BERNARD, Jean-Marc (1881-1915), poeta francês, 131, 133, 134
BOENNELYCKE, Emil (1893), poeta dinamarquês, 151
BOINE, Giovanni (1887-1917), crítico italiano, 121
BONTEMPELLI, Massimo (1878-1960), contista e romancista italiano, 89, 120
BORGES, Jorge Luis (1899-1986), poeta e contista argentino, 162
BORGESE, Giuseppe Antonio (1882-1952), crítico e romancista italiano, 133
BRETON, André (1896-1966), poeta, romancista e crítico francês, 58, 159, 230, 231, 232, 233, 234, 235, 236
BROD, Max (1884-1968), romancista judeu, 115, 116, 117
BUBER, Martin (1878-1966), filósofo judeu, 112, 116, 128, 143
BULGAKOV, Michael Afanassievitch (1891-1936), romancista e contista russo, 139
CAMPANA, Dino (1885-1932), poeta italiano, 89, 91, 121
CAPEK-CHOD, Karel (1860-1927), romancista tcheco, 118, 119
CARDARELLI, Vincenzo (1887-1959), poeta italiano, 88
CARNEVALI, Emanuele (1897-1942), poeta italiano, 204
CARRERA ANDRADE, Jorge (1903-1978), poeta equatoriano, 99
CECCHI, Emilio (1884-1966), crítico italiano, 88
CENDRARS, Blaise (1887-1961), poeta francês, 75, 83, 157, 159, 167, 227
CHIARELLI, Luigi (1880-1947), dramaturgo italiano, 186
COCTEAU, Jean (1889-1963), poeta, dramaturgo e romancista francês, 228, 229, 234, 246
COLETTE, Gabrielle-Sidonie (1873-1954), romancista francesa, 227
COMISSO, Giovanni (1895-1969), escritor italiano, 88
CREVEL, René (1900-1935), poeta francês, 234
CROMMELYNCK, Fernand (1886-1970), dramaturgo belga, 147
CROS, Guy-Charles (1879-1956), poeta francês, 97
CUMMINGS, Edward Estlin (1894-1962), poeta norte-americano, 205, 206, 209, 219
DAUEBLER, Theodor (1876-1934), poeta alemão, 107
DERÈME, Tristan (pseudônimo de Philippe Huc) (1889-1942), poeta francês, 50, 51
DESNOS, Robert (1897-1945), poeta francês, 234
DIEGO, Gerardo (1896-1987), poeta espanhol, 163, 239
DOOLITTLE, Hilda (H.D.) (1886-1961), poetisa norte-americana, 99
ELIOT, Thomas Stearns (1888-1965), poeta e crítico inglês, 100, 102, 183, 194, 195, 210, 212-223, 228, 231, 232, 235, 240
ENGELKE, Gerrit (1898-1918), poeta alemão, 132, 150
ESPINA, Antonio (1891-1972), poeta espanhol, 162
FARGUE, Léon-Paul (1878-1947), poeta francês, 80, 81, 82
FEDIN, Konstantin Alexandrovitch (1892-1977), romancista russo, 138
FITZGERALD, Francis Scott (1896-1940), poeta inglês, 198, 199
FOLGORE, Luciano (pseudônimo de Omero Vecchi) (1888-1966), poeta italiano, 66
FOLGUERA, Joaquín (1893-1919), poeta catalão, 235
FORD, Ford Madox (pseudônimo de Ford Hermann Hueffer) (1873-1939), romancista epoeta inglês, 98
FRANK, Leonhard (1822-1961), romancista alemão, 151, 178
FREUD, Sigmund (1856-1939), psicólogo austríaco, 88, 169, 171, 175, 177, 178, 232
GAETA, Francesco (1879-1927), poeta italiano, 122
GARCÍA LORCA, Federico (1899-1936), poeta e dramaturgo espanhol, 161, 165, 238, 240-246
GIDE, André (1869-1951), romancista francês, 44-50, 58, 178, 195, 204, 205, 228
GIRAUDOUX, Jean (1882-1944), dramaturgo e romancista francês, 227, 228

252

GIRONDO, Oliverio (1891-1967), poeta argentino, 163

GLADKOV, Fedor Vassilievitch (1883-1958), romancista russo, 138, 223

GÓMEZ DE LA SERNA, Ramón (1888-1963), escritor espanhol, 163

GRAU, Jacinto (1877-1958), dramaturgo espanhol, 189

GREIFF, León de (1895-1976), poeta colombiano, 163

HASEK, Jaroslav (1882-1923), romancista tcheco, 133

HASENCLEVER, Walter (1890-1940), dramaturgo alemão, 144, 145

HEMINGWAY, Ernest (1898-1961), romancista e contista norte-americano, 169, 199, 204, 207-209

HERGESHEIMER, Joseph (1880-1954), romancista norte-americano, 196, 197, 199

HESSE, Hermann (1877-1962), poeta e romancista alemão, 41-46, 48, 58, 151, 178

HEYM, George (1887-1912), poeta alemão, 107, 108, 121, 128, 129

HEYNICKE, Kurt (1891-1985), poeta alemão, 108, 149

HIDALGO, Alberto (1897-1967), poeta peruano, 164

HODDIS, Jakob (1887-1942), poeta alemão, 108

HOPKINS, Gerard Manley (1844-1889), poeta inglês, 216, 221

HUEFFER, Hermann V. FORD, Ford Madox

HUELSENBECK, Richard (1892-1974) poeta alemão, 157, 159, 169

HUIDOBRO, Vicente (1893-1947), poeta chileno, 162

HUXLEY, Aldous (1894-1963), romancista inglês, 195

IVANOV, Vsevolod Viatcheslavovitch (1895-1963), contista e dramaturgo russo, 138

JACOB, Max (1876-1944), poeta francês, 46, 56, 62, 73, 75, 76, 78, 82, 91, 157,158, 163, 228, 230

JAHIER, Piero (1884-1966), escritor italiano, 132

JARRY, Alfred (1873-1907), dramaturgo francês, 58, 60, 157, 158, 230

JEFFERS, Robinson (1887-1962), poeta norte-americano, 203

JESSENIN, Sergei Alexandrovitch (1895-1925), poeta russo 99, 140-142, 161

JOELSEN, Ragnhild (1875-1908), romancista norueguesa, 179

JOHST, Hanns (1890-1978), dramaturgo alemão, 152

JOUVE, Pierre-Jean (1887-1976), poeta e romancista francês, 81, 82, 150

JOYCE, James (1882-1941), romancista inglês, 47, 58, 88, 147, 154, 169, 178, 181-186, 189-192, 204, 214, 218

KAFFKA, Margit (1880-1918), romancista húngara, 179

KAFKA, Franz (1883-1924), romancista e novelista praguense, 39, 89, 106, 115-118, 154, 162

KAISER, Georg (1878-1945), dramaturgo alemão, 30, 33, 142, 145, 146

KAVERIN, Veniamin Alexandrovitch (1902-1989), romancista russo, 138

KHLEBNIKOV, Viktor Viktorovitch (1885-1922), poeta russo, 66, 140

KLABUND (pseudônimo de Alfred Henschke) (1891-1928), poeta e romancista alemão, 150

KOLBENHEYER, Erwin Guido (1878-1962), romancista alemão, 109

KRUSENSTJERNA, Agnes von (1894-1940), romancista sueca, 191

LAGERKVIST, Pär (1891-1974), poeta, dramaturgo e romancista sueco, 154

LAWRENCE, David Herbert (1885-1930), romancista, novelista, poeta e crítico inglês, 102, 170-175, 178, 181, 183, 195, 218, 223

LEONOV, Leonid Maximovitch (1899-1994), romancista russo, 140, 225, 226

LEWIS, Sinclair (1885-1951), romancista norte-americano, 171, 201-203, 215

LEWISOHN, Ludwig (1883-1955), romancista norte-americano, 170, 196, 215

LÓPEZ VELARDE, Ramón (1888-1921), poeta mexicano, 164, 165

LOWELL, Amy (1874-1925), poetisa norte-americana, 102, 169

LUNTZ, Lev Natanovitch (1901-1924), dramaturgo russo, 138, 142

MAIAKOVSKI, Vladimir Vladimirovitch (1893-1930), poeta russo, 66, 140-142, 151, 152, 155, 161, 165, 234

MANSFIELD, Katherine (pseudônimo de Kathleen Beauchamp) (1888-1923), contista neozelandesa, 176, 190, 192, 194

MARINETTI, Filippo Tommaso (1878-1944), futurista italiano, 62-67, 72, 85, 91, 142, 152, 157, 162, 163

MARSMAN, Hendrik (1899-1940), poeta holandês, 154

MASTERS, Edgar Lee (1869-1950), poeta norte-americano, 103-105, 169, 170, 215

MEDEK, Rudolf (1890-1930), romancista tcheco, 140

MENCKEN, Henry Louis (1880-1956), crítico norte-americano, 170, 196, 215

MEYRINCK, Gustav (1868-1932), romancista austríaco, 112, 116

MICHELSTAEDTER, Carlo (1887-1910), filósofo italiano, 121

MOORE, Marianne (1887-1972), poetisa norte-americana, 219, 220

MORE, Paul Elmer (1864-1937), crítico norte-americano, 215

MORENO VILLA, José (1887-1955), poeta espanhol, 238

MUSELLI, Vincent (1897-1963), poeta francês, 48

NAU, John-Antoine (1860-1918), poeta francês, 48, 49

NEVEROV, (pseudônimo de Alexei Sergeievitch Skobelev) (1885-1923), romancista russo, 139, 140

NEZVAL, Vietezlav (1900-1957), poeta tcheco, 235, 236

O'CASEY, Sean (1884-1964), dramaturgo irlandês, 147, 148, 182, 185, 189

O'HARA, John (1905-1970), romancista e contista norte-americano, 203

OLIECHA, Iuri Karlovitch (1899-1960), romancista russo, 140

O'NEILL, Eugene (1888-1953), dramaturgo norte-americano, 30, 36, 148, 149, 178, 198-200

OSORIO, Miguel Angel (pseudônimos: Ricardo Arenales, Porfírio Barba-Jacob) (1880-1942), poeta colombiano, 161, 163

OSTAYEN, Paul van (1869-1928), poeta flamengo, 66, 154

OWEN, Wilfred (1893-1918), poeta inglês, 30, 132, 134, 135

PALAZZESCHI, Aldo (1885-1974), poeta e romancista italiano, 85,86

PANZINI, Alfredo (1863-1939), escritor italiano, 59, 60, 121

PARRA DEL RIEGO, Juan (1894-1925), poeta peruano, 164

PASTERNAK, Boris Leonidovitch (1890-1960), poeta e romancista russo, 222, 223

PÉGUY, Charles (1873-1914), poeta e publicista francês, 30, 53, 121-124, 126, 129, 131, 169

PELLERIN, Jean (1885-1920), poeta francês. 50, 51, 66

PELLICER, Carlos (1897-1977), poeta mexicano, 164

PERETZ, Jitzchok Leibusch (1852-1915), contista e dramaturgo iídiche, 111, 112

PESSOA, Fernando (1888-1935), poeta português, 90-95, 236

PILNIAK, Boris (pseudônimo de Boris Andreievitch Wogau) (1883-1958), romancista russo, 138, 140, 225

PIRANDELLO, Luigi (1867-1936), dramaturgo, romancista e contista italiano, 138, 185-189

POUND, Ezra (1885-1972), poeta e crítico norte-americano, 97-102, 204, 213, 219

PSICHARI, Ernest (1883-1914), escritor francês, 122, 131

RADIGUET, Raymond (1903-1923), romancista francês, 47, 228, 234

RATHENAU, Walter (1867-1922), economista e filósofo alemão, 110

RAYNAL, Paul (1885-1971), dramaturgo francês, 147

READ, Herbert Edward (1893-1968), poeta e crítico inglês, 235

REBORA, Clemente (1885-1957), poeta italiano, 88

REBREANU, Liviu (1885-1943), romancista romeno, 140

REVERDY, Pierre (1889-1960), poeta francês, 56, 75, 76, 78-82, 158, 159, 162, 230, 233

RICHARDS, Ivor Armstrong (1893-1979), crítico inglês, 220

RICHARDSON, Dorothy (1873-1957), romancista inglesa, 191

ROSENBERG, Isaac (1890-1918), poeta inglês, 132, 134

ROSSO DI SAN SECONDO, Piermaria (1887-1956), dramaturgo italiano, 189

ROUSSEL, Raymond (1877-1933), escritor francês, 230

SABA, Umberto (1883-1957), poeta italiano, 86-88, 121, 122

SÁ-CARNEIRO, Mário de (1890-1916), poeta português, 89-93, 97

SACK, Gustav (1885-1916), romancista alemão, 38, 132

SAINT-JOHN PERSE, (pseudônimo de Alexis Léger) (1887-1975), poeta francês, 228

SALMON, André (1881-1969), poeta francês, 56, 73, 82, 150, 157, 167

SANDBURG, Carl (1878-1967), poeta norte-americano, 104, 105, 170, 204
SASSOON, Siegfried (1886-1967), poeta inglês, 134
SBARBARO, Camillo (1888-1967), poeta italiano, 89, 121
SCHICKELE, René (1883-1940), romancista alemão, 39, 108, 157
SCHULZ, Bruno (1893-1942), contista polonês, 118
SEJFULLINA, Lydia (1889-1956), romancista russa, 223
SERRA, Renato (1884-1915), crítico italiano, 59, 121, 132
SHERMAN, Stuart Pratt (1881-1926), crítico norte-americano, 215
SINCLAIR, May (1879-1946), romancista inglesa, 191, 192
SITWELL, Edith (1887-1964), poetisa inglesa, 194
SLATAPER, Scipio (1888-1915), romancista italiano, 122, 132
SOEDERGRAN, Edith (1892-1923), poetisa sueca, 99
SOFFICI, Ardengo (1879-1964), romancista e crítico italiano, 64, 85, 167
SORGE, Reinhard Johannes (1892-1916), dramaturgo alemão, 113, 122, 132
SOUPAULT, Philippe (1897-1990), poeta francês, 158, 159, 205, 230, 232, 233, 235
SPENGLER, Oswald (1880-1936), filósofo alemão, 31, 214
STADLER, Ernst (1883-1914), poeta alemão, 108, 129, 132
STEHR, Hermann (1864-1940), romancista alemão, 118
STEIN, Gertrude (1874-1946), escritora norte-americana, 168, 169, 171, 181, 184, 204-208
STERNHEIM, Carl (1881-1942), dramaturgo alemão, 38, 39, 107, 145, 148
STEVENS, Wallace (1879-1955), poeta norte-americano, 203
STRACHEY, Lytton (1880-1932), escritor inglês, 192, 194
STRAMM, August (1874-1915), poeta alemão, 108, 132, 152
SZABÓ, Dezsoe (1879-1945), romancista húngaro, 152
TABLADA, José Juan (1871-1945), poeta mexicano, 99
TARASOV-RODIONOV, Alexander Ignatievitch (1885-1938), romancista russo, 223
TEIXEIRA DE PASCOAES, Joaquim (1879-1952), poeta português, 90
TOLLER, Ernst (1893-1939), dramaturgo alemão, 145
TOLSTOI, Alexei Nikolaievitch (1882-1945), romancista russo, 137, 234
TORRE, Guillermo de (1900-1971), crítico e poeta espanhol, 162
TOULET, Paul-Jean (1867-1920), poeta francês, 49, 50
TOZZI, Federigo (1883-1920), romancista italiano, 120-122
TRAKL, Georg (1887-1914), poeta austríaco, 121, 127-129, 132
TUWIM, Juljan (1894-1953), poeta polonês, 154, 155
TZARA, Tristan (1896-1963), poeta francês, 157-159, 169, 230, 232
UNRUH, Fritz von (1885-1970), dramaturgo alemão, 144
URBAN, Milo (1904-1982), romancista eslovaco, 153
VALLEJO, César (1898-1938), poeta peruano, 164, 165
VESELY, Artem (1899-1938), romancista russo, 139, 140
VILLALÓN, Fernando, Conde de Miraflores (1881-1930), poeta espanhol, 238
WALSER, Robert (1878-1956), romancista suíço, 117, 118
WALSH, Ernest (1895-1926), poeta norte-americano, 204
WEDEKIND, Frank (1864-1918), dramaturgo alemão, 33-36, 38, 39, 58, 107, 145, 146, 148, 157, 199
WEININGER, Otto (1880-1904), filósofo austríaco, 110, 121, 122
WERFEL, Franz (1890-1945), poeta e romancista austríaco, 108, 112, 113, 116, 117, 144
WEST, Nathanael (1906-1940), romancista norte-americano, 235
WOLFENSTEIN, Alfred (1888-1939), poeta alemão, 107
WOLKER, Jiří(1900-1924), poeta tcheco, 151
WOOLF, Virginia (1882-1941), romancista inglesa, 185, 191, 192
WYLIE, Elinor Hoyt (1885-1928), poetisa norte-americana, 169
ZECH, Paul (1881-1946), poeta alemão, 108
ZWEIG, Stefan (1881-1942), novelista e biógrafo austríaco, 178

ASSINE NOSSA NEWSLETTER E RECEBA
INFORMAÇÕES DE TODOS OS LANÇAMENTOS

www.faroeditorial.com.br